Ervas, Temperos e Condimentos

de A a Z

Tom Stobart

Ervas, Temperos e Condimentos

de A a Z

Coordenação e apresentação à edição brasileira:
Rosa Nepomuceno

Tradução:
Áurea Akemi Arata
Carolina Alfaro

ZAHAR

Tradução autorizada da edição inglesa publicada em 1998 por Grub Street, de Londres, Inglaterra

Grafia atualizada segundo o Acordo Ortográfico da Língua Portuguesa de 1990, que entrou em vigor no Brasil em 2009.

Título original
Herbs, Spices and Flavourings

Capa
Rita da Costa Aguiar

Ilustrações da capa
© Bloch Lainé/photocuisine/Corbis/
© Lippmann/photocuisine/Corbis/

Ilustrações do miolo
Ian Garrard

Projeto gráfico
Mari Taboada

Preparação de texto
Geísa Pimentel Duque Estrada

CIP-Brasil. Catalogação na fonte
Sindicato Nacional dos Editores de Livros, RJ.

Stobart, Tom
S878e Ervas, temperos e condimentos: de A a Z / Tom Stobart; coordenação e apresentação à edição brasileira Rosa Nepomuceno; [tradução Carolina Alfaro e Áurea Akemi Arata]. — 1ª ed. — Rio de Janeiro: Zahar, 2009.
il.

Tradução de: Herbs, Spices and Flavourings.
Inclui índice
ISBN 978-85-378-0179-6

1. Ervas. 2. Especiarias. 3. Condimentos. 4. Culinária (Ervas). 5. Culinária (Especiarias). I. Nepomuceno, Rosa. II. Título.

CDD: 641.338
09-5618 CDU: 641.885

EDITORA SCHWARCZ S.A.
Praça Floriano, 19, sala 3001 — Cinelândia
20031-050 — Rio de Janeiro — RJ
Telefone: (21) 3993-7510
www.companhiadasletras.com.br
www.blogdacompanhia.com.br
facebook.com/editorazahar
instagram.com/editorazahar
twitter.com/editorazahar

SUMÁRIO

Lista de ilustrações

Pranchas preto e brancas

Pranchas coloridas

Apresentação à edição brasileira

Curiosidades de um viajante apaixonado por condimentos

Rosa Nepomuceno

O livro de Tom Stobart é curioso, rico em informações e atenderá aos amantes da cozinha e dos experimentos condimentares, assim como aos estudiosos das plantas medicinais e da cultura dos povos. O *chef* inglês, fotógrafo, montanhista e cinegrafista de expedições morou em vários países, quase todos em torno do Mediterrâneo, mas andou pela Ásia, colecionou ervas do Himalaia, registrou os temperos da Índia e do Sri Lanka, experimentou molhos da Tailândia. Conheceu peculiaridades da culinária dos lugares por onde passou, visitou jardins de ervas e plantações de especiarias, entrevistou produtores e comerciantes. Trouxe para a sua obra quase quatro centenas de temperos, entre ervas, especiarias, molhos, bebidas e substâncias utilizadas pelo homem, ao longo dos tempos, para tornar seu alimento mais saboroso. A impressão é de que não deixou de fora qualquer ingrediente do qual tenha tomado conhecimento e que, em algum momento, teve função condimentar.

Encontraremos verbetes com plantas europeias das quais nunca ouvimos falar no Brasil, como o cardo-marítimo (*Eryngium maritimum*, em inglês *Sea holly*), planta espinhosa de regiões pedregosas próximas ao mar da

Grã-Bretanha, que há séculos aromatizou geleias e doces da região. Ou temperos completamente esquecidos, como a salsaparrilha, raiz da América Central e do Sul hoje utilizada apenas por suas qualidades medicinais. Alhos, tomilhos, mentas, cebolas – o que há de cheiros e sabores numa cozinha, dos mais triviais aos inusitados, está no livro, em suas variedades e diferentes usos. Os sais marinhos, vegetais e minerais, os açúcares e plantas de sabores agridoces, caldos industrializados, molhos e xaropes asiáticos, as pimentas que hoje reinam em tantas culinárias (das *Capsicum* americanas às espécies asiáticas), cogumelos e trufas, frutas secas, certos peixes, resinas, ervas consideradas "daninhas" (como as urtigas) estão na compilação de Stobart, onde não faltam histórias, lendas, testemunhos pessoais do autor.

Procurei trazer, sempre que possível, informações relacionadas aos usos dos condimentos no Brasil, país onde ele não esteve e cuja culinária é uma das mais ricas e variadas do mundo, pelas tantas heranças culturais amalgamadas em suas panelas, de povos diversos, diversos países, em períodos diferentes – condimentos, ingredientes e preparos que aqui foram introduzidos pelas levas de viajantes e imigrantes que tentaram reproduzir, na Terra da Promissão, a comida de seus países, aproveitando também os sabores locais. Lembro, por exemplo, que a própria salsaparrilha foi um importante "produto natural" do Brasil Colônia, exportado para Portugal. E no verbete "Sassafrás", no qual Stobart cita a espécie das regiões quentes da América do Norte, conto que a canela-de-sassafrás, uma das lauráceas nobres brasileiras, das margens do rio Negro, de casca aromática de sabor amargo, foi condimento e remédio do caboclo, produto incluído nas exportações para a capital do reino. Também incluí nossa cachaça e uma "falsa-pimenta", a pimenta-rosa, baguinha da aroeira, arvoreta brasileira de nosso litoral.

A cozinha moderna brasileira se expande e se sofistica, sem se distanciar de sua fabulosa tradição culinária: utiliza vinhos, azeites, acetos e ervas mediterrâneas, o urucum e as pimentas indígenas, a cúrcuma dos indianos, o cominho de africanos e asiáticos, cravo, canela e a noz-moscada do Sudeste Asiático, alhos e cebolas difundidos pelos árabes, molhos escuros e picantes do Extremo Oriente, a fava da baunilha que vem do México ou de Madagascar. Nos encontramos, portanto, nos itens do livro. Entre raridades garimpadas em culturas longínquas, aqui estão condimentos aos quais temos acesso no supermercado da esquina.

Para os ajustes necessários à adaptação de algumas informações ao nosso cenário contei com a preciosa colaboração de meus amigos Jorge Pedro Carauta, biólogo, os *chefs* Marcelo Scofano e Renata Lopes, o barista Leo Moço. Consultei, entre outros livros, os meus *Viagem ao fabuloso mundo das especiarias* (José Olympio, 2003) e *O Brasil na rota das especiarias* (José Olympio, 2005), para os quais desenvolvi amplas pesquisas; *Plantas medicinais no Brasil*, de Harri Lorenzi e F.J. Abreu Matos (Instituto Plantarum, 2002); *Dicionário de plantas exóticas cultivadas*, de Pio Corrêa e Leonam de Azeredo Penna (Imprensa Nacional/Ibama, 6 vols., 1984); *História da alimentação no Brasil*, de Luis da Câmara Cascudo (Itatiaia / Edusp, 1983); *The Standard Cyclopedia of Horticulture*, de Liberty A. Bailey (Macmillan, 3 vols., 1925, revisto em 1944, 1947, 1953); e *Ingredients*, de Loukie Werle e Jill Cox (Tandem, 2005).

Ao leitor, bom proveito!

Introdução

A história dos condimentos

Certa vez ajudei a desenterrar dois jarros de cerâmica que ainda continham restos de alimentos com quatro mil anos de idade. Eu era convidado de uma equipe italiana que explorava cavernas nas montanhas da Sardenha, e os jarros foram descobertos encrustados sob uma estalagmite em um canto de uma das cavernas. O local ficava a grande profundidade, era úmido como um túmulo e com as rochas cobertas por uma película escorregadia de limo. Difícil acreditar que alguém havia vivido ali por opção. Talvez o lugar tenha sido somente um refúgio em tempos de perigo e a comida fosse um estoque de emergência; ou talvez o dono tenha sido morto e por isso não retornou para pegar os jarros que escondera.

Ao longo dos séculos, o conteúdo dos jarros tinha se deteriorado e se transformara em um pó marrom irreconhecível, embora os laboratórios de Milão talvez pudessem ter condições de identificar o que havia sido. Não era possível prová-lo, somente especular sobre que alimentos especificamente as pessoas que viveram há tanto tempo apreciavam e que gosto teriam.

Porém especulações não duram muito quando se está com frio e molhado. Era novembro e, lá fora, as montanhas estavam escuras e encobertas pela névoa. Já passara bastante da hora do jantar e tínhamos pela frente a trilha descendo por rochas soltas, sob o frio, e uma viagem de carro nada divertida, com as roupas molhadas, até um hotel cujos cozinheiros já teriam há muito ido dormir.

inverso. O brilhante autor do tratado hipocrático sobre medicina antiga – ele próprio antigo, visto que o escreveu cerca de 400 anos antes de Cristo – era da opinião de que a medicina surgira antes de mais nada com cozinheiros, na cozinha. Parece bem plausível: quando se nota que pessoas indispostas que não têm apetite para os alimentos que consomem quando estão saudáveis, é ato contínuo deliberadamente preparar infusões reconfortantes.

Muitas ervas também começaram a ser usadas em conexão com cerimônias, magia e religião: salsa, louro e hisopo, por exemplo, têm forte ligação com a magia. Atribuía-se ao louro o poder de afastar relâmpagos, e o imperador romano Tibério usava sua coroa de louros durante as tempestades – o que é tão tolo quanto evitar passar debaixo de escadas.

É claro que as ervas devem ter sido usadas primeiro nos locais onde crescem naturalmente. Algumas vezes podem ter sido transportadas desidratadas para outras regiões, mas em geral pensamos em ervas como algo que podemos cultivar no lugar onde vivemos e que, se não são autóctones, foram ali introduzidas e perpetuadas. Muitas das ervas usadas na Grã-Bretanha foram originalmente levadas para lá pelos romanos. Algumas podem ter fenecido e ficado esquecidas por um tempo, sendo reintroduzidas mais tarde. Na América do Norte e em outras partes do mundo colonizadas pelos europeus, os colonos aclimataram a maioria das ervas em seu novo lar. Ocasionalmente os europeus descobriam em suas colônias espécies silvestres que eram muito parecidas ou idênticas às que usavam em seu país de origem. Novas ervas obtidas com os habitantes nativos também passaram a ser usadas – por exemplo a monarda, ou erva-bergamota, dos índios da América do Norte –, mas essas não foram amplamente adotadas na culinária.

Já as especiarias não podiam ser cultivadas pelos colonizadores em sua terra natal. A palavra "especiaria", que abrange raízes, cascas de árvores e bagas desidratadas, tem a mesma origem de "espécie" ("classe de objeto") e se refere a qualquer tempero aromático seco proveniente de quase todas as partes de plantas nativas do Oriente tropical. Bens mercantis de enorme valor, sua história é longa e sangrenta.

Por pelo menos cinco mil anos, as especiarias foram levadas para as terras ao leste do Mediterrâneo e a Europa pelas rotas de caravanas que cruzavam o Oriente Médio vindas de lugares como China, Indonésia, o sul da Índia e o antigo Ceilão. Frequentemente, as pessoas que as recebiam não sabiam nada sobre sua origem e acreditavam que fossem provenientes da Arábia – crença incentivada pelos mercadores que as transportavam e vendiam. A rota mais tradicional cruzava o rio Indo em Attock, logo abaixo da junção com o rio Cabul, seguia por Peshawar e o passo de Khyber, atravessava o Afeganistão e o Irã e rumava para o sul até a Babilônia, pelo rio Eufrates. De lá seguia em direção ao oeste até a parte leste do Mediterrâneo e, finalmente, a Europa. No entanto, a rota variou consideravelmente ao longo dos séculos, dependendo de qual país do mundo árabe e persa a dominava. Também era sujeita à concorrência de navios mercantes que cruzavam o golfo Pérsico e o mar Vermelho. Às vezes, novas pressões eram impostas pelas potências em ascensão; elevados impostos eram cobrados dos comerciantes, e em outras ocasiões as rotas tornaram-se perigosas ou em condições precárias. Então, as especiarias encontravam outras vias de entrada, mais convenientes e lucrativas.

Mesmo depois, quando as especiarias chegavam ao Mediterrâneo, os negócios eram então controlados por mais cidades e grupos de mercadores. Em certo momento foram os fenícios; em outro, os árabes; e mais tarde os italianos de Veneza, Amalfi, Gênova – todos enriqueceram com o comércio de especiarias. Os esforços de um país para desestruturar a hegemonia comercial mantida por outro foram responsáveis pelo forte interesse em se descobrir uma rota marítima para o Oriente através do cabo da Boa Esperança. Quando isso ocorreu, iniciou-se uma era de concorrência ainda mais violenta entre ingleses, holandeses, franceses e portugueses. Livros inteiros foram dedicados à história do comércio de especiarias, que devem ser consultados para se conhecer mais detalhes, pois o espaço aqui não nos permite maior aprofundamento no assunto e não é possível acompanhar os relatos sem mapas e algum conhecimento de história antiga e medieval. Do nosso ponto de vista, porém, podemos supor que todas as especiarias comuns estiveram à disposição de cozinheiros na região do Mediterrâneo desde o início dos registros escritos da história, embora até recentemente ainda fossem excessivamente caras. Pimenta, gengibre, cravo, canela e noz-moscada, por exemplo, podem ser encontrados atualmente na culinária de quase todos os países do mundo, exceto na de povos muito primitivos.

A única especiaria proveniente do Novo Mundo, de início, foi a pimenta-da-jamaica; pimentas-vermelhas, *chillis* e pimentões, também originários da América – e portanto desconhecidos na Europa e na Ásia antes de Colombo –, passaram a ser cultivados na Europa. Baunilha e chocolate também foram levados da América pelos espanhóis.

A importância dos condimentos

Muitas vezes, o segredo dos grandes *chefs* é uma dose mínima de condimentos incomuns, usados em quantidades imperceptíveis. Isso requer não só criatividade, mas um bom conhecimento das possibilidades. Um compositor deve conhecer os sons e as características de todos os instrumentos de uma orquestra para alcançar efeitos sutis ou inesperados.

Atualmente há um grande e renovado interesse pela culinária estrangeira. Ainda que, em qualquer região, a quantidade de temperos de uso comum frequentemente se restrinja a alguns poucos, que assumem caráter regional, passa de mil o total de condimentos conhecidos. Qualquer pessoa seriamente interessada na arte culinária de outros países pode dispor de 85 especiarias comuns, 15 ervas frescas e 10 desidratadas, algumas hortaliças para saladas e uma vasta gama de artigos que variam de vinhos, vinagres e óleos a alcaparras, frutas frescas, frutas secas e anchovas.

Se o *chef* criativo, o cozinheiro dado a experimentações e o dono de livros de receitas estrangeiras devem conhecer as especiarias, também não podemos esquecer o viajante interessado em gastronomia que não está disposto a permanecer ignorante quanto ao que está comendo. Para um tratamento de choque, experimente um voo sem escalas de Roma a Mumbai. Se houver cebolas, alho, tomates, arroz e um frango à disposição de um cozinheiro em cada ponta da viagem, que diferença incrível de sabor haverá entre os pratos preparados por eles! Viajantes experientes são capazes de dizer até de olhos vendados em que parte do mundo estão simplesmente provando a comida. Um francês saberia até mesmo se está na Normandia ou na Provença. De fato, as diferenças são tão características que podemos ver na culinária uma informação geográfica necessária. Por exemplo, recentemente fui recebido em Landi Kotal, no topo do passo de Khyber. Mesmo tendo saído de Peshawar apenas algumas horas antes e ainda estando politicamente no Paquistão, pela comida eu pude afirmar que subitamente deixara o subcontinente indiano e estava entrando no Oriente Médio, representado pelo planalto iraniano. Havia também alguns elementos vindos da Ásia Central, e eu poderia ter deduzido a conexão mercantil ali existente mesmo que já não conhecesse os vínculos remanescentes das antigas rotas de caravanas.

A comida é um assunto muito negligenciado por historiadores e geógrafos sérios. Contudo, por ser fundamental e uma tradição viva, pode ser muito reveladora. De modo geral, as pessoas são bastante conservadoras quanto ao que comem, especialmente em relação aos condimentos – os temperos usados numa região são ditados pelo clima, a história e os laços comerciais. Naturalmente, tende-se a usar primeiro o que pode ser cultivado e produzido no próprio local e depois então a acrescentar as especiarias desidratadas, fáceis de serem transportadas. Incidentes históricos, migrações e conquistas também influenciam muito no estilo de cozinhar e nos condimentos preferidos. No fim, as pessoas parecem definir sua própria seleção, e muitas vezes há um toque de genialidade nas combinações que decidem fazer.

Há hoje na culinária, como em quase tudo, rumores de revolução, e as mudanças são rápidas. Quando culturas diferentes são postas em estreito contato, essa união forçada comumente gera um novo vigor híbrido, novas invenções e inovações explosivas. O transporte aéreo aumentou a proximidade entre os povos. As pessoas viajam de férias e se interessam pela culinária estrangeira. Leem livros de receitas de outros lugares, e atualmente a culinária é um passatempo relaxante e respeitável entre pessoas cultas, além da ocupação número um do gênero faça-você-mesmo. Métodos mais eficientes de preservação e armazenamento e a possibilidade de transportar bens perecíveis rapidamente de um lugar para outro por via aérea fomentam ainda mais esse interesse. Também houve um número considerável de emigrações. No Reino Unido, por exemplo, a chegada de imigrantes das Índias Oriental e Ocidental teve reflexos profundos sobre a oferta de produtos em lojas e mercados. Hoje pode-se comprar de peixes-voadores e lulas em cidades pequenas que até recentemente nunca tinham ouvido falar desses ingredientes exóticos a condimentos como gengibre e coentro frescos, que durante séculos não foram vendidos assim na Inglaterra.

Com efeito, na Inglaterra, desde o início do século XIX, quando eram vendidas muitas variedades de ervas, o número foi sendo progressivamente reduzido até restarem somente quatro delas – menta, tomilho, sálvia e salsa –, e mesmo hoje, em alguns lugares, não é muito fácil comprá-las.

Mas um renascimento está começando. Há novas oportunidades para a originalidade e a variedade. É claro que existem possibilidades desastrosas se tudo for misturado de modo inconsequente e sem conhecimento. Talvez precisemos novamente *pensar* sobre os sabores. Além disso, nessa era de aceitação de pratos estrangeiros deve-se levar em consideração quais pratos formarão um cardápio satisfatório. Talvez os Estados Unidos já estejam familiarizados com tal invasão culinária, pois vêm recebendo pessoas de todos os cantos do mundo, tendo inclusive se desenvolvido graças a elas. Sua grande extensão territorial e maior variedade climática favorecem a produção de uma vasta quantidade de alimentos.

Os *gourmets* mais conservadores talvez encarem essa nova situação com um certo horror. Eles podem julgar que a melhor culinária francesa atingiu a perfeição e que qualquer mudança seria um retrocesso. Tal suposição é perigosa. Sem dúvida, a primeira pessoa que pôs açafrão na *bouillabaisse* foi escorraçada por seus contemporâneos, e de qualquer forma a culinária é uma arte viva, na França como em qualquer outro lugar – estando, portanto, em constante evolução.

A origem deste livro

Abordo esse assunto na qualidade de viajante que morou em muitos países – em geral não muito longe do Mediterrâneo, minha região preferida.

Entremeadas com períodos deliciosos de descanso e boa comida no Chipre, na Espanha ou na Itália, houve longas viagens, frequentemente em condições desconfortáveis, por quase 70 países. Tive de acampar ou dormir em regiões ermas e preparar minha própria comida, como parte do meu trabalho. Quando iniciei minhas viagens não me importava muito se comeria carne ou serragem, desde que continuasse vivo e chegasse aonde queria. Aliás, me lembro de, estudante com pouco dinheiro, lamentar gastar com comida e desejar que não precisássemos comer. Isso não me impediu de descobrir que a cebolinha era muito barata nos mercados do Tirol e que ela incrementava o sabor da minha dieta à base de pão com toucinho magro, que era tudo o que eu podia comprar nas montanhas. Também não impediu que eu desfrutasse de uma boa refeição, quando surgia essa oportunidade. Porém, com o tempo, deixei de achar graça na "Especial do Hillary" – um tipo de sopa lendária inventada por ou para Sir Edmund Hillary, no Everest. A receita é chá, leite em pó, açúcar, *tsampa* (um cereal farinhento de origem sherpa usado no café da manhã) e uma lata de sardinhas com óleo. Tudo isso misturado produz o que algumas pessoas afirmavam ser a fonte de uma dieta balanceada e outras, a de um verdadeiro pesadelo. Houve ainda o magnífico comentário feito à imprensa por outro bravo participante daquela expedição, Tom Bourdillon, já falecido: "A única coisa importante sobre a comida é que ela deve existir."

O outro lado do argumento me foi apresentado em termos ásperos por um australiano ainda mais durão (se isso é possível), um criador de gado no norte de Queensland. Ele chegou ao meu acampamento ao raiar do dia e deixou seu rebanho pastando enquanto tomava um chá. Foi quando descobriu que eu não sabia fazer meu pão e que dormia sem lençol ou travesseiro. Considerou-me tolo e sujo demais por usar um saco de dormir, além de um rude amador por viver à base de biscoitos. De fato, em suas palavras, eu era estupidamente ineficiente.

Mas não creio que o caldo de Sir Edmund ou o fazendeiro australiano tenham de fato me influenciado muito. Sempre gostei de cozinhar e, conforme adquiria experiência, não me parecia mais ser necessário passar sem boa comida onde quer que fosse, desde que soubesse o que havia no mercado local e planejasse cuidadosamente as marmitas e os enlatados. Por exemplo, preparei uma lagosta à Newburg bastante considerável a 15km da base do Everest, e nessa época eu jamais pensaria em me aventurar num lugar totalmente inóspito sem algumas ervas enroladas em papel e uma cabeça de alho no bolso.

Assim, passei a me interessar por ervas e condimentos, sobretudo porque até mesmo a carne de um iaque velho fica consideravelmente melhor com ervas, alho e uma dose de um borgonha. Montei minha primeira coleção de ervas silvestres do Himalaia em 1946, mas ela foi destruída quando o telhado de uma choupana desabou durante um terremoto. Também me tornei um frequentador apaixonado dos mercados e bazares dos países que visitava – que locais pitorescos! Senti necessidade de ter um livro de referência para consultas, mas não consegui encontrar nenhum. Por fim, fui compelido a montar meu próprio fichário – a melhor maneira de arquivar notas feitas no verso de envelopes velhos – e comecei a colher eu mesmo informações de todos os tipos de fonte. Sempre que possível, percorria os bazares e comprava amostras, que levava para especialistas locais em agricultura. Também visitava jardins de ervas e plantações de especiarias, interrogava fazendeiros e comerciantes e lia muitos livros especializados.

Ao longo de dez anos, acumulei uma enorme quantidade de fichas manuseadas e gastas com dados extraídos de muitas fontes. Amigos e conhecidos me acompanhavam em mercados e bazares e faziam-se de intérpretes, enquanto pacientes donos de barracas pesavam sem lucro algum quantidades ínfimas de praticamente tudo o que tinham para vender.

Lembro-me em especial de duas moças tímidas e muito gordas em Guzerate, que me guiaram uma manhã inteira pelas ruas secundárias de Mumbai e que foram ficando mais descontraídas à medida que me revelavam os segredos das famosas conservas da região. Mas as informações sobre as especiarias provêm de gente de lugares tão distantes entre si quanto Zanzibar e Mashhad, Beirute e Cingapura, de agricultores em Sylhet, Kodagu e Sri Lanka; sobre as ervas, de pessoas da Suécia à Espanha e à Bessarábia. Vêm de donas de casa, *chefs*, comerciantes, ministérios da agricultura e universidades, bem como de leituras. No fim, meu fichário ficou tão grande e despedaçado que senti que ele precisava virar um livro.

Esse interesse por comida regional provou ser extremamente útil por outras razões além da culinária. Frequentemente temos pouco em comum com os camponeses de locais remotos, mas comida é um assunto básico para se conversar com todo o mundo. Mesmo nos países mais xenófobos, basta demonstrar interesse pelos pratos locais e logo se é convidado para dentro das casas. Eles percebem que você é humano; você não se segrega comendo em grandes hotéis internacionais – na verdade, os lisonjeia por apreciar sua culinária. É claro que, em algumas ocasiões, nossos interesses são mal interpretados. Descobri que os etíopes consideravam que a única coisa na cozinha que podia interessar um homem era uma mulher. De modo que algumas vezes, não muitas, fui posto para fora. Na maioria dos casos fiz amigos, e como é habitual na introdução dos livros agradecer a quem nos ajudou, faço-o agora, caso algum deles tenha a oportunidade de ler este aqui.

As bases científicas dos condimentos

O que sabemos sobre o gosto dos alimentos é em grande parte o seu cheiro; isto é, as sensações são detectadas principalmente no nariz, e não na boca. Dado que o olfato e o paladar são em geral considerados os sentidos animais mais primitivos (depois do tato), é surpreendente que ainda não compreendamos suas bases científicas do mesmo modo como conhecemos as da visão e da audição. Pode ser impossível descrever cores e sons com precisão através de palavras, mas pode-se fazer isso em termos de comprimento e amplitude de onda. Descrições desse tipo têm significado para um cientista e, ao menos em teoria, tornam possível uma reprodução precisa. Contudo, só conseguimos descrever um aroma ou um sabor vagamente comparando-o com outros cheiros e gostos, e através de experiências pessoais.

Uma das coisas mais impressionantes sobre o olfato é que basta uma quantidade incrivelmente pequena de uma substância odorífera para provocar a sensação. Quão pouco um animal deixa em sua pegada para o perdigueiro rastrear. Que mínimo vestígio de um tigre o vento leva até as narinas de um antílope a um quilômetro de distância. O que se sabe é que não parece existir uma relação simples entre tipos de cheiros e a estrutura química das substâncias que os produzem. Há outros fatores curiosos. O sentido do olfato é mais aguçado em condições úmidas do que secas. É necessário que o ar passe pelos canais olfativos – o que é um dos motivos pelos quais tampamos o nariz para tomar um remédio de gosto ruim. Também por esse motivo, a comida perde o gosto se estamos com um resfriado forte.

Os sabores reais detectados na boca são em número bem pequeno: ácido, doce, salgado, alcalino e metálico, picante, amargo e adstringente. Em termos literais, esses são os únicos sabores de verdade. O resto é aroma.

Esses sabores verdadeiros detectados na boca são muito importantes na culinária, pois são básicos. Precisam ser devidamente conciliados num prato. No entanto, nossa sensibilidade a eles é fortemente influenciada pela temperatura. Por exemplo, a sensibilidade à doçura e à acidez é reduzida pelo frio, razão pela qual o sorvete precisa ser tão adoçado e o vinho doce fica menos doce quando está gelado. A sensação de salgado, por outro lado, é intensificada pelo frio – ao menos por frio moderado –, como se pode notar provando caldo de carne ou de peixe frio. Esses detalhes tornam-se muito importantes quando se ajusta o tempero de pratos como mousses ou *consommés* frios, que são resfriados após serem preparados.

Há outros efeitos menos diretos da temperatura no sabor. O uso do congelamento é cada vez mais comum, e apesar de o encararmos apenas como um meio de conservação do alimento, ele tem algum efeito permanente sobre o sabor. Talvez a razão seja mecânica. Durante o congelamento, formam-se cristais de gelo que rompem as membranas das células e liberam constituintes do sabor que caso contrário ficariam presos. A comida que contém pimenta, por exemplo, ficará com sabor mais apimentado quando for reaquecida após ter sido congelada. Por isso, quem tem o costume de preparar quantidades dobradas de um prato, uma para ser comida na hora e outra para congelar, não deveria necessariamente temperá-las de forma idêntica.

O efeito do calor durante o cozimento é um tanto paradoxal, pois ele ao mesmo tempo aumenta e destrói o sabor. Ocorrem dois processos: num deles, as substâncias que dão sabor vão sendo liberadas à medida que os tecidos e as membranas celulares se rompem; no outro, as substâncias aromáticas mais voláteis, em particular os óleos essenciais (*ver* Óleo), vão sendo expelidas pelo calor e se dispersam na atmosfera. Assim, um cozinheiro está sempre na corda bamba e não pode pender demais para um lado nem para o outro. A cocção lenta e demorada tende a liberar as substâncias aromáticas sem fazê-las evaporar demais. Se a borda de uma panela for selada com massa, retém-se ao máximo os aromas. A fervura rápida elimina os condimentos mais voláteis, mas pode aumentar o sabor geral pela concentração.

O calor também altera o sabor dos alimentos por promover reações químicas e a decomposição de uma substância em outra. Este livro não aborda esse aspecto da criação de sabores, assim como não trata dos sabores básicos das substâncias que são cozinhadas. Porém, para dar apenas um exemplo, há uma forte diferença de sabor entre a carne frita e a cozida, e portanto um ensopado fica muito diferente se a carne foi ou não frita antes de cozinhar. Isso é o resultado dos produtos que se formam nas diferentes temperaturas às quais a carne foi submetida.

Outra reação química que frequentemente resulta em transformação ou perda de sabor é a oxidação pelo oxigênio do ar, em especial quando essa reação é fomentada por enzimas na comida ou por microrganismos. Todos podemos comprovar que a exposição ao ar produz alterações: muitos alimentos perdem a coloração nas superfícies que foram cortadas; há também mudanças no sabor, por exemplo, de cebolas que foram cortadas e deixadas expostas por algum tempo. Via de regra, as alterações resultantes da exposição ao ar são indesejáveis. Tal exposição também causa perda do sabor em função da evaporação das substâncias mais voláteis. Portanto, substâncias usadas como condimento devem, sempre que possível, ser armazenadas inteiras, e não moídas, em vidros ou jarros bem vedados. Devem também estar secas, pois a umidade estimula o desenvolvimento de bolor e outros microrganismos que normalmente produzem sabores ruins.

Os sabores das ervas se alteram durante a desidratação – em algumas mais que em outras –, sobretudo se os métodos empregados não forem eficientes. Os métodos comerciais modernos para secagem de ervas permitem desidratar algumas delas que antigamente não podiam ser conservadas secas de modo satisfatório. Os novos métodos impedem a produção de um gosto que lembra feno, retendo-se muito mais do sabor original.

As principais substâncias que conferem sabor contidas em produtos naturais são em geral conhecidas, mas os nomes químicos não devem preocupar o cozinheiro. Alguns grupos químicos, como açúcares e óleos essenciais, ganharam destaque neste livro (*ver* Açúcar, Óleo).

Um mecanismo que precisa ser entendido diz respeito a alimentos como mostarda e amêndoas-amargas, que só desenvolvem seu sabor após serem misturados com água. Eles contêm componentes amargos relacionados aos açúcares conhecidos como glicosídeos, além de enzimas que fazem com que esses glicosídeos reajam com a água. As enzimas, que são responsáveis por muitas transformações de que nos servimos (a fermentação, por exemplo), são catalisadores orgânicos, isto é, promovem uma reação sem que elas próprias sejam consumidas nesse processo. São importantíssimas em quase todos os processos vitais. Muitas delas são delicadas: comportam-se quase como se fossem vivas e são destruídas pelo calor. Assim, inadvertidamente, podemos impedir que os sabores se desenvolvam quando escaldamos, assamos ou misturamos alimentos com água fervente.

Os sabores também se desenvolvem durante muitos processos de maturação e de preparo de conservas nos quais leveduras, bolores e bactérias cumprem seus papéis. Anchovas, vinagres, alcaparras, queijos – são diversos os exemplos. Em geral compramos esses produtos já prontos, mas se precisarmos fazê-los em casa, não devemos nos assustar com esses mistérios. As pessoas lidam com processos que não compreendem há milhares de anos; embora ajude a entender o que ocorre, isto não é rigorosamente necessário. Na prática, trata-se principalmente de controlar as condições – a quantidade de sal ou de vinagre e a temperatura.

Nomes científicos, populares e estrangeiros

A finalidade dos nomes é, fundamentalmente, permitir que duas pessoas tenham certeza de que estão falando sobre a mesma coisa. Como os nomes populares não são seguros, são indicados os nomes científicos, juntamente com a família botânica à qual a planta pertence.

Famílias são grupos grandes que, de modo geral, têm características comuns – e alguns parentes são bem inusitados. Por exemplo, é curioso que a laranja, o limão, a folha de *curry* e a arruda sejam aparentados. Um dos apêndices traz uma lista por famílias.

A primeira parte do nome científico indica o gênero, e, quando este é comum a duas plantas, denota uma relação ainda mais próxima. Estragão, absinto, abrótano e artemísia, por exemplo, pertencem todos ao mesmo gênero *Artemisia*.

A segunda parte da denominação científica é o nome específico e diz respeito àquele tipo de planta e a nenhum outro. A reprodução pode se dar entre seres da mesma espécie, mas às vezes também podem ocorrer cruzamentos entre espécies diferentes (jumenta + cavalo = burro). São os chamados híbridos. Algumas plantas, como as mentas, hibridizam facilmente, o que gera confusões.

Entre as espécies ocorrem com frequência variedades naturais (*vars.*) e variedades produzidas por cultivo (*cultivars.*). Muitas vezes têm aparências sumamente distintas e, à observação casual, parecem diferir da espécie. Exemplos comuns são repolho, couve-de-bruxelas, couve-flor e couve-rábano. Quando as plantas são cultivadas há muito tempo, pode acontecer de se modificarem tanto se que torna impossível identificar seu ancestral silvestre com segurança – o que leva a crer, por vezes, que ele já tenha se extinguido.

Como se tudo isso não fosse confuso o bastante para o leigo, os próprios nomes científicos não são definitivos, mas continuamente modificados conforme a ciência avança. As plantas não só têm seus nomes específicos alterados, como são trocadas de gênero ou mesmo de família. Há controvérsias sobre alguns nomes, e então tudo depende de qual autor se segue, da época do livro e de que nome botânico foi dado. Isso levou botânicos e cientistas sérios a citarem não apenas vários nomes científicos, mas também as iniciais dos autores. Por exemplo, a letra L em seguida ao nome da planta indica o botânico sueco Lineu (Carolus Linnaeus), o pai da nomenclatura e da classificação científicas. Incluímos alguns nomes alternativos, conforme podem constar em livros mais antigos.

Mas por que isto interessaria a quem cozinha? A razão é que, se pode ocorrer uma ligeira confusão nos nomes científicos das plantas e algumas dúvidas sobre qual é qual, com relação aos nomes populares a confusão é inacreditável. Por exemplo, a palavra "pimenta" se aplica a muitas coisas bastante diferentes. Como também se confunde alcarávia, cominho e nigela. Os nomes botânicos esclarecem tais dificuldades.

Também incluímos muitos nomes em francês, alemão, italiano e espanhol,* e quando necessário em outras línguas. Aqui novamente é preciso ter cautela, pois em vários países há dúzias de nomes em dialetos regionais para a mesma coisa, ou pior, a mesma palavra pode significar coisas diferentes em lugares distintos. Um livro italiano que consultei fornecia meia página de denominações dialetais para uma planta, e obviamente outros tantos não puderam ser incluídos aqui. Então, selecionamos algumas versões comuns que podem auxiliar um viajante. Em última instância, os nomes científicos são os mais úteis, pois são internacionais e ajudam muito na identificação de condimentos em restaurantes, lojas e mercados estrangeiros. Espero, ao menos,

* E também em inglês, na edição brasileira. (N.T.)

que o leitor esteja em condições significativamente melhores com este livro do que eu estive sem ele.

Condimentos sintéticos e prejudiciais

Parece haver uma crença geral de que todas as ervas são boas e todas as especiarias são ruins. Isso é tolice: as especiarias não passam de partes desidratadas de plantas tropicais. Muitas ervas têm indiscutíveis efeitos fisiológicos, e grandes quantidades de arruda ou absinto, por exemplo, são prejudiciais – envenenam, realmente. Isso não significa que as porções habituais de condimentos causem algum mal. Algumas especiarias também têm efeitos fisiológicos. Por exemplo, o gengibre faz a maioria das pessoas transpirar e o cravo ou a canela são eficientes na limpeza do intestino. Por outro lado, usada em grande quantidade a noz-moscada é venenosa, e um pouco menos produz sintomas de embriaguez. Contudo, nenhuma delas é venenosa em porções pequenas, como acontece, por exemplo, com o fungo *Amanita phalloides* ou a bela espirradeira (*Nerium oleander*), que são mortais mesmo em quantidade ínfima.

Todavia, ervas e especiarias podem se tornar perigosas quando os temperos são mais concentrados do que o normal. O extrato de pimenta *chilli*, por exemplo, causa bolhas com facilidade, e os entusiastas das processadoras de sucos correm o risco de exagerar nos extratos de ervas, até mesmo no caso da singela salsa. Algumas poucas coisas – como amêndoas-amargas ou folhas de pessegueiro – são tóxicas quando ingeridas cruas, mas de modo geral são todas inofensivas se consumidas com moderação.

No entanto, esse não é muitas vezes o caso de condimentos substitutos ou sintéticos. O problema de todas as substâncias artificiais é que elas só deveriam ser empregadas na alimentação quando se tivesse certeza absoluta de que são inofensivas, porém não se tem tal garantia antes que tenham sido consumidas por bastante tempo. Então acontece de alguns condimentos e corantes inicialmente considerados totalmente seguros aos poucos ficarem sob suspeita. Um exemplo é a cumarina, substância responsável pelo aroma do feno recém-colhido e presente em muitas ervas, como na aspérula-odorífera. Essa substância pode ser extraída da fava-de-cheiro ou produzida sinteticamente, e foi muito utilizada como aromatizante em sorvetes, que naturalmente são mais consumidos por crianças. Hoje está proibida em muitos países. Outro item sob suspeita é o ciclamato de sódio, um adoçante artificial bastante recomendado e empregado em refrigerantes e sucos – novamente muito consumidos por crianças. Contudo, o fato é que, mesmo havendo várias substâncias potencialmente prejudiciais presentes em pequenas quantidades em muitos dos alimentos que consumimos, elas dificilmente nos farão mal numa dieta bem variada. Já quando estão concentradas e em quantidades exageradas, ou quando introduzimos condimentos sintéticos totalmente novos, há um risco maior de excesso ou de seus efeitos nocivos a longo prazo. Alguns países possuem leis alimentícias bem mais rígidas do que outros. A França, por exemplo, impõe um padrão muito alto de exigências e restrições. Pessoalmente, excluo quase todos os extratos ou sintéticos da cozinha, exceto quando sei exatamente o que contêm e que são usados com segurança há muito tempo. De todo modo, costumam ser inferiores e mal elaborados, também motivo de sobra para serem evitados por cozinheiros sérios.

Os condimentos na prática

A arte de criar sabores é negligenciada, provavelmente porque não pode ser transformada em belas fotografias coloridas ou demonstrada na televisão, ficando relegada à "pitada de sal", à "noz-moscada ralada", à "meia colher de chá de canela" ou "alho a gosto". Porém o sabor, com a textura, é a pedra angular da boa culinária e não pode ser alcançado através de ações mecânicas e sem o necessário entendimento.

Eu tive a sorte de observar muitos dos melhores *chefs* trabalhando e constatar que poucas vezes medem os condimentos que utilizam. Visão, paladar, instinto e experiência determinam como eles temperam cada prato. Isso é algo que um cozinheiro precisa cultivar. O sabor deve ser desenvolvido a partir de uma boa culinária básica e de uma medida de equilíbrio entre os vários condimentos acrescentados, sejam eles postos juntos ou em antagonismo.

É difícil. Os ingredientes variam. Quem resolve preparar um prato pela primeira vez para homenagear seus convidados é otimista. Uma

Pessoalmente, não sou um jardineiro muito dedicado, porque não disponho de tempo e geralmente estou fora de casa nas épocas em que é necessário realizar operações importantes. No entanto, segundo a minha experiência, os livros sempre fornecem instruções para se cultivar ervas dignas de prêmios de horticultura, o que para o cozinheiro é desnecessário. Tudo o que desejamos é ter uma erva à mão quando precisarmos, e não importa se é uma linda planta plenamente desenvolvida ou um punhado de ramos jovens que germinaram por acidente num canto, embora seja verdade que a maioria das ervas atinge o melhor momento para serem colhidas logo antes da floração.

Eu planto sementes e mudas por toda parte em canteiros, observando de modo geral se preferem estar abrigadas, a sol pleno, com sombra parcial, cal e algumas outras condições – mas sem preciosismos. Geralmente descubro que, por acaso, plantei algumas estacas de galhos, mudas ou sementes nos lugares que elas gostam, e onde podem se desenvolver. Em outros lugares, ou não crescem ou acabam morrendo. Já com plantas anuais ou bianuais, em geral basta deixá-las produzir sementes e dar-lhes uma sacudida quando as sementes estão maduras, para que caiam na terra. No ano seguinte, nascerão naquele mesmo lugar. As perenes, uma vez estabelecidas, não dão mais trabalho e de vez em quando podemos deixar que deem sementes e produzam novas plantas.

Através desse método preguiçoso, logo haverá várias ervas no jardim, sem maiores dificuldades. Algumas talvez deem mais trabalho. O ponto para o cozinheiro é que quase todas as ervas são decorativas e devem poder crescer onde *elas* acharem bom, não onde *você* quer que elas fiquem. Não é uma diferença básica entre a perspectiva de um cozinheiro e a de um paisagista?

Agora, no fim, acho que preciso fazer o que sem dúvida se esperava de mim no início: definir o que é condimento. Infelizmente, é uma palavra avessa a definição. Ao se experimentar um prato bem temperado, fica claro que seu sabor depende não só das pequenas porções de ervas, especiarias e outras pitadas especiais adicionadas à composição básica, mas também dessa própria composição básica e, sobretudo, do equilíbrio e da qualidade dos ingredientes.

O importante não é necessariamente saber o que *é* um condimento, mas ter consciência da harmonia dos ingredientes e desses temperos especiais que complementam os ingredientes básicos. É preciso saber quais pratos requerem o acréscimo de ervas e especiarias, em oposição àqueles nos quais qualquer acréscimo é desnecessário ou até mesmo um sacrilégio. Quase todos os alimentos possuem algum tipo de sabor próprio, e diferentes métodos de cozinhar também produzem sabores diferentes. Óleos, gorduras e até mesmo a água conferem sabores especiais à comida. Em Roma é possível ver senhoras elegantes, vestidas com pele de marta, levando garrafas a determinadas fontes para buscar a água que goza de reputação especial na culinária. Um amigo meu dono de um restaurante fino jura que a fama de uma de suas especialidades depende de se usar água mineral engarrafada em vez de água comum no preparo do prato. Isso é condimento? Estejam eles certos ou errados – e suspeito de que estão certos –, levam esses detalhes a sério, o que é a base de todo trabalho acima da média, e até mesmo da genialidade.

Assim, afinal, buscando uma definição para decidir o que é e o que não é um condimento, acabei por inserir neste livro apenas o que senti que pudesse ser útil, ainda que considerações a respeito do tamanho tenham me obrigado a eliminar alguns itens mais incomuns. Outros que podem ser contestáveis, como hortaliças e ervas para salada com sabores muito fortes e sementes para óleos, permaneceram.

Os condimentos têm o grande mérito de serem baratos e de nos permitirem transformar até mesmo o mais comum dos ingredientes do dia a dia. Mas atenção! Há dois provérbios a serem considerados. Um inglês, "O suficiente dá para um banquete", e outro romeno, "É melhor sobrar do que faltar", como se diz também no Brasil. Podemos discordar de ambos, mas, em se tratando de culinária, talvez comprovem que o juiz supremo do sabor é o indivíduo. Cada um deve confiar no *próprio* paladar e tentar conhecer os diversos alimentos e condimentos com curiosidade e inventividade. Nos tempos atuais, quando há uma forte pressão pela uniformidade, aqueles para quem cozinhar não é uma obrigação mas uma ocupação criativa e uma forma de expressão, são verdadeiros afortunados – assim como o são os amigos que eles recebem em suas casas.

A

ABRÓTANO

Erva-lombrigueira, abrótano-macho

BOT: *Artemisia abrotanum*
FAM: Compostas
ALE: *Eberries*
ESP: *Abrotano*
FRA: *Aurone, aurone mâle, armoise aurone*
ING: *Southernwood, lad's love, old man*
ITA: *Abrótano*

O abrótano é uma erva arbustiva de odor intenso geralmente cultivada em jardins para fins ornamentais. Outras *Artemisias* conhecidas são a losna, o estragão (*ver*) e a artemísia-verdadeira ou flor-de-diana (*Artemisia vulgaris*). O abrótano é nativo do sul da Europa e cresce silvestre na Espanha e na Itália, tendo chegado à Grã-Bretanha em 1548. Seu aroma, por ser muito forte, é um tanto desagradável. Contudo, dizem que os brotos novos são usados como tempero na Itália, especialmente em bolos, mas eu, embora tenha indagado a respeito, pessoalmente nunca encontrei alimento temperado com abrótano.

Também é chamado *garde-robe* na França, pois protege as roupas contra pulgas e traças.

AÇAFRÃO

Açafrão-verdadeiro

BOT: *Crocus sativus*
FAM: Iridáceas
ALE: *Safran*
ESP: *Azafrán*
FRA: *Safran*
ÍNDIA: *Kesar*
ING: *Saffron*
ITA: *Zafferano*

O açafrão-verdadeiro, um croco, nunca deve ser confundido com o açafrão-do-prado (*Colchicum autumnale*) que cresce selvagem na Inglaterra (onde às vezes é conhecido como *naked ladies*, pois suas folhas caem antes da floração no outono). Por ser extremamente venenoso, é um estorvo para os fazendeiros, já que o gado pode morrer ao ingeri-lo. Como diz John Gerard, "bulbos de todos os tipos de açafrões silvestres prejudicam o estômago, e se ingeridos podem matar por sufocação, assim como os cogumelos".

O açafrão que compramos, algumas vezes chamado de fios de açafrão ou pistilos, devido à sua aparência, consiste nos estigmas secos da flor do açafrão *crocus*. É considerado originário da Grécia e da Ásia Menor, mas tem sido cultivado desde tempos imemoriais. Foi usado na Pérsia antiga, era conhecido na época de Salomão (c. 960 a.C.) e muito consumido pelos fenícios. Também foi utilizado pelos antigos gregos e romanos. Algumas pessoas afirmam que seu uso na *bouillabaisse* e nos bolos de açafrão da Cornualha deve-se à influência dos fenícios, porém uma colônia grega em Marselha seguiu-se ao estabelecimento inicial dos fenícios na região, e de todo modo isso tudo ocorreu há muito tempo. A introdução do açafrão na Espanha é geralmente atribuída aos árabes, remontando a 900 d.C., e, se a planta já fora cultivada na Grã-Bretanha na época dos fenícios, aparentemente desaparecera, pois os registros são de que foi trazida ao país durante o reinado de Eduardo III (1327-37). A história, conforme a narra Richard Hakluyt, é que um peregrino que retornava ao país contrabandeou uma muda escondida em seu cajado. De qualquer forma, foi por essa época que o cultivo do açafrão se estabeleceu em Saffron Walden (Essex, Inglaterra), tendo perdurado lá e em Cambridgeshire até a virada do século, quando cessou totalmente.

Hoje é cultivado na maioria dos países mediterrâneos (em especial na Espanha), desde o Oriente Médio e Irã à Caxemira e China. O trabalho braçal envolvido na colheita dos três estigmas de cada flor é extraordinário, e calcula-se que são necessárias cerca de 75 mil flores para se obter 500g de açafrão. Como o comércio mundial movimenta milhares de quilos, o número de flores que precisam ser coletadas para atendê-lo é astronômico. Desnecessário dizer que o açafrão é muito caro – porém uma pitada é suficiente para uma receita farta. Não existe açafrão barato, portanto devemos suspeitar de qualquer pechincha.

O açafrão-verdadeiro é um *Crocus* típico, com flores de cor lilás ou arroxeadas que aparecem no outono (diferentemente do *Colchicum*, suas folhas não caem). É fácil cultivá-lo em quase todos os locais ensolarados e com solo bem drenado, e quanto mais naturais as condições, melhor a qualidade do açafrão produzido. A propagação é feita pelo plantio dos cormos no final do verão, mantendo-se um espaçamento de 10 a 15cm entre as mudas. A colheita deve ser feita no momento em que a flor se abre. Entretanto, a maioria das pessoas prefere comprar o açafrão. Infelizmente, devido ao seu alto custo, ele é frequentemente adulterado, em especial o açafrão em pó, que costuma ser vendido em pacotinhos nos mercados. O bom açafrão deve ser fresco (não mais que um ano), de cor laranja-vivo (não deve ser amarelado, desbotado ou com estames brancos), com um perfume forte e um sabor amargo, pungente, medicinal, que lembra o mel. No verdadeiro açafrão, o estigma ou pistilo se expande imediatamente quando em contato com água quente, e a cor se revela com facilidade.

O açafrão contém óleos essenciais característicos que lhe conferem o aroma, assim como alta porcentagem de corante amarelo facilmente solúvel em água. Isso o torna inútil para o tingimento de tecidos, mas muito apropriado para a culinária. São necessárias quantidades mínimas tanto para colorir quanto para aromatizar os alimentos.

O açafrão era muito usado na culinária medieval. Atualmente é restrito a poucos pratos – nos quais, contudo, é indispensável. Além dos já mencionados bolos de açafrão e a *bouillabaisse*, é também muito frequente em outros tipos de sopas e ensopados de peixe (por exemplo a *zarzuela*) das costas mediterrâneas da Espanha e da França, assim como em molhos para mariscos, e mesmo numa variação de *aioli* conhecida como *rouille* ("ferrugem"), que dá um toque de alho apimentado às sopas de peixe da costa da Riviera francesa. É essencial no risoto *à la milanaise* (com seu arroz de delicada cor amarela). Na Espanha, é comumente usado na *paella*, sobretudo nas que contêm mariscos (de fato combina em especial com os sabores de alho e peixe), mas também com fígado, e entra na elaboração de vários molhos. É empregado ainda para dar cor a certos licores e a vários doces e guloseimas orientais.

Em muitos livros de culinária oriental a palavra "açafrão" se refere à cúrcuma, pois o açafrão, por ser caro, não é muito usado no Sudeste Asiático ou na Índia (exceto nas ricas culinárias mongólica, da Caxemira ou do norte do país). A cúrcuma tem sabor distinto e em nenhuma circunstância pode substituir o paladar do açafrão-verdadeiro – a primeira *bouillabaisse* que provei, servida com pompa em um grande restaurante de Marselha, era "preparada" com cúrcuma, e o resultado foi semelhante ao do pior *curry* de peixe que se possa imaginar. Mesmo assim, no Brasil, os jesuítas portugueses encontraram nas raízes da cúrcuma e nas sementes do urucum substitutos para o açafrão-verdadeiro.

As opiniões sobre o açafrão são bem divididas: quem não está habituado a seu gosto pode achá-lo desagradável ou muito forte, mascarando os outros sabores do prato. Para se obter uma cor amarela sem o sabor do açafrão, pode-se usar o cártamo (*ver*), algumas vezes chamado de falso-açafrão ou açafrão-bastardo, ou até mesmo pétalas de calêndula.

ÁCIDO LÁCTICO

Embora nunca seja usado na sua forma pura como tempero na cozinha, o sabor do ácido láctico no leite azedo é bem familiar a todos nós. Em 1857, Pasteur descobriu que as bactérias eram responsáveis por azedar o leite, e desde então isolou-se um número enorme delas capazes de provocar esse processo. Tais bactérias são muito comuns e estima-se que sejam encontradas em quase todos os objetos não esterilizados na cozinha.

Elas fermentam os açúcares simples da mesma forma que os fermentos, mas, por causa de uma enzima – a carboxilase – presente no fermento mas ausente nas bactérias do ácido láctico, o produto final não é o álcool, e sim o ácido láctico. Alguns organismos convertem 95% dos açúcares fermentáveis em ácido láctico; outros formam uma mistura de ácidos acético e láctico ou ácidos orgânicos voláteis similares, responsáveis por aromatizar.

Laticínios têm tamanha importância que estão em um verbete separado. A fermentação do ácido láctico também produz o chucrute e o picles de pepino (picles de *dill*), e desenvolve leve sabor ácido em outras conservas. Eu, por exemplo, tenho uma receita do norte da Índia de conserva picante de nabo fermentado.

O chucrute, ou *sauerkraut* (do alemão *sauer*, que significa ácido, e *Kraut*, repolho), é obtido a partir da fermentação láctica de repolho cortado bem fininho com cerca de 2% a 3% de sal. O repolho bem picado é acondicionado dentro de tinas em camadas polvilhadas com o sal e mantidas por meio de pesos sob a superfície do líquido, extraído por osmose do repolho. Esse processo proporciona a condição ideal para o desenvolvimento de uma série de bactérias que produzem o ácido láctico. O ácido formado, cerca de 1,5% a 2%, age como um conservante. Em outras palavras, faz a conserva. No preparo de picles de pepino, a bactéria age de modo semelhante. O preparo caseiro desses produtos não é tão complicado quanto parece, pois são tarefas diárias dos camponeses em alguns países.

No chucrute, os açúcares – em grande escala, se não completamente – são eliminados, e o resultado é um vegetal ideal para emagrecer. O ácido láctico também tem um bom efeito na digestão e mata ou imobiliza rapidamente organismos que possam provocar transtornos ou males abdominais.

AÇÚCAR

ALE: *Rohrzucker*
ESP: *Azúcar de caña*
FRA: *Sucre de canne*
ING: *Sugar, cane sugar*
ITA: *Saccarosio, zucchero*

Glicose
ALE: *Glukose, Traubenzucker*
ESP: *Glucosa*
FRA: *Glucose, sucre de raisin*
ING: *Glucose, grape sugar*
ITA: *Glucosio*

Frutose
ALE: *Frukose*
ESP: *Fructosa*
FRA: *Fructose, lévulose, sucre de fruit*
ING: *Fructose*
ITA: *Fruttosio*

Maltose
ALE: *Maltose, Malzzucker*
ESP: *Azúcar de malta, maltosa*
FRA: *Maltose, sucre de malt*
ING: *Malt sugar*
ITA: *Maltosio*

Lactose
ALE: *Laktose, Milchzucker*
ESP: *Azúcar de leche, lactosa*
FRA: *Lactose, sucre de lait*
ING: *Lactose*
ITA: *Lattosio*

Embora existam outras substâncias doces (*ver* Sacarina, Sabores doces), é certo que qualquer alimento natural muito doce deve esse sabor à presença de um açúcar. Existem muitos açúcares, cada qual com diferentes propriedades, e que são encontrados na natureza não apenas nas plantas mas também nos animais. São carboidratos, ou seja, são constituídos a partir de carbono combinado com oxigênio e hidrogênio na mesma proporção que na água (dois átomos de hidrogênio para um átomo de oxigênio).

Os carboidratos mais importantes são assim classificados:

- monossacarídeos: glicose (açúcar de uva) e frutose (açúcar de fruta ou levulose)
- dissacarídeos: sucrose (açúcar de cana ou sucrose) – que é o açúcar comum –, maltose (açúcar de malte) e lactose (açúcar de leite)
- polissacarídeos: amido, dextrina (goma vegetal), celulose (açúcar não digerível da parede celular vegetal) e glicogênio (amido animal encontrado no fígado)

Note-se que estão em ordem crescente de complexidade (mono = um, di = dois, poli = vários). A natureza pode chegar do simples ao complexo, mas na culinária só podemos ir do complexo ao simples. O amido é transformável em açúcares, mas não o contrário. Os açúcares variam no ponto de derretimento, na solubilidade em água e, acima de tudo, em doçura. Se atribuirmos 100 pontos ao açúcar de cana comum pelo grau de doçura, a comparação seria a seguinte:

açúcar de fruta (frutose)	173
açúcar de cana (sucrose)	100
açúcar de uva (glicose)	74
açúcar de malte (maltose)	32
açúcar de leite (lactose)	16

Assim, dentre esses, a frutose é dez vezes mais doce que a lactose.

Açúcar de cana, sucrose ou **sacarose.** O açúcar branco comum que habitualmente temos em casa é quase sucrose ou açúcar de cana puro. É obtido da cana-de-açúcar e da beterraba, e possivelmente do bordo, do sorgo-doce e da seiva da palma. A sucrose também é encontrada em muitas frutas, particularmente nos morangos e abacaxis, e em muitas raízes como a cenoura e a beterraba. Também existe no néctar das flores, embora no mel tenha sido convertida em açúcares mais simples pela ação de uma enzima presente na saliva das abelhas.

A sucrose se dissolve completamente em cerca de 1/3 do seu peso de água em temperatura ambiente. Dissolve-se com mais facilidade em água quente do que fria, e a calda ferve a uma temperatura mais alta que a da água pura. Ao aquecermos a sucrose, ela derreterá a 160ºC, e quando esfriar novamente se formará uma calda cor clara e vítrea. Mas, se mantivermos o aquecimento, a água contida nos cristais de açúcar evaporará e o açúcar vai passar por vários pontos bem familiares ao confeiteiro – de fio, bala e vidrado; ao atingir 180ºC, caramelado. Se o aquecimento continuar, torna-se açúcar queimado.

É útil saber que, se agitarmos umas poucas gotas de ácido clorídrico puro com uma calda de açúcar de cana e deixarmos em um local aquecido por vários dias, o açúcar de cana vai se converter em uma mistura de quantidades iguais de glicose e frutose. Com essa reação, é fácil fazer bebidas energéticas. Uma pitada de bicarbonato de soda ou cal neutralizará o ácido.

A **glicose**, também denominada dextrose, é encontrada em grande quantidade nas uvas e forma cristais açucarados na uva-passa. Na natureza está sempre associada à frutose – como no mel, em que constitui cerca de 30%.

A glicose comercial, que é encontrada tanto purificada em pó quanto na forma de lascas e xaropes espessos, é feita cozinhando-se lentamente o amido ou açúcar de

Melado
ALE: *Melasse, Zuckerdicksaft*
ESP: *Melaza*
FRA: *Mélasse*
ING: *Treacle*
ITA: *Melassa*

Golden syrup
ALE: *Zucker Sirup*
ESP: *Melado*
FRA: *Mélasse raffinée, sirop de sucre*
ING: *Golden syrup*
ITA: *Melassa*

Melaço
ALE: *Melasse*
ESP: *Miel de caña*
FRA: *Doucette, mélasse*
ING: *Molasses*
ITA: *Melassa*

Açúcar de beterraba
ALE: *Rübenzucker*
ESP: *Azúcar de remolacha*
FRA: *Sucre de betterave*
ING: *Beet sugar*
ITA: *Zucchero di bietola*

Açúcar de bordo
ALE: *Ahornzucker*
ESP: *Azúcar de arce*
FRA: *Sucre d'érable*
ING: *Maple sugar*
ITA: *Zucchero di acero*

Açúcar de palma
ALE: *Palmzucker*
ESP: *Azúcar de palma*
FRA: *Sucre de palme*
ING: *Palm sugar*
ITA: *Zucchero di palma*

cana com ácido clorídrico, depois neutralizado com cal e purificado. A glicose também é conhecida como açúcar de amido, açúcar de milho ou xarope de milho, e as fórmulas comuns usadas na confeitaria comercial não são glicose pura, mas misturas.

A glicose líquida é um xarope espesso e claro, que contém água (18%) e glicose (35%) com dextrina (47%). A dextrina é um produto intermediário entre o amido e a glicose, muito conhecida como goma vegetal ou goma inglesa. A glicose líquida é muito útil para a confecção de doces caseiros; a sólida é encontrada na forma de lascas. Na sua produção, a conversão de amido em glicose é mais completa, embora o processo seja o mesmo. Esta contém glicose (75%), dextrina (6% a 8%) e um pouco de água.

Podemos empregar a glicose para adoçar geleias ou confeitos. Apesar de já ter sido considerada um substituto inferior do açúcar de cana, agora é exaltada como uma fonte de energia rápida. É bem menos doce que o açúcar de cana, e portanto é preciso estar-se atento se for usada em receitas para substituí-lo.

Também chamada levulose e açúcar de fruta, a **frutose**, assim como a glicose, é comumente encontrada em frutas maduras e no mel. Como substância pura não é um produto culinário habitual. É bem doce, dissolve-se mais facilmente na água do que a glicose, porém fermenta mais lentamente.

O **açúcar de malte** ou maltose, como o nome sugere, é um açúcar produzido pelo processo de maltagem. Forma-se quando a enzima diastase, liberada do germe, atua no amido. Simultaneamente forma-se também a dextrina. O açúcar de malte está, portanto, presente em escala considerável no extrato de malte, e um pouco no mel. É um açúcar importante na panificação e na cervejaria, que fermenta rapidamente pela ação de leveduras. É muito útil para a culinária por ser extremamente solúvel em água, além de higroscópico, isto é, ele tende a se ligar à água, retendo a umidade. Desse modo, se for usado no pão sob a forma de extrato de malte, vai se manter úmido por mais tempo.

A **lactose** ou **açúcar do leite** é o menos doce dos açúcares comuns. É extraído do leite desnatado que sobra do fabrico da manteiga, sendo que o maior interesse para o cozinheiro são as suas reações, importantes na produção de queijo e laticínios ou derivados de leite fermentado, como o iogurte. Pode ser adquirido em lojas de produtos farmacêuticos e é usado na confeitaria comercial.

A **sacarose** é o açúcar da cana-de-açúcar (*Saccharum officinarum*), uma gramínea gigante que atinge até cerca de 5m de altura, crescendo em touceiras e com caules parecidos com os do bambu, embora sejam maciços. Dentro da casca dura há uma polpa muito fibrosa abundante em um suco doce. É esse caldo que contém o açúcar de cana.

É um hábito comum mascar a cana-de-açúcar nos países em que ela é cultivada, mas apenas certas variedades são adequadas para isso. A maioria tem um sabor simples, intensamente doce. Diferente de uma fruta, a cana não contém ácido suficiente ou aroma (*ver* Sabores agridoces). Entretanto, se espremermos a cana fresca na moenda junto com um pouco de limão-galego e gengibre, vamos obter um refresco delicioso. Esse suco é vendido em barracas ou carrocinhas nas ruas em vários lugares nas regiões tropicais asiáticas, e vale a pena experimentá-lo (se encontrar uma barraca em boas condições de higiene). No Brasil, o suco puro, bebida doce e refrescante, é muito apreciado e chamado de garapa ou caldo de cana.

A cana-de-açúcar ainda é a maior fonte mundial de açúcar. Embora não seja mais encontrada em estado silvestre, ela é, provavelmente, originária do sul e do oeste da Ásia – os chineses a usavam por volta de 1000 a.C. Já era uma cultura importante na Índia quando Alexandre o Grande levou-a para a Europa em 327 a.C.; chegou ao Egito cerca de mil anos depois, em 641 d.C., e à Espanha cem anos depois disso, em 755 d.C. Os portugueses a levaram para a ilha da Madeira, Colombo para a América, na sua terceira viagem, e às ilhas do Caribe ela chegou no início do século XVI – época em que seu cultivo se estabeleceu também no nordeste do Brasil, introduzida pelos primeiros exploradores oficiais do pau-brasil, o grupo de Fernando de Noronha. Atualmente é cultivada em todo o mundo em locais de climas quentes apropriados. Já foi plantada no sul da Espanha e na Sicília, mas realmente prefere as temperaturas mais elevadas.

Ao avaliar receitas antigas, percebe-se que o açúcar refinado é uma facilidade moderna. Embora tenha sido usado na Europa na Idade Média, ainda era uma substância cara, vendida pelos farmacêuticos em pequenas quantidades, e só se tornou verdadeiramente acessível no século XIX. O mel era o adoçante usual antigamente.

O método primitivo de produção do açúcar continua sendo empregado em muitas comunidades camponesas tropicais. A cana madura é cortada rente ao chão, pois a extremidade inferior do caule é a mais rica em açúcar. As folhas secas são retiradas, caso não tenham sido queimadas antes de a cana ser colhida. Uma vez limpa, passa por uma moenda simples, que consiste em duas grandes rodas dentadas movidas por bois. O caldo, cor de água turva, escorre para enormes panelas rasas colocadas sobre o fogo feito dos galhos de cana espremidos. Enquanto o suco ferve e evapora, acrescenta-se cal. As proteínas no suco coagulam, e a espuma que elas formam com os resíduos é retirada. Resta um xarope espesso, marrom-escuro, semitransparente, do qual o açúcar começa a se cristalizar. Os cristais são retirados deixando-se escorrer um pouco do melaço, que, ao esfriar, forma uma massa cremosa escura de açúcar de cana não refinado – o açúcar bruto ou mascavo (do espanhol *muscovado*), que já foi exportado pelas Índias Ocidentais. Da Índia vem uma outra variedade de açúcar de sabor ainda mais bruto conhecida como *gur*, que pode ser adquirida em lojas especializadas em condimentos típicos daquele país. É um tempero importante na culinária local, não apenas em pratos doces, mas também em *curries* vegetarianos. Mesmo o açúcar mascavo mais escuro não o substitui de verdade.

O moderno açúcar de cana industrializado é obtido por um processo científico de separação do puro e cristalino açúcar de cana do melaço, e vários graus de refinação são praticados há muito tempo; provavelmente foram os árabes que inventaram o processo. O tipo mais antigo de açúcar refinado branco foi o pão de açúcar. Pães de açúcar já eram conhecidos na Inglaterra mesmo no início do século XIV e continuaram a ser apreciados na Europa e nos Estados Unidos até o século XIX. Atualmente ainda são consumidos no Irã. O açúcar refinado é esfriado em moldes no formato de um vulcão ou cone – como uma montanha de açúcar. Antes do uso, os cones precisam ser quebrados, e para a execução desse trabalho monótono, que é feito do lado de fora de todas as casas de chá iranianas, existem ferramentas específicas. O açúcar em cubo ainda é chamado de "*loaf sugar*" na Inglaterra.

O açúcar branco refinado é pouco saboroso, mas tem um gosto doce quase puro. Os açúcares mascavos, com graus variados de cor, são menos refinados e possuem o sabor de melaço mais ou menos acentuado. São conhecidos como demerara, e na Inglaterra também como barbados, por serem originários respectivamente da região de Demerara, na Guiana Inglesa, e de Barbados, ex-possessões britânicas. A rapadura é o açúcar endurecido em fôrmas. Algumas vezes, os açúcares são coloridos artificialmente, e isso pode ser detectado lavando-os com água. O verdadeiro açúcar mascavo não fica branco. No entanto, é melhor avaliá-los pelo sabor, já que os nomes podem confundir, uma vez que o emprego da conotação original tenha desaparecido.

Na culinária são usados vários melaços e xaropes derivados do açúcar de cana, cada qual com seu sabor peculiar. É importante observar o tipo correto de cada receita. Esses produtos contêm cerca de metade de seu conteúdo de açúcar de cana, compensado por outros açúcares que não cristalizam.

O **melado** é um xarope transparente, de cor marrom, que não deve ser confundido com o melado preto ou da Índia Oriental, que é muito mais forte e escuro.

O ***golden syrup*** é um xarope de açúcar cujo sabor mais suave se origina de um estágio posterior no processo de refinação. Quase 1/3 de sua composição é de sucrose e quase a metade é de açúcares que não se cristalizam mais. Às vezes é imitado usando-se açúcar de cana, glicose e aromatizantes.

O **melaço**, muito confundido com o melado, é o resíduo muito mais bruto do refino do açúcar. O sabor do melaço de beterraba é horrível, mas o da cana é palatável e usado em rum e outros produtos. Rico em minerais, é um alimento saudável importante que dizem não produzir os efeitos daninhos inquestionáveis do açúcar muito refinado. É usado extensivamente na culinária norte-americana. Em inglês o termo para o melaço escuro é *black strap*.

Açúcar de beterraba. Como a cana-de-açúcar cresce apenas em climas quentes, na Europa houve várias tentativas de se encontrar fontes alternativas de açúcar que pudessem ser cultivadas localmente. Na França, por exemplo, tentaram usar as cenouras. Embora o açúcar nas raízes de beterrabas já fosse constatado no século XVI, apenas em meados do século XVIII, na Alemanha, foi considerada a possibilidade de se usar a beterraba como fonte de açúcar. No início do século XIX, quando Napoleão sentia os efeitos do bloqueio naval inglês, houve interesse considerável na França, o qual arrefeceu após Waterloo e só foi retomado uns 15 ou 20 anos mais tarde. Desde meados do século XIX, a beterraba tornou-se cada vez mais importante no padrão agrícola dos países do norte da Europa como uma fonte de açúcar.

O açúcar da beterraba é extraído no inverno, quando as raízes estão maduras. Para isso elas são lavadas, transformadas em polpas e aquecidas, para se extrair o açúcar. A solução é tratada com cal e gás carbônico a fim de precipitar as impurezas, e em seguida o líquido é evaporado e os cristais de açúcar são retirados por centrifugação.

O açúcar purificado de beterraba branca é sucrose pura ou açúcar de cana (por isso talvez devamos abandonar o nome de açúcar de cana em favor de sucrose), e não é possível, por nenhum método ordinário, distinguir se um açúcar branco comprado é oriundo de cana ou de beterraba. Quimicamente são a mesma coisa. No entanto, não se obtém um melaço ou açúcar mascavo de beterraba porque, embora o melaço de açúcar de beterraba tenha empregos comerciais, seu sabor é muito desagradável.

O **açúcar de bordo** é extraído da seiva do bordo (*Acer saccharum*), uma bonita árvore das florestas do noroeste americano, desde o Canadá descendo até Connecticut e Ohio, a oeste. Já em 1673 os exploradores dessas regiões observaram que os índios faziam um açúcar bruto a partir da seiva dessa e de outras variedades de bordo. Eles jogavam a seiva recolhida no fim do inverno sobre pedras quentes, a fim de concentrá-la. Mais água era extraída ao se remover o gelo que se formava quando o líquido congelava no inverno. Os primeiros colonizadores incrementaram o processo fervendo a seiva até obter um caldo espesso e depois derramando-o na neve. Em seguida era então cristalizado em fôrmas. Atualmente, escava-se um furo no tronco da árvore e insere-se um bico gotejador. A perda da seiva, que então flui livremente, não parece prejudicar a árvore. A concentração é feita em evaporadores e o açúcar é então extraído.

A produção de açúcar de bordo atingiu o seu auge em 1869, e vem diminuindo desde então. Esse açúcar é considerado mais saboroso que o de cana ou o de beterraba. Fora dos Estados Unidos, o xarope de bordo é mais conhecido que o próprio açúcar de bordo, e tem um sabor característico, muito embora frequentemente aromatizado ou adulterado. Nos Estados Unidos, rótulos desse xarope ilustrados com uma folha da árvore indicam que o produto não é adulterado. Os livros de culinária americanos oferecem várias receitas antigas com esse ingrediente, que é também usado no café da manhã e em lanches acompanhando *waffles* e panquecas, puro ou com bacon, linguiças ou *scrapples*, uma espécie de angu de carne de porco.

O **açúcar de palma** é obtido de alguns tipos de palmeira, das quais a tamareira-silvestre, o coqueiro, o saguzeiro, a palmeira-de-dendê e a gomuteira, também chamada palmeira-do-açúcar, são as mais comuns. A tamareira é sangrada como o bordo, mas ela, ao contrário, é enfraquecida por esse processo, e sua seiva não pode ser extraída todos os anos. A sangria de outras palmeiras é feita cortando-se a ponta do broto que ostenta as flores e posteriormente os frutos. Isso significa subir nas árvores carregando um pote de barro ou bambu para coletar o líquido. Nos trópicos, significa também coletar a seiva no mínimo duas vezes por dia, pois caso contrário ela fermenta rapidamente, produzindo o *toddy*, o suco dessa seiva. Hoje em dia, algumas vezes coloca-se um conservante nos potes para impedir que isso aconteça. O açúcar de palma geralmente é um produto regional, equivalente à rapadura de cana, de um marrom bem escuro e de sabor pronunciado. Pode ser comprado nas lojas especializadas em produtos orientais, em geral com o nome indiano de *jaggery*. Muitas vezes é encontrado na forma de uma bola embrulhada em folhas. É um produto muito antigo da Índia, e vai estar sempre presente nas receitas desse país. Como a seiva das palmeiras, mais do que outras fontes, contém açúcares que não são sucrose, e como seu refino não é satisfatório, o açúcar de palma tende a ser sempre pegajoso.

O **sorgo-doce**, uma gramínea grande, é uma planta tropical e uma das muitas variedades de sorgo, que incluem o sorgo-comum, o *kafir* (África), a *kaoliang* (China), a *durra* (Índia) e várias outras. A maioria dos sorgos é cultivada para a produção de grãos, e são das primeiras plantas cujo cultivo o homem dominou. O sorgo-doce não serve para a produção de açúcar, mas um xarope importante é feito a partir do seu suco, e por isso cabe mencioná-lo.

AGRIÃO E FAMÍLIA

FAM: Crucíferas, principalmente
ALE: *Kresse*
ESP: *Lepidio*
FRA: *Cresson*
ING: *Cress*
ITA: *Crescione*

Agrião-comum
BOT: *Rorippa nasturtium aquaticum* (*Nasturtium officinale*)

Há inúmeras plantas conhecidas pelo nome genérico de agrião. São folhas importantes para adicionar um toque picante às saladas, para guarnecer ou para serem misturadas com algumas ervas e molhos. Seu uso cozido ou como tempero de pratos quentes é menos comum.

O agrião-comum é nativo da Europa, mas já está aclimatado por toda a América do Norte e do Sul. Cresce na forma silvestre em córregos, mas devido ao perigo de infecção por água contaminada (no passado foi causa frequente de febre tifoide) hoje é cultivado

FAM: Crucíferas
ALE: *Brunnenkresse*
ESP: *Berro de água, crenchas*
FRA: *Cresson de fontaine*
ING: *Watercress*
ITA: *Crescione d'acqua*

Agrião-de-jardim
BOT: *Lepidium sativum*
FAM: Crucíferas
ALE: *Gartenkresse*
ESP: *Lepidio*
FRA: *Cresson alénois, passerage cultivée*
ING: *Garden cress, land cress, pepper-cress, peppergrass*
ITA: *Agretto*

Agrião-americano, agrião-da-terra, erva-de-santa-bárbara
BOT: *Barbarea verna* (*Barbera praecox*) e *Barbarea vulgaris*
FAM: Crucíferas
ALE: *Barbarakraut*
ESP: *Oruga del jardín*
FRA: *Barbarée roquette des jardins*
ING: *American cress, belle isle cress, land cress, mustard greens, scurvy grass, spring cress, treacle mustard, treacle wormseed, upland cress, winter cress, wormseed*
ITA: *Barbarea, erba santa barbara*

em canteiros e tanques alimentados por fontes puras e poços. Embora o agrião seja frequente nos campos do sul da Europa, é muito mais popular no norte, provavelmente porque lá há menos variedades de saladas frescas no inverno.

O melhor agrião é o verde-escuro, marrom-avermelhado ou quase preto, com a aparência crocante e cujos galhos não sejam muito grossos, com radículas. No entanto, não deve ser julgado apenas pela aparência, e muitas vezes o agrião que parece menos suculento apresenta o melhor sabor. Não se deve guardá-lo na geladeira, e sim deixá-lo em água fresca sem submergir as folhas e mantido em local arejado. Quando se for usá-lo, lavar rapidamente e não deixar de molho por muitas horas.

O agrião é usado como guarnição em saladas, com queijo e em sanduíches, mas também pode ser empregado no tempero de sopas, ou cozido para dar sabor a verduras, como molho para peixes de água doce (preparado da mesma forma que o molho de salsinha) e em diversas misturas de ervas picadas para condimentar, por exemplo, batatas e manteiga de ervas.

O agrião-de-jardim é uma planta anual nativa do Irã e adaptada na Grã-Bretanha e na América do Norte. Chega a cerca de 45cm de altura e possui flores brancas do tipo característico das crucíferas.

É uma verdura de sabor picante própria para saladas. Além da planta bem tenra usada na tradicional salada de mostarda e agrião, há muitas outras variedades cultivadas, incluindo o agrião-australiano (*Australian cress*), que tem folhas douradas.

Outras espécies da silvestre *Lepidium* também são usadas ocasionalmente (sendo chamadas em inglês de *peppergrass* ou *pepperwort*).

O agrião-americano (*Barbarea verna*) é um parente próximo da *Barbarea vulgaris*, conhecida no Brasil como erva-de-santa-bárbara (em inglês, *yellow rocket*). É perene ou bienal, resistente, nativo da Europa continental e aclimatou-se bem na Grã-Bretanha e nos Estados Unidos. Parece-se muito com o agrião-comum mas suas folhas são menores, além de não ter um sabor tão delicado. É verdura muito útil para saladas de inverno, uma alternativa para o agrião-comum, sendo tanto cultivado quanto colhido na natureza durante a primavera na Europa e, nos Estados Unidos, por famílias italianas lá estabelecidas.

Agrião-do-pará, jambu
BOT: *Spilanthus oleracea*
FAM: Compostas
ING: *Brazil cress*
ITA: *Spilante*

Outro tipo de agrião é o jambu, também chamado agrião-do-pará, nativo do Brasil e usado na culinária regional, com sabor bem picante e levemente anestésico. A capuchinha (*Tropaeolum majus*, *ver*), flor originária do Peru e comum em jardins e hortas, entre seus tantos nomes populares é às vezes chamada de *Indian cress* em inglês, mas na verdade não tem parentesco com o verdadeiro agrião (*cres*).

AIPO

Salsão

BOT: *Apium graveolens*
FAM: Umbelíferas
ALE: *Sellerie*
ESP: *Apio*
FRA: *Céleri*
ING: *Celery*
ITA: *Sedano*

O aipo foi cultivado principalmente pelos italianos durante o século XVII, a partir de um tipo de aipo silvestre das marnotas europeias, o *smallage*, muito popular entre os romanos. Apenas durante o século XIX o aipo começou a ser usado de forma generalizada na Inglaterra e nos Estados Unidos. Antes disso, o sabor de aipo era fornecido pelo aipo-silvestre – que é venenoso quando cru – ou pelo levístico e a salsa-de-cavalo (ou aipo-de-cavalo), que têm uma leve semelhança aromática. O *smallage*, mesmo quando branqueado, é excessivamente amargo, e a grande contribuição dos italianos foi o cultivo e produção de variedades menos amargas. Na horticultura de hoje há diversas variedades cultivadas de aipo, algumas naturalmente brancas e chamadas de "branqueadas", outras verdes mas sem amargor. Há também as variedades de verão e de inverno, e outras cultivadas por causa da raiz, como o aipo-rábano (em inglês *celeriac*, em francês *céleri rave*).

Como condimento, o aipo é especialmente importante em sopas, caldos e guisados. Nos países nórdicos são comuns as inúmeras variedades para saladas, mas em países quentes, inclusive na Itália, também se encontram nos mercados os tipos menores, verdes, com mais folhas e mais amargos, usados exclusivamente como tempero. As folhas de aipo podem ser desidratadas e são usadas como uma fonte do óleo essencial de aipo.

A semente do aipo é um condimento útil, embora seja bem amarga. O sal de aipo é sal aromatizado com as sementes da planta e hoje é um tempero comumente comercializado.

AJOWAN

Ajwain

BOT: *Carum ajowan (Ptychotis ajowan* e *Carum copticum)*
FAM: Umbelíferas
ALE: *Ajowan*
FRA: *Ajovan*
ING: *Ajowan, bishop's weed, omam, omum*
ITA: *Ajowan*

O ajowan é parente do *kümmel* e do cominho, e suas sementes são usadas como condimento. É cultivado na Índia e em parte do Egito, do Irã e do Afeganistão. Tem aparência que lembra a de uma semente grande de aipo, mas o sabor forte de tomilho por conter uma quantidade considerável do pungente óleo de tomilho. Um extrato desse óleo é o timol, quimicamente relacionado ao ácido carbólico (fenol), um potente germicida. A água de ajowan tem uso nativo contra diarreia e cólera. Na culinária indiana, nunca sabemos ao certo se um ingrediente é acrescentado para condimentar ou com fins medicinais. Em geral, para ambos. Como os indianos ingerem grandes quantidades de grãos (*dhal gram, channa*) como fonte de proteína, preocupam-se em adicionar especiarias digestivas, que previnam gases.

O ajowan é utilizado em muitas especialidades culinárias indianas – *ompadi, namkin boondi, sev* etc. – e é bastante mencionado nos livros de receitas asiáticas. Na culinária ocidental é praticamente desconhecido, mas pode ser útil até como substituto para o tomilho fresco. Falta-lhe, no entanto, a delicadeza do tomilho, e então, embora este possa substituir o ajowan em receitas indianas, o contrário não é recomendado, exceto numa emergência. A semente de ajowan desidratada dura indefinidamente.

ALCAÇUZ

O alcaçuz se origina da raiz de uma pequena leguminosa perene de flores azul-violáceas que lembram as do feijão. Pode ser visto crescendo na forma silvestre no sul da Europa e no Oriente Médio, da região central da Itália até a Ucrânia e o Cáucaso, passando pela Dalmácia e a Hungria, e na Ásia Menor, tão longe quanto no Afeganistão. A primeira vez que essa planta me foi mostrada eu estava nas margens do rio Jordão. O alcaçuz tem sido usado desde os tempos antigos. Certamente Cristo, como nós, mastigava a raiz adocicada quando criança.

BOT: *Glycyrrhiza glabra* e outras espécies
FAM: Leguminosas
ALE: *Lakritze, Süßholz*
ESP: *Orozuz, regaliz*
FRA: *Réglisse*
ING: *Liquorice, spanish juice, black sugar*
ITA: *Liquerizia*

O condimento pode ser comprado simplesmente como uma raiz seca ou em bastões pretos e duros como pedra, feitos do sumo concentrado da raiz, obtido por fervura. Esses bastões se dissolvem até certo ponto na água. O sabor é amargo-adocicado.

O alcaçuz é cultivado na Itália, na Espanha, na Turquia e nos países da antiga União Soviética. Na Inglaterra, já o foi perto de Pontefract em Yorkshire (é empregado nos bolos de Pontefract), mas atualmente, embora a indústria ainda esteja centralizada ali, importa-se todo o alcaçuz usado. É utilizado em doces e balas, em bebidas e na cervejaria.

O alcaçuz-da-terra (*Periandra dulcis*) é nativo do Brasil.

ALCAPARRA

A alcaparreira é um arbusto pequeno com folhas ovais resistentes. As flores pequenas, do tamanho de uma rosa silvestre, são brancas ou rosas, com quatro pétalas e um feixe de longos estames de cor púrpura. São lindas, mas têm vida muito curta: as flores que se abrem de manhã morrem à tarde. A famosa passagem da Epístola de Tiago, "sua flor cai e a beleza do seu aspecto perece", pode bem se referir à alcaparra que cresce silvestre na Terra Santa, entre outros lugares. O fato de a alcaparreira muitas vezes crescer em ruínas e muros antigos, tendo sido comum no Coliseu de Roma, lhe confere um

BOT: *Capparis rupestris; Capparis inermis* (sem espinhos); *Capparis spinosa* (espinhosa)
FAM: Caparidáceas
ALE: *Kaper*
ESP: *Alcaparra, tápana, tápara*
FRA: *Câpre, câpre capucine, fabagelle*
ING: *Caper*
ITA: *Cappero*

ar melancólico. Hoje em dia a encontramos em Maiorca nas sarjetas e no entulho das novas construções hoteleiras.

A alcaparra é usada como condimento há milhares de anos. É silvestre ao redor de toda a bacia do Mediterrâneo. Encontrei alcaparreiras no Chipre, às margens do mar Morto e em sítios arqueológicos bem mais ao leste, à beira das estepes do nordeste do Irã. Não há certeza se são nativas nesses locais remotos ou se foram levadas no passado até eles, pois nos dias atuais nem sempre essas populações sabem como utilizá-las. A planta também é silvestre no norte da África e até o interior do Saara, onde conseguem sobreviver sob o sol causticante. Nesses lugares muito quentes as plantas também se armam de espinhos, embora as cultivadas com fins comerciais mais ao norte, por exemplo no sul da França, não os tenham.

Um país onde a alcaparra brota profusamente e é muito consumida é o Chipre, onde há não só os botões em conserva, como os frutos compridos (também encontrados na Espanha) e até mesmo ramos inteiros com folhas em conserva, com espinhos e tudo! É uma comida rústica porém deliciosa. As melhores alcaparras (*nonpareilles*) provêm do sul da França, sobretudo próximo de Bouches-du-Rhône e mais ao leste em Var; mas a Espanha, a Itália e a Argélia também produzem grandes quantidades, assim como a Califórnia e outros locais de clima mediterrâneo. No entanto, seu cultivo não é fácil e a colheita requer bastante trabalho manual. Idealmente, os botões devem ser colhidos todas as manhãs, assim que atingem o tamanho adequado. Após murcharem ao ar livre por um dia, são colocados em barris com vinagre branco intensamente salgado ou são salgados a seco. As melhores alcaparras são classificadas e armazenadas em vidros, e geralmente sua qualidade é indicada pelo preço cobrado. Em países do Mediterrâneo, onde são usadas no dia a dia, as alcaparras também são vendidas a granel nos mercados. Apesar de, geralmente, sua qualidade ser inferior, grandes demais ou salgadas a seco, são baratas.

O gosto dos botões de alcaparra fresca não é animador. O sabor característico só surge após terem ficado em conserva, devido ao desenvolvimento de um ácido orgânico – ácido cáprico – que, quando muito acentuado, tem um cheiro desagradável de bode. Porém, uma porção mínima desse ácido, apesar desse aroma (ou talvez por causa dele), é um condimento importante presente em vários outros alimentos. Ainda que existam muitos substitutos para a alcaparra – botões de giesta, botões de malmequer-do-brejo, tartago (possivelmente venenoso) etc. –, a maioria não traz esse sabor essencial. Já as sementes verdes de capuchinha em conserva são excelentes.

A alcaparra é primordial na cozinha. É muito fácil conservá-la, desde que sempre se mantenha o líquido no vidro até os botões acabarem. Nunca devem ficar secas e não se deve adicionar mais vinagre, pois isso estraga o sabor. Mas não há problema algum se forem retiradas cuidadosamente do vidro, deixando as restantes sempre cobertas com o líquido original, que pode ser usado ao fim.

Diversas receitas importantes levam alcaparras, como *tartare*, *rémoulade*, *ravigote*, *gibiche* e às vezes molhos vinagrete. Podem ser combinadas com picles picados, com anchovas e com ervas. Raspas de casca de limão dão um toque especial que em geral não é informado em livros de culinária. Naturalmente, as alcaparras estão mais presentes na gastronomia das regiões onde são silvestres. Combinam muito bem com peixes. Molho de alcaparra vai bem com salmão ou linguado, mas os peixes mais baratos ficam ainda melhores cozidos ou complementados com alcaparras, tais como badejo (*merlans à la bretonne*), arraia (*raie au beurre noir*) ou congro (*congre sauté aux câpres*). Elas são bastante usadas com bacalhau salgado em regiões do Mediterrâneo onde tradicionalmente o peixe é consumido às sextas-feiras, e muitas pessoas, ao comprarem o bacalhau (já hidratado), também compram alcaparras para prepará-lo (por exemplo *morue a la provençale*, com alho, alcaparras e azeitonas).

Também há lugar para a alcaparra junto às carnes, sobretudo em receitas que poderiam ficar muito gordurosas. Na culinária inglesa, as alcaparras são empregadas no molho para acompanhar cordeiro cozido. Em alguns desses pratos o molho é muito reduzido e as alcaparras ficam quase secas, praticamente fritas. Ao se morder a alcaparra salgada e azeda, há uma explosão de sabor na boca, com um efeito refrescante e interessante. Há receitas de frango ou coelho ensopado que levam azeitonas pretas e alcaparras.

Elas também cumprem seu papel em manteigas (como a de Montpellier), saladas, aperitivos (como *tapénade*), com queijo Liptauer e como decoração (o que, por seu sabor forte, pode ser um erro).

ALECRIM

Rosmaninho, rosmarino

BOT: *Rosmarinus officinalis*
FAM: Labiadas
ALE: *Rosmarein, Rosmarin*
ESP: *Romero, rosmario*
FRA: *Romarin, rosmarin encens*
ING: *Rosemary, old man*
ITA: *Rosmarino, ramerino*

A palavra "*rosmarinus*" deriva de *ros* (orvalho) e *marinus* (do mar). O alecrim é um arbusto que cresce espontâneo em profusão ao redor do Mediterrâneo na Espanha, Itália, Dalmácia, Grécia e norte da África, embora apenas em algumas regiões isoladas da Turquia, Líbano e Egito. Hoje já se espalhou por vários países que não têm um clima muito severo, inclusive a Grã-Bretanha onde foi introduzido pelos romanos, e os Estados Unidos onde é cultivado comercialmente devido ao óleo essencial empregado em perfumaria. Na Grã-Bretanha, viceja apenas no sul, e lá já começa a perder o seu melhor aroma, como acontece com todas as plantas aromáticas transplantadas de um clima quente e seco para outro úmido demais para elas. Em localidades mais ao norte dos Estados Unidos também necessita de proteção especial durante o inverno. No Brasil é cultivado em algumas regiões do leste ao sul.

O alecrim, que cresce até cerca de 1,80m de altura, é um arbusto perene com flores predominantemente azul-pálidas e folhas firmes, pontudas. É muito aromático e seu óleo essencial contém, entre outras coisas, cânfora, o que se pode logo identificar. O cheiro também faz lembrar o perfume de folhas de pinheiro em um dia de calor.

É uma das plantas aromáticas silvestres mais comuns nas colinas mediterrâneas, especialmente em áreas rochosas calcárias próximas do mar. Nesse clima, floresce intensamente durante o ano todo. As flores mais lindas que já vi foram na Sardenha, certo novembro. Talvez seja a mais bela dentre todas as ervas, formando densas moitas ornamentais com a murta-cheirosa e o árbuto, o *smilax* e o zimbro.

As opiniões sobre o uso de alecrim como uma erva culinária são bastante controversas, mesmo nos países onde ele cresce em profusão. Em Maiorca, por exemplo, embora não no resto da Espanha, os moradores dos vilarejos me consideraram louco por usá-lo. Por outro lado, na Itália é um dos temperos mais comuns, uma verdadeira "paixão", especialmente com cordeiro e cabrito assados (*abbacchio* e *capretto al forno*). Lá os açougueiros entregam maços de alecrim gratuitamente, junto com a carne, ou já preparam as peças amarradas com a erva. Na gastronomia da França, da Espanha e da Grécia, seu uso é discreto.

Não há dúvida de que o alecrim possui um leve sabor de cânfora que não agrada a algumas pessoas. Tem também um gosto forte, especialmente apreciado pelos camponeses, e na Itália geralmente é utilizado em excesso. No entanto, empregado com bom senso fica excelente não apenas com carneiro ou cabrito grelhado ou assado, como já dito, mas também com peixes, mariscos, vitela e até mesmo em receitas de frango ou coelho bem temperados com alho e vinho.

Na horta, como se pode imaginar, o alecrim aprecia o sol pleno e o solo pobre, seco, bem drenado e calcário. Pode ser cultivado a partir de galhos podados ou de mudas enraizadas. Quando seca, a erva perde gradualmente a intensidade do seu aroma, e as folhinhas pontiagudas soltam-se com facilidade do galho – então não é muito agradável encontrálas no prato. Mas, como o alecrim é uma planta perene, pode-se tê-la fresca durante o ano todo. Usa-se quase sempre um raminho inteiro e muito raramente picado. Em sopas ou guisados, o melhor é adicionar um ramo grande durante o cozimento e retirá-lo quando o gosto estiver do agrado, ou então incluí-lo em um *bouquet garni*. Hoje pode-se também comprar alecrim em pó, uma conveniência para quem mora na cidade, embora o alecrim, como todos os temperos, perca muito do sabor ao ser moído. Por algum motivo, em certos lugares da Europa não mediterrânea o alecrim fresco não é fácil de encontrar e é abusivamente caro em lojas, o que incentiva o ato antissocial de arrancar galhos nos jardins dos parques. No Brasil seu uso foi bastante disseminado pelos portugueses (que o chamam de rosmaninho), de onde surgiu a expressão "alecrim português".

ALECRIM-DO-NORTE

Gale-doce

O alecrim-do-norte é comumente encontrado em terrenos pantanosos nos países do hemisfério norte. É uma pequena planta em forma de arbusto, de caule avermelha-

BOT: *Myrica gale*
FAM: Miricáceas
ALE: *Gagel* (*Strauch*)

ESP: *Mirto holandés*
FRA: *Galé odorant, myrte des marais, poivre de Brabant*
ING: *Bog myrtle, candle-berry, sweet gale*
ITA: *Mirica*

do, com altura até cerca de 2m. As inflorescências masculinas e femininas em espiga geralmente ficam em plantas separadas e surgem antes das folhas. Estas têm um aroma agradável que lembra vagamente o louro, e em tempos remotos eram usadas em toda a Europa para condimentar a cerveja; na China, eram desidratadas para fazer chá. O alecrim-do-norte era uma planta importante no passado, tanto que na Grã-Bretanha havia leis para impedir a destruição dos arbustos.

Seu odor característico se deve a uma resina que é segregada por glândulas sob as folhas. As frutas são particularmente ricas nessa resina, que boia na superfície quando elas são maceradas em água quente. Essa resina costumava ser utilizada na fabricação de cera para velas, que emanavam um cheiro doce ao queimar – daí o nome em inglês *candle-berry* [literalmente, "fruto-vela"], aplicado a essa planta e a outras espécies aparentadas.

De acordo com um especialista, os pequenos frutos de duas asas são usados na França e na Suécia para condimentar sopas. Eu me lembro de um velho cozinheiro na Nortúmbria que adicionava tanto os frutos quanto as folhas em ensopados de carne. Quem mora perto das áreas em que essa planta cresce deveria experimentá-la, pois os resultados são interessantes e é um condimento tradicional da cozinha campestre.

ALHO

BOT: *Allium sativum*
FAM: Liliáceas (Amarilidáceas, Aliáceas)
ALE: *Knoblauch*
ESP: *Ajo*
FRA: *Ail*
ING: *Garlic*
ITA: *Aglio*

Em inglês, a palavra "*garlic*" se origina do anglo-saxão *gar* (uma lança) e *leac* (uma erva de vaso).

O alho é provavelmente nativo da Ásia, mas já era cultivado próximo ao Mediterrâneo desde o tempo dos antigos egípcios. Hoje cresce em lugares de clima quente no mundo todo. Há muitas variedades, algumas com bulbos de pele branca, outras com a pele rosada ou roxa. O tamanho dos bulbos ou cabeças de alho varia muito, assim como o número de dentes que contêm. Alguns dentes são bem pequenos, mas também há formas gigantes. O sabor varia de acordo com a espécie e o clima. Alguns alhos são suaves, adocicados, e outros são fortes. O melhor vem de países quentes: o alho cultivado em áreas frias ou úmidas tende a ser rançoso, com gosto estranho.

A planta prefere solo razoavelmente rico, leve e bem drenado. Basta isso e sol suficiente para que cresça com facilidade. Os bulbos são separados em bulbilhos ou dentes individuais e estes são plantados em covas com cerca de 5cm de profundidade e 8cm de distância entre si. Em países quentes planta-se no outono, porém mais ao norte o plantio deve aguardar o começo da primavera. No verão, quando os bulbos estão maduros e a parte superior da planta começa a mudar de cor, são então colhidos para secar e armazenar.

O bom alho é firme, os dentes não estão murchos sob a pele fina, que parece um papel, e não há manchas. Em determinadas estações é difícil encontrar alho nessas condições, e se for necessário usar os dentes imperfeitos todas as manchas devem ser cuidadosamente retiradas, pois os dentes de alho manchados têm gosto ruim e estragam qualquer prato. Em países onde é preciso confiar no estoque de cultivo nacional, o alho sempre começa a se deteriorar no fim da temporada de armazenamento, antes da nova colheita. Por outro lado, no início do verão, o alho novo nos mercados geralmente foi colhido cedo demais, e isso também pode provocar um sabor rançoso.

Na Grã-Bretanha, sem dúvida, o alho já foi mais utilizado do que hoje em dia, quando muitas pessoas ainda o evitam por motivos sociais (devido ao forte odor), embora haja um movimento de revalorização do condimento, o mesmo ocorrendo na América do Norte. Este não é um fator relevante em países onde todos o consomem, embora possa ser excessivo viajando-se em um trem lotado de pessoas que comeram alho cru no café da manhã. No entanto, o aroma do alho cozido é menos intenso, e acredita-se que o vinho tinto melhore essa condição ainda mais.

O alho é extremamente saudável. Contém substâncias antissépticas que revigoram o sistema digestivo; reduz a pressão sanguínea e alivia a bronquite. No passado, era conhecido como "remédio dos pobres" ou "remédio dos camponeses", usado como um antídoto para venenos, mordidas e picadas. Os soldados romanos consumiam o alho como estimulante antes de irem para as batalhas (era dado também aos galos antes das brigas). "Marinheiros não vão para o mar sem uma bússola, muito menos sem um suprimento bem fornido de alho nos depósitos." De fato, eu nunca saí para uma expedição sem alguns dentes de alho no bolso. O alho é um condimento bem concentrado que incrementa um vasto número de pratos. Nos livros de culinária anglo-saxões há exortações aterrorizantes para "usar bem pouco alho", porém vários pratos maravilhosos contêm muito alho. E se é para saboreá-lo, vale exagerar...

Quando apenas um pouco de tempero é necessário, o método tradicional é cortar e esfregar um dente de alho na saladeira, ou na peça de carne etc. Quantidades um pouco maiores são mais facilmente preparadas colocando-se os dentes de alho no espremedor apropriado ou picando-o bem fininho, sem a pele. Os dentes de alho são bem difíceis de despelar. Um truque espanhol bem eficaz para soltar a casca é colocar o dente de alho sob uma faca de cozinha e esmagá-lo com um golpe forte antes de picar. Um outro truque que aprendi com minha empregada espanhola é segurar a ponta do dente de alho com o lado côncavo virado para baixo sobre um prato e pressioná-lo ligeiramente com o polegar: a polpa solta-se da pele fina. Em sua rude culinária camponesa, o dente de alho inteiro amassado com casca e tudo era então jogado dentro da panela – não é má ideia, pois é possível fisgá-lo intacto antes de servir o prato, embora elas não fizessem isso. O sabor de alho cru também pode ser convenientemente introduzido em receitas como manteiga de alho (servida à parte na mesa para ser acrescentada ao prato por aqueles que a apreciam); azeite aromatizado com alho (agita-se a garrafa na qual se acrescentou um dente de alho grosseiramente picado); ou pedaços de torradas ou de pão dormido nos quais se esfregou um dente de alho. Há também o vinagre com alho macerado e o sal de alho, que pode ser comprado industrializado ou preparado em casa amassando-se o alho e o sal em um pilão.

O sabor do alho é picante, mas não pode ser comparado com o da cebola. Alguns autores que tentam classificar os sabores (uma tarefa impossível uma vez que a base científica dos sentidos não é compreendida) listaram os aromas "de alho" como fundamentais. Quando consumido cru, apresenta tanto sabor quanto ardência, como se pode verificar nos molhos fortes à base de alho cru, como por exemplo o *aïoli* do sul da França e Espanha e o *skordalia* da Grécia. Em doses menores, destaca-se apenas o sabor, sem o ardido, e a quantidade é essencial. De fato, o alho demonstra com muita clareza o princípio do equilíbrio no uso de condimentos descrito na Introdução.

O sabor do alho cozido é bem distinto do alho fresco, e obtêm-se resultados de paladar interessante combinando-se alho cru e alho cozido. Por esse motivo, uma sopa de peixe que já contém alho pode ser servida com *croûtons* esfregados com alho fresco e um *rouille* contendo alho cru socado. Em receitas de molhos catalães, metade do alho pode ser pré-tostado e metade usado cru.

O alho é tempero na culinária diária de todo o sul da Europa, no Oriente Médio, no Extremo Oriente, na África, nas Antilhas, no México e na América do Sul. Combina bem com todas as carnes, caça, peixes, mariscos e com a maioria dos legumes e ervas. Fica muito bom com salsinha e cogumelos, realçando o sabor. Seria tarefa mais fácil listar os pratos em que o alho não é usado do que os milhares em que é. Sendo possivelmente o melhor dos temperos que o homem já descobriu – depois da cebola, talvez –, é significativo que o alho tenha um papel de destaque em todos os países cotados como os melhores em termos culinários, da França à China. Introduzido com exagero pelos portugueses, é indispensável na culinária brasileira, da qual é provavelmente o mais importante condimento.

ALHO-ESPANHOL

Alho-de-espanha, alho-grosso-de-espanha, alho-mourisco

O alho-espanhol é da família das cebolas, nativo da Europa e do leste do Cáucaso e da Síria. É encontrado silvestre em locais secos (o termo aqui é relativo) na costa do norte da Inglaterra e em partes da Escócia. O nome *rocambole*, comum em vários idiomas, vem do dinamarquês *rockenbolle*, que significa bulbo dos rochedos. Um outro nome em inglês, *sand leek* ("alho da areia"), sugere o seu habitat.

Seu sabor é semelhante ao de um alho suave, menos acre. Ainda é cultivado em alguns lugares, embora não seja tão popular hoje quanto no século XIX. Quanto à aparência, a planta se assemelha às variedades de alho de casca roxa, mas é facilmente distinguível porque suas flores são lilases, e não brancas como as do outro alho. Tam-

BOT: *Allium scorodoprasum*
FAM: Liliáceas (Amarilidáceas, Aliáceas)
ALE: *Rockenbolle, Schlangenknoblauch*
ESP: *Rocambole*
FRA: *Echalote d'Espagne, rocambole*
ING: *Rocambole, sand leek, Spanish garlic*
ITA: *Aglio d'India, aglio di Spagna, aglio romano, rocambola*

bém forma bulbilhos roxos – pequenos bulbos aéreos, que o alho-comum não possui. Naturalmente, esses bulbilhos também podem ser utilizados como tempero.

O alho-espanhol é de fácil cultivo em solo leve, plantado tanto a partir dos bulbilhos quanto pela separação dos dentes enraizados. A semente de boa qualidade é rara. Os bulbos podem ser colhidos, secados e armazenados da mesma forma que o alho (*ver* Cebola, Alho).

ALHO-PORÓ

BOT: *Allium porrum*
FAM: Liliáceas
ALE: *Breitlauch, Porree*
ESP: *Puerro*
FRA: *Poireau*
ING: *Leek*
ITA: *Porro*

Na Inglaterra e nos Estados Unidos, o alho-poró é considerado um legume; já em países da Europa continental, especialmente na França, também é usado como um tempero, o mesmo ocorrendo no Brasil.

O alho-poró cultivado possivelmente derivou do *Allium ampeloprasum*, variedade silvestre que cresce das costas do sul do País de Gales e da Cornualha, na Grã-Bretanha, até o Irã. No entanto, o alho-poró é um vegetal tão antigo que ninguém sabe ao certo a sua origem. Seguramente era cultivado no Egito na época dos faraós e foi usado mais tarde pelos romanos, que, segundo alguns dizem, levaram-no para a Grã-Bretanha.

Hoje, muitas variedades de alho-poró são cultivadas por quase toda a Europa, embora sejam menos populares nos Estados Unidos. Os tipos variam de alhos-porós gigantes cultivados para competições no norte da Inglaterra até variedades pequenas, tenras e delicadas, as prediletas na Europa continental. Alguns têm a base bulbosa, outros são retos; alguns são finos e outros, grossos.

São plantas bienais. Suportam bem as más condições, mas crescem melhor em solos ricos com bastante fosfato. Algumas variedades são especialmente resistentes. Instruções específicas para cultivo em diferentes locais podem ser encontradas em livros sobre horticultura.

Ao comprá-los, não considere o tamanho, mas a extensão da parte branca, ou mais clara. É ela que se utiliza, sendo a parte verde praticamente toda descartada. É importante que estejam frescos, pois os velhos ficam com gosto amargo. Na Europa continental, a estação de alhos-porós se prolonga por muito mais tempo que na Grã-Bretanha.

Os alhos-porós têm a reputação de serem difíceis de limpar, e de fato são, a menos que se observe o seguinte processo: pegue um talo de cada vez, elimine as raízes e a parte verde das folhas, retire a camada ou película externa do talo e faça dois cortes em ângulo reto em cima – o suficiente para abrir a parte onde possa haver terra acumulada. É essencial lavá-los em água corrente e de cabeça para baixo, abrindo cada camada de folha e esfregando com os dedos para retirar toda a terra. Nunca molhe o alho-poró com a cabeça para cima, nem o ponha em pé em uma vasilha com água. Alguns defendem que sejam colocados ainda com a cabeça para baixo em uma jarra de água limpa depois de lavados, mas se a operação sob água corrente for feita de forma adequada basta colocar os que foram lavados num escorredor e dar uma enxaguada final quando acabar de limpá-los todos.

O sabor do alho-poró é bem parecido com o da cebola, e bem marcante, embora muito mais suave e mais adocicado, portanto é preciso usá-lo com cautela.

As diferenças de sabor entre o alho-poró, a cebola e a echalota devem ser consideradas, e as receitas frequentemente contêm cebola e alho-poró, e algumas vezes cebola e echalota. O alho-poró é particularmente importante para temperar sopas e é muito usado na França. Faz parte do tempero do *pot-au-feu* e de várias sopas de carnes e vegetais. Predomina no *potage bonne femme* e, naturalmente, na versão criada por um *chef* francês nos Estados Unidos, o *crème vichyssoise*. Mas o alho-poró também é usado em sopas de peixe, e em caldos e no *court bouillon* para lagostas e peixe, como por exemplo na *la bourride* para enguias e outros. Além disso, pode fazer parte de um *bouquet* para guisados de porco ou de cordeiro.

É ingrediente muito usado na culinária da Europa Oriental, como na Romênia, onde um famoso *hors d'oeuvre* é feito de alho-poró com azeitonas num molho de tomate puxado no azeite, ligeiramente agridoce. Em muitos pratos semelhantes, ele é dourado de leve no óleo e seu sabor, assim como o das cebolas, muda muito nessas condições. Também como as cebolas, adquire um sabor rançoso se ficar cortado por muito tempo antes de ser cozido. O alho-poró bem novo e tenro pode ser consumido cru em saladas, um uso que remonta ao tempo dos romanos.

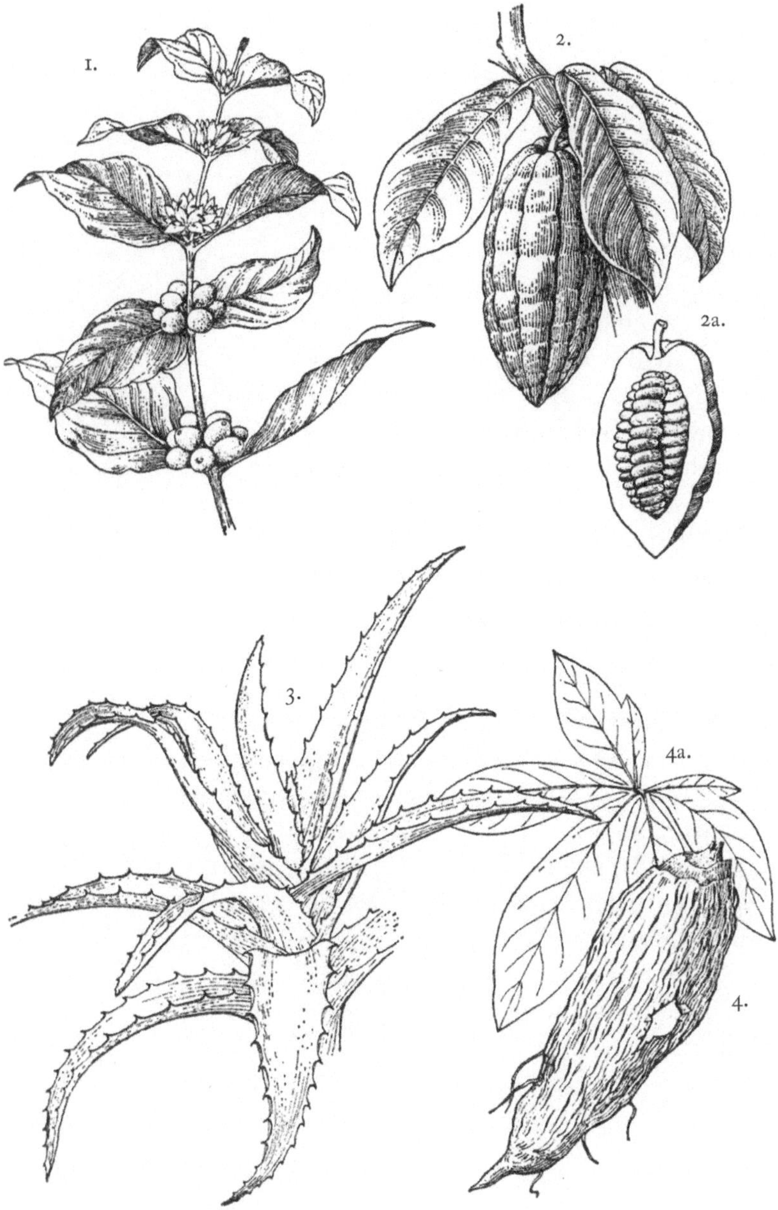

Aromatizantes / espessantes: 1. *Coffea arabica* 2. Galho de cacaueiro com fruta 2a. A fruta aberta 3. Babosa 4. Raiz de mandioca 4a. Folhas de mandioca.

ALIÁRIA

Erva-aliária

Uma planta comum em cercas vivas, nativa de toda a região temperada da Europa e da Ásia, e que se aclimatou bem no leste do Canadá e nos Estados Unidos. É perene ou bienal, tem flores brancas e atinge de 60cm a 90cm de altura. As folhas bem recortadas, parecidas com as da urtiga, liberam um cheiro forte quando esmagadas.

A erva aliária já foi muito usada como tempero e verdura para saladas. Era consumida com pão e manteiga, fervida nos cozidos, frita com arenques e bacon e, na Alemanha, usada como salada acompanhando carne salgada. Em inglês, adquiriu o nome *sauce-alone* [literalmente "molho por si"]; alguns especialistas dizem que o nome vem justamente do que as palavras sugerem, porém é mais provável que a palavra "*alone*" seja derivada de uma palavra de raiz latina para o alho – *allium*. Em livros de receitas camponesas antigas o nome da planta aparece com frequência. Com o cozimento, a verdura tende a perder o sabor, mas fica ótima crua em sanduíches de queijo ou carne. As inflorescências em ramalhetes fazem uma bela guarnição para pratos.

A aparentada *hedge mustard* (*Sisymbrium officinale*) possui flores amarelas e é bem comum nas matas às margens de riachos ingleses. Conhecida no século XVIII como *yellow julienne*, também é uma planta apreciada, embora muito ardida, e ainda é usada ocasionalmente na França.

Ver Rúcula.

BOT: *Alliaria petiolata* (*Sisymbrium alliaria*)
FAM: Crucíferas
ALE: *Lauchhederich, Lauchkraut*
ESP: *Erísimo*
FRA: *Alliaire*
ING: *Garlic mustard, alliaria, donkey's foot, jack-by-the-hedge, onion nettle, sauce alone*
ITA: *Alliaria, aglliaria*

ALMÍSCAR

Às vezes, lemos a respeito de pratos exóticos como este sugerido pelo poeta persa Firdosi: "carne de vitela temperada com água de rosas, vinho envelhecido e almíscar puro". Parece "receita para uma odalisca", mas, de fato, o uso do almíscar com água de rosas também era comum nas culinárias inglesa e francesa, na época de Shakespeare,

ALE: *Moschus*
ESP: *Almizclena*
FRA: *Musc*
ING: *Musk*
ITA: *Musio, muschio*

Abelmosco, ambreta, quingombê-de-cheiro, quiabo-de-cheiro
ALE: *Ablemosch*
ESP: *Abelmosco, quimbombo*
FRA: *Ambrette*
ING: *Ambrette*
ITA: *Ambretta*

para aromatizar patês, tortas e cremes. O almíscar é uma substância obtida das glândulas odoríferas do almiscareiro macho, um pequeno cervo com presas do Himalaia e de outras montanhas da Ásia (e, algumas vezes, de outras espécies de cervo). O cheiro do almíscar puro é tão forte que provoca dor de cabeça, e tão duradouro que a bela basílica Hagia Sophia, em Istambul, ainda exala o odor do almíscar que foi misturado na argamassa utilizada na sua construção, há mais de mil anos. Também existem almíscares sintéticos e plantas com aroma de almíscar, mas não são os almíscares das antigas receitas. Hoje seu uso se restringe à perfumaria, como fixador de essências.

Abelmosco (*Abelmoschus naschatus*) ou **Ambreta** (*Hibiscus abelmoschus*). De suas sementes se extrai um óleo essencial que substitui o almíscar e que por vezes é utilizado no Oriente para aromatizar o café. Aqueles que desejam usar este aroma na culinária devem, sem dúvida, preferi-lo ao almíscar de origem animal. Com frequência alguns sabores e odores são descritos como "almiscarados" quando realmente têm muito pouco em comum com o verdadeiro almíscar (por exemplo, o polvo e a angélica).

ÂMBAR-GRIS

Âmbar-cinzento, âmbar-pardo

ALE: *Ambra (graue)*
ESP: *Ámbar gris*
FRA: *Ambre gris*
ING: *Ambergris*
ITA: *Ambra grigia*

Essa substância é denominada âmbar-gris porque, assim como o âmbar, é encontrada depositada em praias, arrastada pelo mar, e no passado pensava-se que também tivesse origem vegetal. É muitíssimo valorizada, rendendo uma pequena fortuna para quem tiver a sorte de encontrá-la.

De fato, o âmbar-gris não é um vegetal, mas restos de lulas semidigeridos do intestino de cachalotes. Às vezes os baleeiros o encontram quando abrem as baleias. Seu aspecto é variável, mas em geral é cinza, preto ou marmorizado, untuoso e betuminoso. A descrição é repugnante, porém o aroma de terra e doce desenvolve um cheiro de violeta, além de ter "notas almiscaradas" de lula, sendo usado também em perfumaria.

O âmbar-gris era um condimento comum nas cozinhas das famílias ricas nos séculos XVI e XVII, além de muito apreciado como tônico (em geral misturado com chocolate). Ocasionalmente é mencionado em receitas mais recentes de *ratafias*. Os entendidos dizem que ainda é utilizado na culinária oriental, mas nunca o vi ou experimentei. Acho que poucas pessoas vão querer prová-lo após conhecerem sua origem, mas o âmbar-cinzento se dissolve em álcool e pode ser comprado como uma essência.

O pó de âmbar também era usado na culinária da Antiguidade, sendo hoje uma resina fossilizada.

AMÊNDOA

As amêndoas são a semente de uma árvore parente do pessegueiro, cujos frutos lembram pequenos pêssegos verdes. A amendoeira é nativa das regiões ao leste do Mediterrâneo e há muitos séculos é cultivada no sul da Europa e no Oriente Médio. Hoje cresce em quase todos os climas quentes temperados, mas particularmente a Espanha e a Itália são grandes produtores.

O fruto da amendoeira – que envolve a semente – é duro, fibroso e incomestível quando maduro, mas em certas regiões é uma iguaria enquanto verde, com a semente ainda tenra. Apresenta então um agradável sabor azedo e é frequentemente consumido com sal, como aperitivo. Pode ser apreciado em quase todo o entorno do Mediterrâneo no começo do verão.

Há muitas variedades de amêndoas caracterizadas por nomes como "da Jordânia" ou "de Valência", mas essas distinções se referem a tamanho e forma. O que nos interessa aqui é a diferença fundamental de sabor entre as amêndoas-doces e as amêndoas-amargas.

As **amêndoas-doces** são um condimento dos mais refinados. Um ingrediente comum nos primórdios da culinária europeia medieval era o leite de amêndoas. No Oriente, muitos pratos delicados são temperados com amêndoas-doces ou com as buchanânias tropicais. As

BOT: *Prunus amygdalus* (*Amygdalus communis*)
FAM: Rosáceas
ALE: *Mandel*
ESP: *Almendra*
FRA: *Amande*
ING: *Almond*
ITA: *Mandorla*

Amêndoa-doce
BOT: *Prunus amygdalus, var. dulcis*
ALE: *Mandelsüße*
ESP: *Almendra dulce*
FRA: *Amande douce*
ING: *Sweet almond*
ITA: *Mandorla*

Amêndoa-amarga
BOT: *Prunus amygdalus, var. amara*
ALE: *Mandelbittere*
ESP: *Almendra amarga*
FRA: *Amande amère*
ING: *Bitter almond*
ITA: *Mandorla*

Buchanânia
BOT: *Buchanania lanzan, Buchanania latifolia*
FAM: Anacardiáceas
ING: *Cuddapah almond*

amêndoas-doces são também um ingrediente importante em muitas sopas e pratos de peixe ou carne: inteiras, moídas, frescas, torradas (o que modifica o sabor) ou fritas. Esse uso das amêndoas é particularmente comum na culinária de origem árabe, mas também são utilizadas tanto na comida espanhola (por exemplo, assadas no molho Romesco*) quanto em formas mais suaves de *curry* e *pilau* no noroeste da Índia, no Paquistão e na Caxemira, além de muito usadas no Levante. O frango recheado com uma mistura levemente condimentada de arroz e amêndoas é comum no Oriente Próximo e Médio. Nos Estados Unidos, elas costumam ser incluídas em receitas com frutos do mar, como as de siri-mole.

A forma mais segura de se utilizar amêndoas-doces como condimento é triturá-las num moedor apropriado. As amêndoas vendidas já moídas muitas vezes são adulteradas com farinha de outras sementes de menor qualidade e temperadas com uma pitada de amêndoas-amargas, as quais prejudicam o sabor de qualquer prato em que é recomendado usar só amêndoas-doces.

As **amêndoas-amargas** têm gosto totalmente diferente das amêndoas-doces. Seu sabor forte pode ser encontrado também nas sementes de ameixas, pêssegos, cerejas e outros frutos aparentados, e nas folhas do pessegueiro e do loureiro-cerejo (*Prunus laurocerasus*). Há ainda essências de amêndoas-amargas de variados graus de refinamento, e *ratafias* feitas de amêndoas-amargas ou das sementes desses outros frutos, conhecidas como *noyau* (com variações na grafia), produzidas em muitas partes do mundo.

O sabor da amêndoa-amarga se deve às substâncias que se formam quando a semente é misturada com água. Uma enzima promove uma reação entre a água e um glicosídeo (substância amarga relacionada ao açúcar) que as sementes ou as folhas contêm, e formam-se duas novas substâncias que inexistem na planta viva: benzaldeído (ou óleo de amêndoa-amarga) e ácido cianídrico (ácido

---

* Feito com pimenta tipo malagueta, azeite de oliva, vinagre, alho socado, tomates e amêndoas sem pele. (N.R.T.)

prússico, presente em proporções de 2% a 4%). Ambos têm gosto de amêndoa-amarga, mas o ácido cianídrico é um veneno mortal. Por sorte, também é muito volátil e se evapora ao ser aquecido, mas sabores de amêndoas-amargas obtidos com componentes crus podem ser tóxicos e só devem ser consumidos em pequena quantidade.

A amêndoa-amarga, pouco apreciada no Brasil, é comumente usada como condimento em pratos doces e biscoitos. Nas ameixas e cerejas, por exemplo, em que esse sabor está naturalmente presente nos caroços, pode-se intensificá-lo triturando-se alguns caroços para liberar as sementes antes de cozinhar. Já com carnes, o sabor dessas de amêndoas é bem menos comum. Pratos com porco ou frango assado ficam muito interessantes com elas, mas o aroma deve ser adicionado com sutileza chinesa. Quando se acerta o ponto, é uma delícia.

Além do "óleo de amêndoa-amarga" há o "óleo de amêndoa-doce", que não é um óleo essencial ou condimento, mas um óleo gorduroso particularmente usado em confeitaria. Pode ser extraído de amêndoas tanto doces como amargas, em geral sendo feito destas últimas. Qualquer que seja a fonte, o sabor é levemente amendoado e doce, não amargo. Porém, após a prensagem de amêndoas-amargas, se os resíduos forem misturados com água, naturalmente as substâncias dessas amêndoas reagirão. O óleo de amêndoas-amargas pode ser obtido através de destilação e constitui a base de uma boa essência de amêndoa.

Os interessados nas reações que produzem o sabor da amêndoa-amarga podem compará-las às da mostarda, pois são semelhantes: se as amêndoas-amargas – assim como as sementes de mostarda – são assadas antes de partidas, a enzima é destruída e o sabor característico não aparece. Amêndoas-doces mal selecionadas podem conter algumas amargas entre elas, então esse é um dado útil.

Amêndoas tropicais – amêndoa-da-índia, canária, amêndoa-da-praia etc. – crescem nos trópicos e não são as verdadeiras amendoeiras. Nessas regiões, muitos frutos com alguma semelhança são chamados amêndoas e também podem receber denominações locais em livros sobre culinária indiana, malásia ou vietnamita, entre outras. Um nome comum para essas amêndoas na Índia e no Oriente é *badam* – que os franceses denominam *badamier*.

Buchanânias ou ***chironji***: em livros de culinária indiana é comum encontrar menções a *chironji*. Essa semente é considerada um substituto para a amêndoa-doce e vice-versa.

AMENDOIM

BOT: *Arachis hypogaea*
FAM: Leguminosas
ALE: *Erdnuß*
ESP: *Cacahué, cacahuete mani* (Cuba)
FRA: *Arachide, cacachuète, pistache de terre*
ING: *Peanut, groundnut*
ITA: *Arachide*

Leguminosa anual, nativa da América do Sul e cultivada em quase todos os países quentes do mundo. A "casca" do amendoim é a vagem, fibrosa e seca, que durante o crescimento fica enterrada.

O óleo de amendoim é muito importante. Quando purificado torna-se praticamente sem gosto, sendo um dos melhores óleos industrializados para a culinária. Com frequência é usado para substituir o azeite de oliva ou para adulterá-lo. Como se sabe muito bem na França, é preferível a um azeite de qualidade inferior.

O amendoim torrado e a manteiga de amendoim possuem sabor característico e são ingredientes essenciais em alguns molhos picantes da Indonésia. No Brasil, entram em pratos tradicionais da cozinha baiana, de influência africana. Na América do Norte, a manteiga de amendoim é amplamente empregada em bolos e doces.

ANCHOVA

CIE: *Engraulis encrasicholus*
FAM: Engraulídeos
ALE: *Anschovis*
ESP: *Anchoa, anchova*
FRA: *Anchois*
ING: *Anchovy*
ITA: *Acciuga, alice*

A anchova é um peixe pequeno, de dorso azul-escuro e ventre prateado, encontrado no Mediterrâneo e na costa do oceano Atlântico ao sul da Europa. (O *kilkis*, às vezes chamado de anchova norueguesa, é outro peixe.) Seu comprimento pode chegar a 20cm, porém o mais habitual é que fique em torno dos 7cm ou 8cm. É comum encontrar anchovas frescas em mercados de peixes no Mediterrâneo e na costa atlântica de Espanha e Portugal. O peixe fresco é ótimo, de carne branca e saborosa, mas não deixa transparecer o gosto marcante que se desenvolve depois de salgado. Esse sabor marcante, assim como a cor marrom-avermelhada, se forma após vários meses de conserva em sal, como resultado de alterações causadas pela fermentação. O preparo de anchovas salgadas e outros produtos de peixes fermentados é conhecido há milhares de anos na região do Mediterrâneo (*ver* Concentrados de peixes).

Para aqueles que têm acesso a anchovas frescas (são pescadas em quantidade com lanternas, entre março e setembro), o processo de preparo da salmoura é simples. Nos mercados locais são vendidos recipientes de vidro, largos, de lados retos e sem tampa, feitos especialmente para isso. Após comprá-lo, caminha-se pela praia até se encontrar uma pedra achatada que se ajuste na abertura do vidro. As anchovas frescas precisam ser limpas, retirando-se a cabeça e as entranhas (as filhas dos pescadores costumam fazer isso como cortesia). Então, colocam-se as anchovas no vidro em camadas bem compactas "regadas" com bastante sal grosso – sendo o peso do sal aproximadamente 1/4 do peso das anchovas. Por fim, a pedra é colocada por cima. Ela funciona como um peso para manter os peixes imersos na salmoura que vai se formando à medida que o sal os desidrata. É comum que se crie uma crosta de bolor no topo, mas ela pode ser removida depois e não tem importância. Em alguns meses, as anchovas adquirirão a coloração e o sabor típicos, e estarão prontas. Podem ser facilmente abertas em dois filés para se remover a espinha.

Anchovas preparadas desta forma são as mais simples e as melhores para se utilizar na culinária após dessalgá-las brevemente em água. Infelizmente, são difíceis de se conseguir no norte da Europa e na América do Norte, onde é mais comum se encontrar anchovas enlatadas em óleo. Uma terceira forma de consumo da anchova é a salgada a seco, porém em geral esta adquire um sabor ligeiramente rançoso que pode combinar com alguns pratos regionais, mas que a maioria das pessoas não acha muito agradável. Com relação a pastas, molhos e essências de anchova, elas quase sempre são de sabor inferior, excessivamente salgadas (para maior conservação) e contêm corantes como bolo-armênio (uma argila avermelhada). Na Inglaterra vitoriana era prática comum lardear carnes com anchovas ou usá-las quase como se fossem um sal, pois em pequena quantidade se harmonizam com praticamente qualquer tempero de fundo, enriquecendo o sabor mas sem se destacar. Molho e manteiga de anchovas eram acompanhamentos populares não só para peixes, como também para carne de boi ou carneiro. Tenho uma receita identificada como "*haggis*", que inclui anchovas como parte do condimento no preparo desse prato com farinha de aveia com pulmões de carneiro. Eram também usadas em tortas de carne de porco. No Brasil as anchovas em conserva são apreciadas para acompanhar bebidas e como ingredientes de receitas de massas.

Quem gosta de anchovas não terá dificuldade em descobrir dezenas de maneiras de saboreá-las. Há receitas de todos os cantos da

Europa. Filés de anchova marinados em óleo ou apenas dessalgados são comumente consumidos como aperitivos, com pão e manteiga. Faço uma receita da Bélgica e da Holanda com filés de anchova marinados em vinagre de vinho, fatias finas de cebola e raspas de casca de limão. São um acompanhamento delicioso para vodca. Na Itália, comi filés de anchova com pasta de tomate temperado com trufas brancas. Na Inglaterra há torrada de anchova, e na França há *anchoïade* e *beignets* de anchovas dessalgadas, empanadas e fritas. As anchovas combinam com queijo e na Itália são frequentemente adicionadas a pizzas, nas quais formam distintas ilhas de sabor, e a pratos como *crostini di mozzarella* ou queijo *provatura*. Combinam também com azeitonas pretas e alcaparras, como na *tapénade* do sul da França, em que são trituradas até formar uma pasta com conhaque, tomilho-silvestre, louro e um pouco de vinagre de vinho. Juntos, anchova e alho compõem a famosa *bagna cauda* do Piemonte, que consiste em anchovas e alho picado bem fino adicionados a uma mistura de manteiga e azeite de oliva. Esse molho bastante indigesto é mantido aquecido na mesa, seja numa travessa maior sobre um *réchaud*, seja em pratinhos de cerâmica individuais sobre uma vela. Pedaços de vegetais crus, em especial alcachofra-brava, são mergulhados nesse molho que tradicionalmente é perfumado com fatias de trufa branca – o que, na minha opinião, é um desperdício de trufa.

Em qualquer cozinha deveria haver sempre disponível um pote de anchovas salgadas simples, que duram quase indefinidamente desde que fiquem imersas no líquido. Até mesmo o líquido é usado como condimento.

ANGÉLICA

Erva-do-espírito-santo

BOT: *Angelica archangelica (Angelica officinalis, Archangelica officinalis)*

Membro gigante da família da salsa, essa vigorosa planta anual, bianual ou trianual chega a pouco mais de 2m de altura, tem um caule muito grosso e oco e produz flores brancas. Cresce a partir de sementes, e é fundamental para a germinação que as sementes sejam muito frescas. Prefere solos ricos e úmidos, um pouco de sombra, e morre após produzir sementes.

Estima-se que seja originária do norte da Europa ou da Síria. Seja qual for a origem correta, hoje ela é silvestre, crescendo desde os Alpes e os Pireneus até a Lapônia, as ilhas Faroe, a Islândia e a Sibéria.

O uso da angélica como erva para condimento parece não ser muito antigo – provavelmente desde o século XV –, tendo sido introduzida na Inglaterra por volta do início do século XVI. Hoje é cultivada comercialmente, sobretudo na Alemanha e na França.

Ninguém sabe ao certo por que essa erva é associada a anjos em quase todas as línguas europeias. Livros antigos creditam a ela poder contra "mau-olhado" e dizem que cura várias doenças. Ainda é usada medicinalmente, em especial como digestivo.

Apesar de ser mais conhecida na forma de brotos verdes aplicados como confeitos na decoração de bolos e pavês, todas as partes da planta – caule, folhas, sementes e raiz – têm alguma função na culinária. É consumida cozida como verdura em países como Groenlândia, Suécia, Finlândia e as ilhas Faroe. Os brotos jovens podem ser usados somente aferventados em saladas. Alguns recomendam adicionar folhas de angélica em misturas de ervas picadas ou em *bouillon* para preparar peixes e frutos do mar; outros, servir como sobremesa, fervida em calda de açúcar. Uma utilização excelente é como condimento para ruibarbo ou para geleia de laranja. É um ingrediente de muitos licores e aperitivos, extraindo-se o sabor por maceração ou na forma de um óleo essencial – absinto, anisete, vermute e mesmo gim, todos podem conter angélica.

Seu sabor forte e penetrante – alguns o descrevem como "almiscarado" – varia consideravelmente conforme o clima. Muitas pessoas o acham desagradável, então é melhor usá-lo com discrição.

Na Grã-Bretanha e na Europa continental, a espécie angélica-silvestre cresce em bosques úmidos e flores-

FAM: Umbelíferas
ALE: *Angelika, Brustwurz, Engelwurz*
ESP: *Angélica*
FRA: *Angélique*
ING: *Angelica, garden angelica*
ITA: *Angelica*

Angélica-silvestre
BOT: *Angelica sylvestris*
ALE: *Wilde Engelwurz*
ESP: *Angelica silvestre*
FRA: *Angélique sauvage*
ING: *Wild angelica*
ITA: *Angelica selvatica*

Angélica-americana
BOT: *Angelica atropurpurea*
ING: *American angelica*

ce no verão, em julho e agosto. Na América do Norte, a espécie silvestre é a angélica-americana, às vezes chamada equivocadamente de *alexanders* (salsa-de-cavalo). Nenhuma delas tem sabor tão bom e intenso quanto a autêntica angélica.

A angélica japonesa é uma espécie diferente, de sabor bem forte.

ANIS-ESTRELADO

Badiana, anis-da-china, flor-da-badiana

BOT: *Illicum verum*
FAM: Magnoliáceas
ALE: *Sternanis*
ESP: *Badían, badiana, anis estrellado*
FRA: *Anis de la Chine, anis étoile, badiane*
ING: *Star anise, badian anise, Chinese anise*
ITA: *Anice stellato*

O anis-estrelado é o fruto, em formato de estrela, de uma pequena árvore perene pertencente à família das magnólias e nativa da China. Os frutos são colhidos e secos antes de amadurecerem. Têm sabor acentuado, bastante similar ao do anis ou erva-doce comum, apenas um pouco mais amargas e pungentes. Ambas contêm o mesmo óleo essencial, o anetol.

O anis-estrelado é cultivado no sul da China e na região da Indochina, e consta que foi levado para a Europa por um navegador inglês, no final do século XVI.

No Oriente, é utilizado como especiaria. O óleo, extraído das sementes por destilação a vapor, é muito empregado para substituir o anis em bebidas anisadas e em preparados industrializados. No Brasil foi introduzido pelos colonizadores e não ganhou importância condimentar, mas decorativa, nos pratos de carne e na doçaria da alta gastronomia.

Pode ser adquirido em qualquer boa loja de especiarias e deve fazer parte da despensa dos interessados em culinária chinesa, na qual é particularmente utilizado em pratos com carne de porco e pato, como por exemplo *chiang fou* (carne aromática de porco) e *hsiang su ya* (pato suculento). Entra também na receita de *ragôut de porc à la chinoise* e outras (*ver* Erva-doce, *Five Spices*).

ARRUDA

Arruda-dos-jardins, arruda-comum, arruda-fedorenta

BOT: *Ruta graveolens*
FAM: Rutáceas
ALE: *Gartenraute, Raute, Weinkraut, Weinraute*
ESP: *Ruda*
FRA: *Rue odorante*
ING: *Rue, herb of grace*
ITA: *Ruta*

Esse conhecido integrante do jardim de ervas tradicional cresce silvestre no sul da Europa e no Oriente Médio. É comum em solos pobres ao longo de estradas e caminhos e entre flores em terraços na Itália, de onde foi levada para a Inglaterra pelos romanos. Algumas vezes cresce silvestre também nos Estados Unidos.

A arruda é uma planta arbustiva de pequeno porte cuja altura varia de 30cm a 90cm com folhas verde-azuladas e pequenas flores amarelas. É fácil de ser reconhecida pelo cheiro forte, e para a maioria das pessoas desagradável, que exala ao ser esfregada entre os dedos. Existem muitas variedades para horticultura, cultivadas para decoração.

No jardim, a arruda pega facilmente a partir de sementes ou de mudas ou galhos replantados de pés já crescidos. Sempre verde e perene, prefere o sol pleno, boa drenagem e bastante espaço.

É uma planta interessante que tem grande importância no antigo folclore e na medicina popular de toda a Europa. Na verdade, contém poderosas substâncias medicinais que são extraídas comercialmente. Em pequenas quantidades, uma ou duas folhas, é um estimulante. Muitas pessoas costumam mascar uma folha num dia quente de verão, mas outras são alérgicas, e a arruda é perigosa em grande quantidade. Como é popularmente considerada abortiva, às vezes ocorrem transtornos. A palavra arruda se origina do grego *ruta* ("libertar"), que se refere às suas qualidades medicinais. Tanto as folhas quanto as sementes da erva eram usadas frequentemente na culinária pelos romanos e na Idade Média. Seu sabor é forte e amargo, mas é possível utilizá-la como um tempero original com peixes ou ovos e em pastas de *cream cheese*, desde que em quantidades ínfimas e bem picadinha. Também pode ser usada nos coquetéis de sucos de vegetais. Mas pesar a mão na arruda em ensopados de carne (lembro-me de uma velha senhora que o fazia) pode ser absoluta-

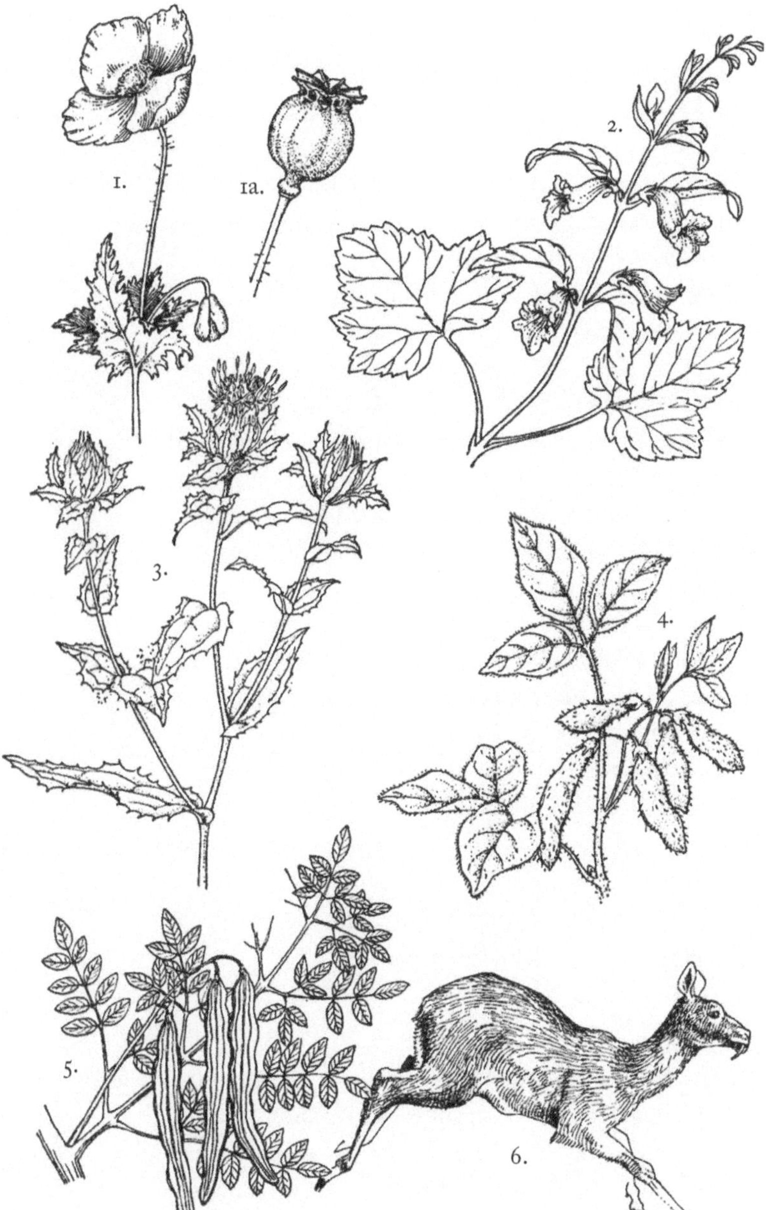

Condimentos / especiarias: 1. Papoula 1a. Cápsula de semente de papoula
2. Gergelim 3. Cártamo 4. Vagens de soja 5. Moringa 6. Almiscareiro

mente desastroso! Alguns admiradores põem os brotos novos em saladas.

A arruda era um dos aromatizantes usados no antigo hidromel de ervas conhecido como *sack* – um tipo de *jerez*. O uso moderno clássico é no destilado italiano de uvas conhecido como *grappa*. O raminho de erva verde que muitas vezes há dentro da garrafa de *grappa* que ostenta *"con ruta"* no rótulo é de arruda, embora habitualmente de uma outra espécie mediterrânea menos amarga chamada pelos italianos de *ruta frangiata* (e de nome botânico *Ruta chapelensis*). O aroma da *grappa*, especialmente quando contém arruda, é bem enjoativo para muitas pessoas (pelo menos, isso assegura que ninguém exagere na bebida). Os guias em Cortina D'Ampezzo sempre oferecem um gole de *grappa* aos turistas na face vertical de algum pico das Dolomitas para estimular a contemplação da eternidade.

No Brasil, nem passa pela cabeça dos cozinheiros utilizá-la na comida: supersticiosamente, o ramo de arruda fica na porta da cozinha ou da casa para espantar a inveja e o mau-olhado. Os comerciantes de secos e molhados ainda mantêm o hábito de usar um raminho atrás da orelha para atrair freguesia.

ASA-FÉTIDA

Assa-fétida

BOT: *Ferula asafoetida, Asafoetida narthex*
FAM: Umbelíferas
ALE: *Stinkasant, Teufelsdreck*
ESP: *Asafétida*
FRA: *Assa foetida, férule perisque*
ING: *Asafoetida, asefetida, devil's dung, stinking gum*
ITA: *Assafetida*

Esse é um sabor extremamente interessante quando empregado em quantidades diminutas. Em maior volume, o cheiro é terrível, algo parecido com o de alho estragado (devido à presença de compostos de enxofre). Era um dos condimentos favoritos na época dos romanos, quando aparecia em muitas receitas sob o nome *silphium*, *laserpitium* ou *laser*. Segundo os relatos, os melhores exemplares provinham de uma planta que crescia com vigor na Cirenaica (região da atual Líbia). Essa planta era tão importante que chegou a ser representada em moedas, mas já estava extinta na época de Plínio, não tendo sido identificada rigorosamente. Um tipo inferior de *silphium* chegou à Pérsia e à Armênia, sendo esse, provavelmente, o que hoje chamamos de asa-fétida. A semelhança entre ela e o tipo da Cirenaica é apenas uma conjectura dos pesquisadores.

A planta é derivada de várias espécies do gênero *Ferula* – funchos-gigantes –, das quais há cerca de 50 no sul da Europa, oeste da Ásia e norte da África. Algumas são tóxicas. São parentes próximas do funcho-de-porco, mas não devem ser confundidas com o funcho cultivado, o funcho-de-horta, apesar da aparência semelhante.

A *Ferula asafetida* é uma enorme planta perene de cheiro horrível, com flores amarelas, que mede de 1,80m a 3,60m de altura. Uma espécie menor, a *Ferula narthex*, alcança cerca de 2,40m de altura. Ambas são nativas do Irã e do Afeganistão, e em situações propícias às vezes chegam a formar matas cerradas. Quando os caules são cortados na raiz, deles escorre uma seiva leitosa que, ao secar, forma uma massa sólida semelhante a uma resina: é o que conhecemos por asa-fétida. Tem a cor de pérola quando está fresca, mas armazenada escurece. Regionalmente, a planta toda é consumida como verdura, e o cerne do caule principal é considerado uma iguaria. O funcho-gigante comum (*Ferula communis*), usado em jardins apenas pela folhagem ornamental, é considerado tóxico.

A asa-fétida pode ser comprada em porções solidificadas ou, o que talvez seja mais conveniente, em forma de pó nas lojas especializadas em especiarias indianas. Em drogarias também é encontrada como extrato e é matéria-prima de remédios homeopáticos adotados também no Brasil. Pode-se fazer uso de quantidades mínimas para temperar sobretudo peixes frescos e salgados, aos quais ela dá um sabor delicioso.

No Oriente essa especiaria é mais usada, sendo particularmente necessária em receitas indianas de *maharashtra* e *gujarat* – hortaliças, grãos e conservas –, porém seu uso é mais raro ou quase inexistente na cozinha do norte da Índia ou nos preparos de carnes. Aliás, a asa-fétida é parte da magia que permite aos indianos criar pratos vegetarianos saborosos.

É um condimento muito negligenciado na culinária europeia, apesar de às vezes ser utilizado na França. Quem não o conhece sem dúvida deveria experimentá-lo.

ASPÉRULA-ODORÍFERA

Rainha-do-bosque, aspérula-cheirosa

É uma erva perene com flores brancas, nativa da Europa e encontrada comumente silvestre nas florestas calcárias úmidas da Inglaterra. Em alguns livros é confundida com outra planta silvestre inglesa, a *Asperula cynanchica* (em inglês *squinancy wort*, por ser a palavra *squinancy* uma forma obsoleta para *quinsy*).

Quando triturada, a aspérula libera um aroma de feno recém-colhido, sendo de uso tradicional em vários licores, *drinks* e coquetéis. É o aromatizante do *Maitrunk* alemão ("*drink* de maio") ou do *Waldmeister Bowle*, feito com a infusão de brotos novos no vinho do Reno, acrescida de conhaque e açúcar a gosto. Na França, faz-se a infusão no champanhe, na Suíça, no conhaque ou Bénédictine, e nos Estados Unidos temos o *May wine punch* ("ponche de vinho de maio"), feito com vinho, *brandy* e também Bénédictine. Dizem que a aspérula levanta o astral de uma festa, mas os herboristas afirmam que ela é levemente anestésica. No norte da Europa é empregada em certos tipos de linguiça. Como a aspérula-odorífera cresce com rapidez se plantada em cantos sombreados ou sob árvores, é uma planta duplamente boa para se ter no jardim.

BOT: *Gallium odoratum (Asperula odorata)*
FAM: Rubiáceas
ALE: *Waldmeister*
ESP: *Aspérula olorosa*
FRA: *Aspérule, reine des bois*
ING: *Sweet woodruff, asperula, quinsywort, sweetgrass*
ITA: *Asperula, stellina odorosa*

AVENCA-CABELO-DE-VÊNUS

Capilária

Essa é a avenca comum, que quando fervida com água e açúcar produz o xarope de capilária. Na década de 1890, dizia-se que, com frequência, as jovens senhoras o preferiam ao vinho. No seu livro *Guide to Good Food and Wine*, André Simon diz que, de acordo com o biógrafo Boswell, Samuel Johnson apreciava a erva em seu vinho do porto.

Quando fervida, a avenca produz um líquido mucilaginoso, quase uma gelatina, com sabor característico, mas que frequentemente é aromatizado com outras coisas. Na Ingla-

BOT: *Adiantum capillus-veneris*
FAM: Adiantáceas
ALE: *Kapillarkraut, Venushaar*
ESP: *Culantrillo*
FRA: *Adiantie, capillaire commun, cheveux de Venus*
ING: *Maidenhair fern, capillaire*
ITA: *Capelvenere, adianto*

terra, nos tempos vitorianos, era moda colocá-la em arranjos de flores e na decoração de bolos e sobremesas. A planta pode ser encontrada crescendo na forma silvestre em quase toda a Europa continental e na América temperada e tropical, em locais úmidos, sombreados, comumente em entradas de fontes e poços, entre as pedras; no entanto, é rara na Grã-Bretanha. No Brasil é planta decorativa das mais apreciadas.

AZEDINHA

Vinagreira

FAM: Poligonáceas
ALE: *Sauerampfer, Sauerklee*
ESP: *Acedera*
FRA: *Oseille*
ING: *Sorrel*
ITA: *Acetosa*

Azeda, azedeira, azeda-brava, azedinha-da-horta
BOT: *Rumex acetosa*
ALE: *Großer Sauerampfer*
ESP: *Acedera*
FRA: *Oseille de Belleville*
ING: *Garden sorrel*
ITA: *Acetosa maggiore*

Azedinha, vinagreira
BOT: *Rumex scutatus*
ALE: *Rundblätteriger Ampfer*
ESP: *Acedera con hojas redondas*
FRA: *Oseille aux feuilles rondes*
ING: *Round-leaved sorrel*
ITA: *Acetosa romana, acetosa tonda*

Azedinha-da-horta, azedinha, azeda-espinafre (ou paciência) são todas ervas originadas das azedinhas silvestres comuns, sendo essas as três mais cultivadas. Outras espécies, como a azeda-miúda ou azeda-de-ovelha e a azedinha ou labaça-crespa, são usadas como verduras ocasionalmente. A labaça, a azeda e outras plantas possuem propriedades que atenuam irritações cutâneas.

Como o nome popular indica, são ervas de sabor azedo. O nome inglês "*sorrel*" é derivado de um antigo vocábulo germânico para *sour*, azedo. A família das azedas inclui também o ruibarbo e tem vários pontos em comum com a família das beterrabas e espinafres. Na Europa, a única azedinha de interesse culinário que não é uma *Rumex* é o trevo-azedo (*ver*).

As três espécies das quais provêm as azedas cultivadas são todas nativas da Europa e da Ásia, embora agora cresçam silvestres também na América do Norte. Elas diferem na acidez e no amargor; as variedades cultivadas possuem folhas grandes e, em geral, são menos rijas e ácidas que seus ancestrais silvestres.

Sabe-se que a azedinha era consumida no Antigo Egito e também pelos romanos, que adoravam a planta, para aliviar a digestão de alimentos mais pesados e em excesso, como fazemos hoje. Ainda é usada no Egito e em vários países europeus, particularmente na França. Na Inglaterra foi popular na Idade Média – a azedinha e a paciência eram ervas essenciais nas hortas, mas atualmente poucos as conhecem. Isso é lamentável, pois além de serem hortaliças deliciosas e de fácil cultivo são, em especial a paciência, garantia de verduras frescas no início da primavera, quando elas se tornam escassas em países de estações marcadas, como é o caso da Inglaterra. Os horticultores devem notar que a erva paciência pode alcançar até 1,50m, ao contrário das outras azedinhas que crescem menos, até cerca de 60cm, e por isso ela necessita de um pouco mais de espaço para se desenvolver do que os habituais 45cm-60cm, de distância mantidos entre as plantas nas espécies menores. Faça a sementeira e depois plante as mudinhas durante a primavera em qualquer tipo de solo em local ensolarado e úmido. A planta é perene e resistente, mas deve-se evitar que floresça, e precisa ser renovada a cada quatro anos mais ou menos. Como apenas alguns punhados são usados de cada vez, poucas plantas são suficientes para uma família média. É raro encontrá-la nos mercados brasileiros, mas há quem a cultive em suas hortas, em regiões de clima mais ameno.

A folha da azedinha, que lembra a do espinafre, tem sabor refrescante, ligeiramente amargo e ácido. Deve-se cozinhá-la sempre pelo menor tempo possível a fim de preservar seu frescor, picá-la apenas com uma faca de aço inoxidável e nunca prepará-la em panela de ferro, que a escurece, deixando-a com um desagradável sabor metálico. Pode ser usada crua em saladas, mas as folhas devem ser bem novas e tenras. Ficam excelentes quando, depois de picadas cruas, branqueadas ou cozidas ligeiramente em água salgada, são reduzidas na manteiga derretida por alguns minutos até formar um purê, que acompanha bem vitela, carne de porco, peixe e ovos, em especial omeletes. A azedinha também é um excelente tempero ácido para sopas preparadas com caldo de galinha, leite, lentilhas, tomates e pepinos. Há várias receitas, especialmente francesas, mas conheço outras procedentes da Europa Oriental, Egito, Suécia... A azedinha também é um dos ingredientes da mistura de ervas usada para rechear ou cozinhar diversos peixes de água doce e salgada como linguado, salmão, enguias e outros. Além disso, é a base dos antigos molhos verdes ácidos ingleses servidos com carne de porco ou ganso.

Azeda-espinafre, paciência
BOT: *Rumex patienta*
ALE: *Englischer Spinal, Gartenampfer*
ESP: *Romaza*
FRA: *Oseille-épinard, patience*
ING: *Spinach dock, herb patience*
ITA: *Romice domestica, erba pazienza*

Azedinha-miúda
BOT: *Rumex acetosella*
ALE: *Kleiner Sauerampfer*
ESP: *Acedera equeña*
FRA: *Petite oseille*
ING: *Sheep sorrel*
ITA: *Acetosa minore*

Azedinha-crespa
BOT: *Rumex crispus*
ALE: *Krauser Ampfer*
ESP: *Acedera crespa*
FRA: *Patience frisée*
ING: *Curly dock*
ITA: *Romice crespa, lapazio*

Labaça
BOT: *Rumex obtusifolius*
ING: *Broad-leaved dock*

Azeda
BOT: *Rumex hydrolapathum*
ING: *Great water dock*

Receitas com azedinha encontram-se em vários livros culinários, especialmente nos que se dedicam à cozinha francesa. Os livros *Summer Cooking*, de Elizabeth David, e *Guide to Good Food and Wine*, de André Simon, contêm receitas de molhos (*ver* Trevo-azedo).

AZEITE DE DENDÊ

Óleo de palma, azeite de cheiro

BOT: *Elaeis guineensis*
FAM: *Palmáceas*
ING: *Palm oil*

O azeite de dendê, ou óleo de palma, é obtido de frutos semelhantes a coquinhos. Óleo comestível, extraído tanto da polpa quanto das sementes, é usado na culinária de vários países tropicais, particularmente na cozinha afro-brasileira e da costa oeste da África. Seu sabor doce caracteriza os pratos dessas regiões. Várias espécies de palmeiras fornecem óleos comestíveis, mas o dendezeiro, nativo do oeste da África, é a principal delas. Hoje a planta encontra-se espalhada por todos os trópicos. No Brasil foi introduzida pelos escravos no litoral e Recôncavo baianos. O país é um dos maiores produtores mundiais desse óleo.

AZEITE DE OLIVA

ALE: *Olivenöl*
ESP: *Aceite de oliva*
FRA: *Huile d'olive*
ING: *Olive oil*
ITA: *Olio d'oliva*

A palavra "azeite" vem de azeitona. O melhor azeite de oliva, o azeite virgem, é obtido da pressão a frio de frutos frescos. Sua cor é amarelo-claro ou esverdeado e o aroma é muito delicado. Os azeites de qualidade, ou refinados, resultam da segunda prensagem a quente, e os piores azeites são extraídos de azeitonas de qualidade inferior e desodorizados. Em países onde o azeite de oliva é pouco utilizado, o sabor rançoso devido a um longo tempo de armazenamento também pode ser um problema. Há inúmeras pessoas que não apreciam o azeite de oliva por terem experimentado antes o desagradável sabor do azeite de oliva medicinal.

Quando morei na Ligúria, litoral da Itália, a compra do azeite era um evento anual para aqueles que, como eu, faziam questão de escolher os melhores. Costumávamos lotar o carro com enormes garrafões envolvidos em vime e nos dirigíamos para lugarejos nas montanhas que tinham a reputação de produzir excelentes azeites. De acordo com os especialistas, isto depende da altitude e da localização dos olivais. A qualidade do azeite, como a do vinho, também varia de um ano para outro. No passado, o azeite de oliva não era avaliado por degustação: colocava-se uma pequena porção na palma de uma das mãos, esfregava-se uma palma contra a outra vigorosamente e então, com as mãos em concha, inalava-se o aroma. Essa técnica torna fácil a distinção entre um azeite de oliva de qualidade e um inferior.

Naturalmente as preferências variam na escolha dos azeites. Alguns deles são leves e têm um perfume delicado, enquanto outros são densos e frutados. Existem defensores dos dois tipos de azeite para o uso em saladas, mas na maionese os azeites frutados tendem a ser muito fortes. Se você é um apreciador, provavelmente usará os dois tipos, porém para diferentes finalidades.

Nos países onde há produção de azeites, é tradicional utilizá-los em cozimentos e frituras, puros ou junto com banha ou manteiga. Os alimentos preparados no azeite de oliva adquirem um sabor especial. Ainda que sejam pratos muito temperados com alho e ervas, o sabor do azeite sempre se destaca. Infelizmente, o azeite de oliva é comparativamente caro e, nos dias de hoje, mesmo os grandes países produtores do Mediterrâneo passaram a empregar outros óleos (como o de soja e o de amendoim) na maioria das receitas, ficando o azeite de oliva reservado para temperar saladas, finalizar pratos ou para exportação. A escolha de um bom azeite é ponto para o qual todos os cozinheiros devem atentar, da mesma forma que escolher uma manteiga especialmente saborosa.

AZEITONA

Oliva

A azeitona, fruto da oliveira, é nativa da costa mediterrânea e é um dos mais antigos frutos conhecidos, tendo sido cultivada desde a época pré-histórica. Oliveiras são

BOT: *Olea europea*
FAM: Oleáceas

ALE: *Olive*
ESP: *Aceituna, oliva*
FRA: *Olive*
ING: *Olive*
ITA: *Olive*

frequentemente mencionadas nos antigos textos gregos e romanos, assim como na Bíblia, e seus frutos eram usados no Antigo Egito há quatro mil anos. Hoje a árvore é encontrada em muitas partes do mundo onde haja clima mediterrâneo adequado para o seu cultivo. As oliveiras, muitas delas já bem retorcidas pelo tempo de existência, crescem em profusão em qualquer parte do Mediterrâneo – com exceção do Egito – e também no extremo oriental do mar Negro. Sua linda folhagem verde-oliva-prateada é a cobertura característica das encostas das colinas nesses locais. São árvores perenes e na primavera ficam cobertas de flores minúsculas que exsudam uma goma que pinga nos carros imprudentemente estacionados sob elas. Mais tarde surgem frutos verdes que se tornam pretos ou roxo-escuros ao amadurecer.

Existem muitas variedades de azeitonas, que se diferenciam em tamanho, cor, teor de óleo e sabor, sendo que este é também muito influenciado pela localização de cultivo. Mas o gosto das azeitonas e o do azeite retirado delas não tem nenhuma relação direta com tamanho ou o aspecto. As azeitonas mais saborosas em geral são pequenas e de aparência inexpressiva, e frequentemente crescem em locais de paisagem rude, em vales montanhosos.

O primeiro homem que colheu e experimentou uma azeitona, e depois decidiu que poderia fazer alguma coisa com ela, decerto foi um gênio: as azeitonas cruas são tremendamente amargas e incomíveis. O amargor precisa ser retirado através de sucessivas trocas de água e desaparece também, aos poucos, quando as azeitonas são conservadas na salmoura por alguns meses. Porém isso não acontece em todas as variedades, e algumas das que são cultivadas para a extração de azeite nunca se tornarão bons alimentos.

As azeitonas verdes são colhidas antes da maturação; as pretas são as que amadureceram. As azeitonas lindamente acondicionadas em vidros que os consumidores estão acostumados a ver nos supermercados não dão ideia da grande diversidade que é vendida a granel nas barracas de qualquer dos grandes mercados do Mediterrâneo – especialmente na Espanha. Elas podem ser compradas descaroçadas e recheadas com pedacinhos de pimentão vermelho doce, amêndoas ou anchovas; temperadas com tomilho, alho, funcho e outras ervas; prensadas, em conserva ou fermentadas. Quando esses métodos são aplicados às várias espécies, as combinações tornam-se infinitas. Nesses mercados você não só pode como também será convidado a provar as mercadorias antes de comprá-las.

Embora seja um costume encontrado ocasionalmente em outras culinárias regionais, como por exemplo na culinária *creole*, o uso de azeitonas em pratos cozidos é marcante na culinária mediterrânea. Devemos vê-las como um condimento, pois a adição de algumas azeitonas a um prato imprime-lhe um sabor especial. Algumas receitas indicam o uso de azeitonas verdes recheadas, picadas ou descaroçadas. A preta é a mais utilizada em pratos quentes (embora no Brasil se aprecie muito a verde). Estes variam do bacalhau salgado com batatas ao coelho, galinha, pombo, tordos e outras aves pequenas, além de pratos de vegetais com tomate ou berinjela. As azeitonas também são ingredientes de aperitivos, saladas, molhos e patês.

B

BABOSA

Aloé, aloe

BOT: *Aloe barbadensis*
FAM: *Liliáceas*
ALE: *Aloe*
ESP: *Aloe*
FRA: *Aloès*
ING: *Aloe*
ITA: *Aloe*

As babosas, com suas rosetas de folhas longas, em forma de lanças, carnosas e de superfície dura, são conhecidas como plantas ornamentais e podem ser cultivadas em estufas nos lugares frios. Provenientes sobretudo da África e das Antilhas, algumas espécies contêm um sumo denso e intensamente amargo, que se torna escuro ao ser fervido. Em pequena quantidade, essa substância é usada em *fernets* e licores, além de ser tradicionalmente empregada para desestimular as crianças a roerem as unhas. No Brasil, a babosa (*aloe vera*) é usada em cosméticos para cabelos, pois tem fama de lhes conferir brilho e força. É preferível comprá-la já industrializada ou manipulada a fazer experiências com as plantas do jardim, pois algumas espécies são muito tóxicas.

BALSAMITA

Hortelã-francesa

BOT: *Chrysanthemum balsamita (Tanacetum balsamita)*
FAM: Compostas
ALE: *Balsamkraut, Frauenblatt, Marienblatt, Pfefferblatt*
ESP: *Balsamita*

Planta perene e resistente, cresce até quase 1m de altura e tem flores amarelas em forma de botões. Difere do *Tanacetum vulgare* – catinga-de-mulata – por não ter folhas denteadas e possuir um aroma mais agradável. Na Grã-Bretanha, e também nos Estados Unidos, ela não produz sementes, por isso a propagação é feita pela divisão das touceiras de raízes rasteiras. Cresce facilmente em quase todos os tipos de solo, mas pode ser desidratada satisfatoriamente e comprada de herbalistas.

A balsamita é originária do Oriente e era conhecida pelos egípcios, gregos e romanos – estes provavelmente a levaram para a Grã-Bretanha. Culpeper, herbalista do século XVII, diz que ela é "comum". Os colonizadores a transportaram para os Estados Unidos, onde hoje cresce na forma silvestre como uma planta de beira de estrada nos estados do leste e do centro-oeste.

Pode ser usada para temperar sopas, carnes de caça, aves domésticas, vitela, recheios de carne, saladas e até mesmo bolos. Em inglês, em especial nos Estados Unidos, é chamada *bibleleaf* ("folha da Bíblia") porque suas longas folhas eram muito utilizadas como marcadores de bíblias pelos primeiros colonizadores norte-americanos; seu nome mais comum na Grã-Bretanha, *alecost*, vem de *ale* (um tipo de cerveja) e *costis*, uma erva picante. Era usada para aromatizar a cerveja caseira.

FRA: *Balsamite*
ING: *Costmary, alecost* (Grã-Bretanha), *bibleleaf* (EUA)
ITA: *Balsamite*

BAUNILHA
Vanila

A baunilha é a fava de uma espécie de orquídea trepadeira originária das florestas úmidas da América tropical. Foi levada para a Europa pelos espanhóis, que já a conheceram sendo usada pelos astecas como aromatizante no chocolate. Nas plantações modernas, a orquídea é tutorada em estacas ou árvores. As compridas vagens de cor amarelada são colhidas ainda verdes, quando não possuem o aroma intenso da baunilha. Este só se desenvolve em consequência de uma atividade química interna, através de enzimas, durante o processo de secagem, o qual é feito de vários modos, mas sempre envolvendo operações de "transpiração" em caixas herméticas.

As melhores favas de baunilha secas são marrom-escuras, robustas, um tanto flexíveis e cobertas por uma condensação de cristais da aromática vanilina. Como a baunilha verdadeira é cara e a condensação pode ser falsificada com facilidade, a melhor orientação para um amador é

BOT: *Vanilla planifolia*
FAM: Orquidáceas
ALE: *Vanille*
ESP: *Vainilla*
FRA: *Vanille*
ING: *Vanilla*
ITA: *Vaniglia*

comprá-la em uma boa loja e a um preço alto. Devemos desconfiar de favas de baunilha baratas.

As favas da baunilha são, sem dúvida, aromatizantes superiores às essências. Podem ser reutilizadas algumas vezes mesmo depois de aquecidas e embebidas em cremes e molhos, desde que sejam lavadas e secas novamente. Como quase sempre a baunilha é usada para aromatizar pratos doces, a técnica mais simples é manter várias favas dentro de um pote de açúcar, que assim absorverá o seu aroma. Se o pote for continuamente reabastecido com açúcar, as favas irão perfumá-lo por muito tempo.

A baunilha é cultivada no México, Guiana, Porto Rico, Guadeloupe e Dominica, Madagascar, nas ilhas Seychelles, ilhas Comoro, Reunião, Taiti e outros lugares de clima apropriado. A chamada pompona ou baunilhão vem de uma outra espécie, a *Vanilla pompona*. Não confundir com a baunilha-dos-jardins, o heliotrópio – *Heliotropium arborescens, Heliotropium peruvianum* –, cujas flores, com perfume semelhante ao da baunilha, são conhecidas como flores-de-baunilha e utilizadas apenas em perfumaria.

A melhor essência de baunilha é obtida pela infusão de favas de baunilha trituradas no álcool. A vanilina sintética pode ser feita a partir de uma substância presente no óleo essencial do cravo-da-índia, o eugenol. Como ocorre com a maioria das substâncias sintéticas, falta-lhe a intensidade do aromatizante natural. Em países cuja legislação permita, a essência de baunilha de qualidade inferior também pode conter cumarina.

O aromatizante de baunilha é usado em inúmeros produtos industrializados, em licores e na falsificação grosseira de conhaque e uísque.

BELDROEGA

Beldroega-da-horta

BOT: *Portulaca oleracea* (*Portulaca sativa*)
FAM: Portulacáceas

Uma planta de ciclo anual, que se alastra com facilidade e apresenta rosetas de folhas grossas e carnudas. Na Índia é silvestre, e consumida há milhares de anos; no Oriente

Médio e em algumas partes do sul da Europa é cultivada. Na Inglaterra, atualmente não é muito comum, mas foi popular na época de Elisabeth I. Tornou-se daninha em quase toda a América do Sul e do Norte.

A beldroega necessita de solo quente e seco e sol pleno. A semeadura deve acontecer todos os meses durante o verão para que haja um suprimento contínuo. Faça fileiras distantes 30cm e mantenha um espaçamento de 15cm entre cada planta na fileira; colha as folhas como o espinafre, conforme for necessário. Há muitas variedades, algumas com folhas douradas.

No Oriente, em geral é consumida cozida. Na França é usada em saladas, bem como no Oriente Médio, onde entra na salada mista conhecida como *fatuche* (que também contém pão sírio). Como a beldroega possui folhas grossas e suculentas, às vezes é usada em conserva com vinagre, para os quais há várias receitas tradicionais inglesas. Embora tenha, no Brasil, "ora-pro-nobis" como um de seus nomes populares, não se trata da planta (*Pereskia aculeata*) cujas folhas e flores são muito apreciadas na culinária mineira.

ALE: *Kohlportulak, Portulak*
ÁRABE: *Baqli*
ESP: *Verdolaga*
FRA: *Pourpier, portulaca*
ÍNDIA: *Kulfa*
ING: *Purslane, pussley*
ITA: *Portulaca*

BERGAMOTA
Monarda

As bergamotas são ervas aromáticas norte-americanas da família da menta.

A bergamota-silvestre é originária do sul do Canadá e do norte dos Estados Unidos. Sua altura varia entre 60cm e 90cm, as flores são púrpuras ou vermelhas e as folhas têm um aroma cítrico agradável.

A erva-bergamota também é conhecida como bergamota-vermelha ou chá-de-oswego, nome da tribo indígena norte-americana que o bebia; na época do Boston Tea Party – os protestos em Boston contra a taxação do chá e pelo boicote aos produtos ingleses – os colonos tomavam chá-de-oswego. Foi levada para a Europa, onde atualmente costuma ser cultivada como planta decorativa de jardim e é usada em perfumaria.

FAM: Labiadas
ALE: *Bergamott*
ESP: *Bergamota*
FRA: *Bergamote*
ING: *Bergamot*
ITA: *Monarda*

Bergamota-silvestre
BOT: *Monarda fistulosa*
ING: *Wild bergamot*

Erva-bergamota, bergamota-vermelha
BOT: *Monarda didyma*
ING: *Red bergamot*

Bergamota-limão
BOT: *Monarda citriodora*
ING: *Lemon bergamot*

A bergamota-limão também é norte-americana e tem propriedades aromáticas semelhantes às dos outros tipos.

As bergamotas têm pouca relevância para a culinária, mas são sempre mencionadas em livros sobre ervas. As folhas podem ser acrescentadas a drinques de frutas e *iced cups*, e os chás feitos com elas são considerados relaxantes e soporíferos.

Não confundir essa planta com a pequena fruta cítrica bergamota (*Citrus bergamia*, em certas regiões do Brasil chamada de mexerica ou tangerina, *ver* Laranja), que na Europa é cultivada especialmente na Sicília e no sul da Itália, com um perfume muito característico e de cuja casca produz-se um óleo essencial e também confeitos.

BETÔNICA

BOT: *Betonica officinalis, Stachys betonica, Stachys officinalis*
FAM: Labiadas
ALE: *Betonie*
ESP: *Betónica*
FRA: *Bétoine*
ING: *Betony*
ITA: *Betonica*

A betônica é uma erva de matagais, bosques e prados. É silvestre na Inglaterra, no País de Gales e em outras partes da Europa e da Ásia Menor, sendo raramente encontrada nos Estados Unidos. A aparência lembra a da urtiga, com flores purpúreas perfumadas que ficam agrupadas no topo do ramo, e algumas mais abaixo, na axila das folhas.

No passado, a betônica era empregada como substituta para o chá e como condimento em várias cervejas de ervas. Foi listada como essencial nos canteiros de ervas da dinastia britânica Tudor. Hoje tem pouca importância para a culinária, sendo cultivada sobretudo com fins decorativos.

Pode ser interessante saber que a *chorogi* ou estáquida-do-japão (*Stachys sieboldii*) é um parente próximo.

BICARBONATO DE SÓDIO

Em culinária pode-se empregar o bicarbonato de sódio ou o carbonato de sódio. O bicarbonato transforma-se em carbonato (mais gás carbônico) durante o cozimento. O bicarbonato de sódio também libera gás carbônico quando misturado com um ácido, como por exemplo o leite azedo, e por essas características é usado como uma levedura ou um fermento. No entanto, o que nos interessa no contexto do livro é o sabor, e consequentemente o sabor do bicarbonato.

Certa vez estive com um cozinheiro de uma expedição à Caxemira que carregava um pacote de carbonato de sódio para colocar no seu chá. Aquilo deixava o chá vermelho-sangue e, na minha opinião mas não na dele, o resultado era desastroso. No norte da Inglaterra, nas antigas receitas de pães, biscoitos e bolos (*soda bread* e *girdle cake*) predomina o sabor forte do bicarbonato usado para fermentá-los. O *soda bread* tem um gosto forte e campestre que eu pessoalmente aprecio, talvez apenas por me trazer lembranças felizes da infância, de chás esplêndidos depois de patinar nos lagos gelados nas montanhas perto de casa.

O uso de bicarbonato nos pratos de carne é raro, mas na Romênia um tipo especial de embutido sem pele e fortemente condimentado chamado *mititei* é feito de carne moída com alho, sal, pimenta-do-reino, um pouco de alcarávia e bicarbonato de sódio. Grelhados sobre brasas bem quentes, são uma famosa iguaria nacional. O bicarbonato deixa o embutido mais leve e consistente, imprimindo-lhe em parte um sabor muito exótico que vale a pena ser experimentado por aqueles que apreciam sabores pronunciados e novos em um churrasco.

BORAGO

BOT: *Borago officinalis*
FAM: Boragináceas
ALE: *Boretsch, Gurkenkraut*
ESP: *Borraja*
FRA: *Bourrache*
ING: *Borage*
ITA: *Borragine*

Acredita-se que o borago seja originário do Oriente Médio, mas hoje é uma das flores silvestres mais comuns do sul da Europa, podendo ser encontrado em planícies de solo calcário no sul da Inglaterra, onde foi introduzido pelos romanos. Chegou ao Brasil nos tempos coloniais e hoje ainda é cultivado em hortas da região Sudeste.

É uma planta anual, de até 90cm de altura, coberta de nervuras e pelos ásperos que dão ao caule e às folhas

Condimentos / especiarias: 1. Flor-de-lis 2. Semente de pândano aromático 2a. Pândano aromático 3. Avenca cabelo-de-vênus 4. Sassafrás 5. Baunilha 6. Cálamo aromático 7. Vetiver

uma aparência de velhos. As flores têm a linda cor azul do céu do Mediterrâneo. O borago é cultivado facilmente a partir de sementes em qualquer clima quente ou temperado, e prefere solo calcário com boa drenagem e sol.

As flores azuis às vezes são usadas para decoração ou são confeitadas, porém a parte mais importante são as folhas, com aroma de pepino. Elas são muito utilizadas em bebidas, às quais conferem um sabor refrescante. As folhas e flores frescas podem ser adicionadas em saladas, mas, embora o sabor seja delicioso, as folhas devem ser bem picadas para serem consumidas cruas, pois a superfície peluda tem aspecto desagradável. Assim como o pepino, o borago é delicioso com iogurtes ou queijos cremosos. Em regiões da Itália como a Ligúria, onde há borago silvestre por toda parte, as folhas são usadas como recheio para ravióli ou são cozidas da mesma forma que o espinafre, podendo também ser empanadas e fritas. Em outros locais, ele é desconhecido.

Em certas regiões é vendido em mercados, mas murcha imediatamente ao ser colhido. Dizem que pode ser desidratado, mas é uma erva para ser cultivada no quintal com fins decorativos e utilizada fresca no verão.

Muitos parentes do borago, como confrei (*Symphytum officinale*), viperina (*Echium vulgare*) e buglossa (*Pentaglottis sempervirens*), também são comestíveis e podem ser empregados de forma semelhante. Livros de receitas alemãs mencionam uma manteiga de confrei da Baviera, e suas raízes são condimento para o vinho local. Várias outras plantas aparentadas eram empregadas como corantes.

BOUQUET GARNI

Este é o nome francês internacionalmente utilizado para designar um ramalhete feito de ervas. Elas são amarradas juntas, de modo que possam ser removidas ao fim do preparo ou quando já deram ao prato sabor suficiente. O mesmo resultado é obtido embrulhando-se as ervas em um pedaço de musselina ou filó, o que permite incluir também especiarias, raspas de laranja ou alho. Informalmente, é comum apenas adicionar as ervas ao preparo, mas na culinária sofisticada o correto é remover os resquícios do condimento. Não é recomendado “ervas mistas” secas ou *bouquet garni* em pó. O cozinheiro que não costuma usar algum tipo de *bouquet garni* provavelmente não faz jus à profissão.

O *bouquet garni* clássico consiste de três ramos de salsa para um ramo pequeno de tomilho e uma folha pequena de louro. Na Provença, também se inclui um pedaço de casca de laranja desidratada. É claro que essas proporções são flexíveis, pois tratando-se de ervas não há medidas-padrão. A literatura também revela um número surpreendente de misturas que podem ser denominadas *bouquet garni*: "dois ramos de salsa, um de tomilho-limão e uma folha de louro"; "dois ramos de salsa, um de manjerona, um de segurelha e um de tomilho-limão"; ou mesmo "alguns ramos de salsa, um ramo de tomilho, um ramo de manjerona, uma folha de louro, um ramo de manjericão, uma folha de aipo, um pedaço pequeno de pau de canela, um dente de alho, uma lasca pequena de macis e uma pimenta-vermelha". A última parece excessivamente elaborada e vem de uma receita vitoriana.

O *bouquet garni* é, em sua essência, um dos temas deste livro. É algo com que devemos fazer experiências se quisermos criar pratos com um toque pessoal.

C

CAFÉ

BOT: *Coffea arabica, Coffea robusta* e outros
FAM: Rubiáceas
ALE: *Kaffee*
ESP: *Café*
FRA: *Café*
ING: Coffee
ITA: *Caffe*

Há cerca de 25 espécies de café, das quais algumas são cultivadas comercialmente, embora a *arabica* seja a original, e ainda a mais importante. O sabor das outras espécies é inferior, mas elas demonstram maior resistência contra pragas, ou têm mais alta produtividade.

Não se sabe ao certo se o café (*arabica*) é original da Etiópia ou do Iêmen, países montanhosos que ficam em lados opostos do mar Vermelho. A história corrente é que a planta foi levada da primeira para o segundo, e as datas atribuídas variam de 575 d.C. a 850 d.C., ou seja, ele era bastante desconhecido no Antigo Egito, Grécia ou Roma. No início, o seu uso deve ter sido bem localizado, pois levou quase mil anos para chegar até o Cairo – pelo menos em quantidades dignas de chamar a atenção –, onde a primeira loja de café só foi aberta em 1550. Em 1600, Bacon observou que o café era usado na Turquia. As primeiras cafeterias começaram a aparecer em Londres e Paris a partir de 1650, e rapidamente se tornaram populares (a Lloyd's data de 1688). No final do século, havia plantações no Ceilão (Sri Lanka) e no Sudeste Asiático. No início do século XVIII os franceses o levaram para as Antilhas, de onde em 1727 chegou ao Brasil, que em pouco tempo se tornava o principal produtor do grão. Hoje o café é cultivado em quase todos os países com um clima tropical adequado.

O pé de café é uma árvore pequena, uma planta de floresta e que gosta de sombra parcial. É habitualmente cultivado sob a forma de arbustos, os quais lembram os loureiros na aparência geral e ostentam lindas flores brancas como gardênias, com um perfume adocicado de jasmim. Os frutos são vermelhos quando maduros e do tamanho aproximado de cerejas. Crescem em cachos. Cada grão, ou cereja, contém duas sementes, que ficam com as partes achatadas juntas, envolvidas por uma membrana fina. Ao redor desta há a polpa da fruta – doce e muito apreciada pelos macacos, que, se tiverem chance, atacam as plantações. Uma pequena porcentagem dos frutos contém apenas um único grão redondo (em vez dos dois achatados de um lado), que é chamado de moca, frutos machos ou caracóis.

A membrana e a polpa doce devem ser retiradas. Em alguns dos cafés mais sofisticados, isto acontece secando-se primeiramente o grão inteiro (grão-cereja) ao sol; esse processo também é usado no Brasil. Mas em geral deixam-se os grãos fermentarem um pouco, depois a polpa cremosa é lavada e retirada, antes de os grãos serem secos no próprio envoltório. Nos dois casos, as sementes acabam se separando, são limpas e classificadas por tamanho. Os caracóis também são separados dos grãos duplos.

Os grãos de café crus, sem serem torrados, são esverdeados ou amarelados e não têm o aroma do café. Nesse estágio, até certo ponto, eles melhoram durante o armazenamento. Há inúmeros tipos diferentes que depois de torrados desenvolvem vários graus de aroma, consistência, acidez e cor, e esse é um campo para o degustador de café. Geralmente, o café comercializado é um *blend*: as variedades com aroma forte e menos encorpadas podem, por exemplo, ser mescladas com as mais encorpadas e de aroma fraco. No entanto, se o objetivo é sentir o aroma, é melhor ignorar as misturas e selecionar o café totalmente pelo perfume.

Muitos dizem que é pena o café não ter o sabor tão maravilhoso quanto o cheiro de quando está sendo torrado. Infelizmente, esse aroma delicioso deve-se aos mais voláteis dos óleos essenciais, que se perdem, em grande parte, durante a torrefação. Para obter o melhor café, os grãos devem ser torrados rapida e uniformemente (de 8 a 12 minutos a 200ºC). Os grãos únicos – mocas – são superiores, pois por serem redondos torram de forma mais uniforme. Se o café for pouco torrado, o sabor não se desenvolve. Se muito torrado, como acontece com frequência com cafés inferiores, torna-se amargo e o excelente aroma se perde. Enquanto o café está quente, ele continua perdendo aroma, por isso, no momento em que o processo de torrefação termina, o café deve ser resfriado rapidamente. Porém mesmo com o café frio os óleos essenciais continuam a evaporar aos poucos, de modo que quanto antes usá-lo, melhor. Em geral, o café é torrado com um pouco de açúcar para ajudar a selar o exterior do grão.

Durante a moagem, os óleos essenciais passam a se perder mais rapidamente ainda, e o oxigênio presente no ar também começa a destruir o sabor. Mesmo meia hora entre a moagem e o uso é suficiente para provocar uma perda sensível de sabor. Portanto, qualquer lar que preze um bom cafezinho deve estar equipado com um moedor. Não se trata de modismo: faz uma grande diferença, além de moedores de café elétricos pequenos serem baratos e eficientes.

De uma forma ideal, o café deve ser feito com água que ainda não esteja fervendo – de novo, essa é uma forma de conservar o aroma. É interessante observar que os países que prezam cafeteiras e café expresso, como a França e a Itália, compram os piores cafés. Os de melhor qualidade vão para os Estados Unidos, a Alemanha e a Escandinávia.

A moagem fina permite que a excelência do café aflore mais facilmente e é mais econômica, porém deixa o café difícil de limpar. O melhor café é feito em bules de barro com filtro. Certamente, por causa do aroma, esse método é a escolha certa quando se quiser um café forte. Mesmo os melhores cafés moídos embalados a vácuo (bem como os cafés solúveis "instantâneos" e os extratos de café) não têm a menor chance de superá-lo.

Para um resultado primoroso, se o preço não for problema, o café moído grosseiramente ou o café quebrado moído na hora é colocado diretamente no creme de leite fresco em temperatura ambiente – um processo que extrai apenas a parte volátil e delicada do sabor. Esse creme tem a fragrância de café moído na hora, sem amargor.

Não são apenas os grãos de café que contêm estimulantes alcaloides (como a cafeína), mas também as folhas e a casca do tronco, e em alguns lugares elas são mastigadas ou transformadas em "chá".

CALAMINTA

Calamita-verdadeira

BOT: *Calamintha ascendens* (*Calamintha officinalis*)
FAM: Labiadas

A calaminta é silvestre e cresce em terrenos de solo calcário em grande parte da Europa, inclusive no sul da Grã-Bretanha. Alcança até cerca de 60cm de altura e as flores são azul-violeta, semelhantes às da gatária. O aroma das folhas remete ao da hortelã-pimenta. É uma erva medicinal, ocasionalmente utilizada na culinária.

A calaminta não deve ser confundida com a *Acinos arvensis*, antes denominada *Calamintha acinos*, nem com a *Calamintha nepeta* – calaminta-menor –, que na América do Norte é chamada *field balm*, ainda que ambas as ervas possam ser utilizadas como condimento. Pode também ocorrer mais confusão pelo fato de que, em alguns livros antigos, a satureja é listada como *Calamintha hortensis* e a segurelha como *Calamintha montana*.

ALE: *Bergminze*
ESP: *Calamento*
FRA: *Calament*
ING: *Calamint*
ITA: *Calaminta*

CÁLAMO-AROMÁTICO

Cálamo, cana-cheirosa, ácoro

Planta de áreas pantanosas comum em todo o hemisfério norte. Cresce silvestre na Grã-Bretanha (apesar de não ser nativa de lá) e em todos os Estados Unidos. Desenvolve-se em águas rasas, à margem de lagoas e córregos. Chega a cerca de 1,20m de altura; as folhas têm bordas enrugadas e, ao serem esfregadas, exalam seu aroma característico. O primeiro registro de seu cultivo é da Polônia, no século XIII.

Todas as partes dessa planta são doces e aromáticas. Antigamente, tanto na Inglaterra como nos Estados Unidos, confeitavam-se suas raízes para se fazer doces de sabor intenso. É utilizada como condimento, especialmente em licores. Os brotos bem novos das folhas também podem ser consumidos crus em saladas. Os rizomas mais velhos costumam ser fibrosos.

BOT: *Acorus calamus*
FAM: Aráceas
ALE: *Schilffeder, Schilfrohr*
ESP: *Cálamo aromático*
FRA: *Calamus, jonc odorant, lis des marais, roseau aromatique*
ING: *Calamus, sweet flag, sweet grass, sweet rush, wild iris*
ITA: *Calamo aromatico*

CALÊNDULA

Planta de jardim bem conhecida, com flores de cor laranja-dourado forte e folhas de um verde-pálido, é nativa do sul da Europa e da Ásia. O nome genérico *Calendula* e muitos nomes populares dados em outros países, como por exemplo *tous-les-mois*, se referem ao longo período

BOT: *Calendula officinalis*
FAM: Compostas
ALE: *Ringelblume*
ESP: *Calendula*
FRA: *Souci*

ING: *Marigold, pot marigold*
ITA: *Calendula, florrancio*

de floração. É uma planta anual resistente que pode ser cultivada sem dificuldade em qualquer jardim.

As pétalas (não o miolo), frescas ou secas, foram usadas pelos pobres para substituir o açafrão, no tempo dos romanos. Têm um amargor ligeiramente aromático, embora não se compare ao açafrão-verdadeiro, e são usadas em sopas de peixe (especialmente de congro), em sopas à base de carne na Holanda, como colorante em queijos, manteiga e bolos (sendo a cor inicialmente extraída em leite) e em saladas. Mesmo as folhas são usadas em saladas, embora sejam ásperas, duras e amargas. No Brasil, não teve esse emprego, pois como colorante sempre foi usado o açafrão-da-terra (*ver* Cúrcuma).

CAMOMILA

Camomila-romana, camomila-verdadeira

FAM: Compostas
ALE: *Garten Kamille, Hundeskamille, Magdblume, Mutterkraut*
ESP: *Camomila, manzanilla*
FRA: *Camomille*
ING: *Camomile, chamomile*
ITA: *Camomilla, camomilla romana*

Camomila-de-paris, macela, camomila-romana
BOT: *Chamaemelum nobile (Anthemis nobilis)*
ING: *Sweet camomile*

Camomila-alemã, camomila-silvestre
BOT: *Matricaria recutita (Matricaria chamomilla)*
ING: *Wild camomile, German camomile*

Tanto a macela como a camomila-alemã crescem silvestres em quase toda a Europa, incluindo alguns lugares da Inglaterra, e na Ásia de clima temperado. Tornaram-se silvestres no leste dos Estados Unidos. A macela é perene, mas a camomila-alemã é anual. Ambas podem ser facilmente mantidas no jardim e, para fins comerciais, em geral cultiva-se uma forma da macela de flor dobrada. Não há unanimidade quanto a qual dessas plantas é a verdadeira camomila, nem sobre qual delas é a mais eficaz.

O chá de camomila feito das flores desidratadas é um remédio muito antigo em vários países, como o Brasil. Às vezes entra na composição de vermutes e aperitivos, mas não é utilizada, como o nome pode sugerir, para condimentar o *jerez* muito seco chamado Manzanilla – denominação da camomila em espanhol; o nome da bebida provém de uma localidade.

Há loções para corpo e cabelo com macela, além de uma mistura de vinho com açúcar impregnada com as flores, usada como remédio para problemas de rim e bexiga. No tempo da dinastia Tudor eram plantados extensos jardins repletos de camomila, e ainda há um assim no Palácio de Buckingham.

CAMPÂNULA

Raponço, rapúncio

BOT: *Campanula rapunculus* (*Rapunculus verus*)
FAM: Campanuláceas
ALE: *Rapunzel-Glockenblume*
ESP: *Rapónchigo*
FRA: *Raiponce*
ING: *Rampion*
ITA: *Raperonzolo*

O nome alemão dessa planta é conhecido de muitos por ser também o nome da heroína de cabelos longos do conto de fadas de Grimm, Rapunzel. (Rapúncios eram retirados do jardim da bruxa.) Como se pode deduzir, era uma planta bem conhecida no passado, sendo mais rara hoje em dia, exceto na França e na Suíça.

A campânula é nativa da Europa, norte da África e de partes da Ásia. Na Grã-Bretanha, espalha-se silvestre nos campos e é parente próxima da "campainha" (*Campanula rotundifolia*), da família do *harebell* ou *bluebell* da Escócia. As flores de cor azul-malva crescem em espigas ou cachos compridos e as raízes são brancas, parecidas com nabos de cerca de 30cm de comprimento, mas não muito grossas. As sementes são as menores dentre os vegetais, e para uma semeadura uniforme elas em geral são misturadas com um pouco de areia fina. Para cultivo, semeá-las diretamente no canteiro, sem cobri-las, no fim da primavera; regá-las com frequência e cuidadosamente até começarem a brotar. As plantas alcançam cerca de 60cm de altura e é aconselhável manter-se um espaço de uns 10cm entre cada uma. Preferem um solo leve e rico, com um pouco de sombra e bastante água. As campânulas são bienais. As raízes podem ser colhidas no início do inverno e conservadas em areia.

Tanto as raízes quanto as folhas são usadas cruas em saladas.

CANELA E CANELA-CÁSSIA

Canela, canela-do-ceilão, canela-da-índia, pau-canela
BOT: *Cinnamomum zeylanicum*
FAM: Lauráceas
ALE: *Kaneel, Zimt*
ESP: *Canela*

A canela e a canela-cássia (além de mais algumas outras plantas da mesma família) fornecem produtos com sabor mais ou menos parecidos. Em muitos países elas são confundidas e tratadas como se fossem a mesma coisa; em outros, como a Inglaterra por exemplo, a lei determina que apenas a canela-verdadeira pode ser assim denominada.

FRA: *Cannelle de Ceylan, cinnamome*
ING: *Cinnamon*
ITA: *Cannella*

Canela-cássia, canela-da-china, canela-chinesa
BOT: *Cinnamomum cassia*
ALE: *Kassie*
ESP: *Casia*
FRA: *Casse, canéfice*
ING: *Cassia*
ITA: *Cássia*

A canela-cássia – conhecida em muitos países como canela-chinesa (*canelle de Chine*) é uma das especiarias mais antigas. Há registros de seu uso na China em 2500 a.C. e no Egito em 1600 a.C. Foi introduzida na Europa por meio das rotas de especiarias vindas do Oriente. Mesmo hoje, a maior parte de canela-cássia e de canela consumida é cultivada no Oriente.

A introdução da canela-verdadeira é mais recente. Enquanto a outra espécie se origina de Mianmar, a canela verdadeira é nativa do Sri Lanka, antigo Ceilão, e era de difícil acesso até a chegada dos europeus à Ásia Tropical.

Tanto a canela quanto a canela-cássia são retiradas de árvores pequenas ou arbustos sempre verdes, que se parecem com loureiros. A especiaria é a casca retirada dos galhos finos e seca ao sol para formar os bastões enrolados que conhecemos como canela em pau. Na canela-chinesa em geral, essas cascas secas são grossas, e a parte externa semelhante à cortiça é mantida. Na canela-verdadeira, essas camadas grossas são raspadas e as cascas lisas secas são encaixadas umas dentro das outras. A canela de melhor qualidade é clara e se parece com um rolo de papel ressecado.

O sabor da canela é mais delicado que o da canela-cássia, não é tão picante, sendo também a variedade mais cara. É a melhor para ser usada em pratos doces e bolos. A canela-cássia arde na língua e é mais adequada às carnes condimentadas, *pilaus* e *curries*. As árvores também são diferentes: na canela-cássia, folhas, botões e mesmo raízes têm sabor semelhante ao da casca dos galhos, o que não ocorre na canela-verdadeira. As folhas secas da canela-cássia, bem como as folhas de especiarias aparentadas, são bastante utilizadas na Índia – *tej pat* (que muitas vezes é traduzido erroneamente como louro) –, especialmente na culinária bengalesa, e em lojas fora do país são muito confundidas com folhas de louro; já os botões da canela-cássia, que na aparência lembram vagamente os cravos, estão disponíveis em lojas ocidentais. São excelentes quando se quer dar um toque de sabor de canela em pratos de carne.

Para o uso em pratos doces, bolos e biscoitos, habitualmente adquire-se a canela em pó, pois é muito difícil moê-la em casa. Deve ser comprada com frequência e mantida em potes de vidro completamente vedados (é comum haver latas de canela velha nas cozinhas...). Para aromatizar caldas, vinhos ou cremes, é melhor usar canela em pau de boa qualidade, que pode ser retirada assim que o processo acabar.

O uso de canela ou canela-cássia em pratos de carne não é muito propagado na culinária europeia ou norte-americana, mas qualquer pessoa que tenha visitado países árabes reconhecerá o efeito de colocar um pauzinho de canela dentro de um cozido de carneiro: a combinação do sabor com a carne é peculiar e agradável. A canela também é importante para temperar *curries* e *pilaus* e, assim como os cravos, tem uma utilidade prática em países de clima quente, pois seu óleo essencial contém fenóis – poderosos agentes bactericidas contra micro-organismos responsáveis pela putrefação. A canela-cássia é um dos ingredientes do famoso condimento "cinco especiarias chinesas" (*ver Five spices*).

Não confunda com a cássia de propriedades farmacêuticas, que são vagens de sene (*senna*) – um poderoso vermífugo, laxativo e purgativo!

No Brasil o uso da canela (a mais consumida atualmente é a cássia) foi difundido pelos portugueses, que aclimataram a espécie do Ceilão nas regiões tropicais, do Rio de Janeiro ao Maranhão.

CAPIM-LIMÃO

BOT: *Cymbopogon citratus* e *Cymbopogon flexuesus*
FAM: Gramíneas
ALE: *Zitronengras*
ESP: *Hierba limón*
FRA: *Citronnelle*
ING: *Lemon grass*
ITA: *Cimbopogone*

O capim-limão é comum em toda a área tropical do sudeste da Ásia. Hoje também é cultivado na África, América do Sul e na Flórida. No Brasil, foi introduzido no período colonial, adaptando-se e desenvolvendo-se bem. É um capim típico, mas que possui uma base bulbosa e um sabor e aroma fortes de limão.

A planta contém muito citral, o óleo essencial usado em aromatizantes artificiais de limão e na síntese de outros aromas artificiais. O capim-limão é usado com frequência na culinária do Ceilão e do sudeste da Ásia, mas como o citral também é o sabor mais característico da camada externa amarela da casca do limão, esta pode substituir o capim-limão em receitas em que ele for necessário. Também pode ser encontrado como capim-limão em pó. Outras espécies de *Cymbopogon* fornecem óleos: o de citronela, o de *ginger grass* (*Cymbopogon martinii var. Sofia Bruno*) e outros óleos que são usados comercialmente devido ao aroma agradável, mas não em culinária.

As folhas do capim-limão são muito utilizadas no Brasil no preparo de chás aromáticos e digestivos.

CAPUCHINHA

Nastúrcio

BOT: *Tropaeolum majus*
FAM: Tropeoláceas
ALE: *Kapuzinerkresse*
ESP: *Capuchina, nasturcia*
FRA: *Capucine, cresson d´Inde*
ING: *Nasturtium, Indian cress*
ITA: *Nasturzio*

É uma planta anual, comum em hortas e jardins e originária do Peru. É cultivada em todo o mundo por suas flores de cor amarela ou laranja em forma de trombeta. Prolifera bem em quase todo lugar ensolarado. Apesar de ser comumente conhecida como nastúrcio, não tem nenhum parentesco com o *Nasturtium officinale*, o agrião-comum, mas o sabor das folhas lembra ligeiramente o dessa verdura e ficam ótimas em sanduíches e saladas.

Os botões, sementes e também as flores da capuchinha desenvolvem um sabor forte próximo do das alcaparras quando preparados em conserva. É mais indicado colher botões e sementes aos poucos, todos os dias, bem frescos. Depois de lavá-los e secá-los, coloque-os em uma garrafa de vinagre muito salgado. Em mais ou menos um mês, adquirem um sabor especial e excelente, sendo considerados um substituto para alcaparras. Na verdade, o sabor não é exatamente o mesmo – as sementes de capuchinha são mais ardidas e os botões, mais suaves.

O vinagre de capuchinha pode ser feito acondicionando as flores completamente desabrochadas em uma garrafa e depois cobrindo-as com vinagre temperado com um pouco de echalota, alho, pimenta-vermelha e sal. Os pistilos contendo néctar são considerados uma iguaria.

CARDAMINA

Agrião-dos-prados

Planta silvestre das campinas ou prados úmidos da Europa e da América do Norte e conhecida por suas flores brancas ou violáceas com as quatro pétalas dispostas em cruz, típicas das plantas dessa família. O nome agrião-dos-prados sugere corretamente que é da família dos agriões, podendo ser usado da mesma maneira, com um sabor bem semelhante. Por ser uma das primeiras plantas da primavera, começando a florescer em abril, é uma folha útil para as saladas mistas do início da estação. Contém diversos minerais valiosos. Os livros mais antigos descrevem maços enormes à venda nos mercados da Europa continental. A palavra "*cardamine*" vem originalmente do grego e significa "tonificar o coração", em alusão às supostas qualidades medicinais da planta.

BOT: *Cardamine pratensis*
FAM: Crucíferas
ALE: *Wiesenschaumkraut*
ESP: *Cardamina*
FRA: *Cardamine des prés, cresson élégant*
ING: *Lady's smock, bitter cress, cardamine, cuckoo flower*
ITA: *Billeri, crescione dei prati, cardamine, viola da pesci*

CARDAMOMO

O cardamomo é uma especiaria oriental que chegou à Europa através das rotas das caravanas ainda no tempo dos antigos gregos e romanos – embora naquela época fosse usado sobretudo em perfumes. Conta-se que teria sido cultivado nos jardins reais da Babilônia, mais de 700 anos antes de Cristo, mas, se isso for realmente verdade, estava bem fora de seu clima e habitat naturais. A planta é perene, da família do gengibre, e forma um arbusto com longas folhas lanceoladas que lembram as folhagens das palmeiras (apesar de não haver nenhum parentesco), crescendo até cerca de 2,50m. É nativo em algumas florestas úmidas do sul da Índia, sendo frequente na beira de ravinas e sob árvores tropicais frondosas – o tipo de lugar onde precisamos tomar cuidado com cobras. As hastes que sustentam as cápsulas com as pequenas sementes (a parte que é utilizada) crescem da base da planta, que se alarga no chão de um jeito bem incomum.

BOT: *Elettaria cardamomum*
FAM: Zingiberáceas
ALE: *Kardamome*
ESP: *Cardamomo*
FRA: *Cardamome*
ING: *Cardamom*
ITA: *Cardamomo*

Hoje há plantações de cardamomo em muitos países tropicais, inclusive na América Central (Guatemala). Em geral, ficam em floresta parcialmente desbastada na qual se deixam algumas árvores para sombrear. As cápsulas que contêm as sementes desenvolvem-se durante um período longo e não amadurecem todas ao mesmo tempo, sendo colhidas aos poucos, semanalmente. São secas ao sol ou com calor e às vezes são clareadas, ainda que sua cor natural seja verde-claro ou marrom-claro.

O que compramos em mercearias como cardamomo são essas cápsulas ou frutos secos. Eles podem variar em cor e tamanho, mas sempre têm uma seção mais ou menos triangular. O cardamomo é uma especiaria cara, então é melhor se assegurar da qualidade antes de comprá-lo, o que pode ser feito abrindo-se um fruto e examinando as sementes no seu interior. Elas devem ser marrom-escuras, ligeiramente pegajosas e ter aroma e sabor intensos. Nunca se deve comprar cardamomo moído, pois perde rapidamente seus óleos essenciais.

A semente, cujo sabor lembra vagamente eucalipto, aquece e traz bem-estar. É ingrediente de muitas bebidas alcoólicas e também usado em bolos e pastelaria no norte da Europa – Escandinávia, norte da Alemanha e Rússia. Aliás, a Suécia compra ¼ da produção indiana. É também uma especiaria muito apreciada pelos árabes (a Arábia Saudita é o segundo maior comprador da Índia), e seu uso se espalhou graças ao comércio marítimo árabe nos portos da costa oeste da Índia, de cujo interior o cardamomo é originário. É ele o responsável pelo aroma exótico e peculiar do café árabe: no bico fino e longo das cafeteiras de bronze são inseridos alguns frutos abertos de cardamomo, o que confere sabor suficiente ao café quando é servido. Não há nada mais característico dos enervantes postos policiais e de fronteira do Oriente Próximo do que o sabor de café aromatizado com cardamomo.

É também uma especiaria essencial em *curries* e *pilaus*, sobretudo nos do norte da Índia e do Paquistão. Em quantidades discretas é usado entre as especiarias para pratos de carnes na Europa, como por exemplo em algumas receitas alemãs de *Sauerbraten*. Além disso, fica bem como conserva e serve de tempero para arenque em conserva.

O cardamomo é um condimento excelente para ponches e vinhos e pode ser usado para aromatizar pudins, embebendo-se as sementes no leite quente por um tempo.

Há algumas variedades do cardamomo-verdadeiro (de Malabar, Mysore, Sri Lanka etc.) e, guardadas as restrições, a aparência e o sabor são semelhantes. Contudo, há mais umas 50 outras espécies de parentes próximos do cardamomo, cujas sementes são vendidas como "cardamomo" apesar de terem aparência bem diferente e, às vezes, sabor intenso de cânfora. A qualidade é inferior, mas não é raro encontrá-los, pois o verdadeiro cardamomo é caro e muitos desses substitutos tornaram-se populares nos últimos 20 anos. A história a seguir ilustra esse fato.

Na última vez que estive em Mumbai, um amigo indiano me contou que certa vez, jantando num restaurante, encontrou o que acreditou ser uma barata em seu *curry*. Retirou-a do prato e chamou o garçom. Este chamou o gerente, que, por sua vez, chamou o cozinheiro. É aqui que, segundo tradicional anedota italiana, o cozinheiro teria comido a barata, lambendo os beiços e exclamando: "Não gostou deste peixinho delicioso?" Mas o respeitoso cozinheiro indiano informou que a "barata" era, na realidade, uma semente de "cardamomo" grande e peluda. Se era ou não, eu não sei dizer, mas esses "cardamomos" marrons, grandes e peludos, antes desconhecidos, agora estão se tornando comuns.

CARDO-MARÍTIMO

Planta espinhosa, de aspecto bastante curioso, que cresce em terrenos arenosos ou pedregosos próximos do mar na Grã-Bretanha e em outras regiões da Europa. As folhas espinhosas e as inflorescências azul-claras não sugerem em nada que a planta pertença à família da salsinha, sendo necessário algum conhecimento de botânica para entender por que ela é assim classificada. O cardo-marítimo era um tempero importante no passado, embora atualmente não se fale muito nele. Suas raízes eram retiradas e escaldadas rapidamente e em seguida desidratadas ou cristalizadas. Era cultivado e comercializado para aromatizar geleias, confeitos e outras receitas doces. É planta que não se encontra nos mercados, de modo que os apreciadores devem colhê-la na natureza e prepará-la pessoalmente.

BOT: *Eryngium maritimum*
FAM: Umbelíferas
ALE: *Mannstreu, Stranddistel*
ESP: *Cardo corredor, eringe*
FRA: *Panicaut, panicaut maritime*
ING: *Sea holly, eringo*
ITA: *Eringio, calcatreppola marina*

CÁRTAMO

Açafroa, falso-açafrão

BOT: *Carthamus tinctorius*
FAM: Compostas
ALE: *Färberdistel, Saflor*
ESP: *Cártamo*
FRA: *Carthame, safran bâtard*
ING: *Safflower, bastard saffron, carthamine dye, safflor, saffron thistle*
ITA: *Cartamo, falso zafferano*

O cártamo é originário da Índia, sendo uma cultura importante em vários países de clima quente. É cultivado no sul da França e resistente o bastante para sobreviver em plantações na Inglaterra. As flores são vermelho-alaranjadas ou amarelas e contêm cartamina, um importante agente colorante usado em alimentos, tecidos e cosméticos (misturado em giz francês, obtemos o *rouge* ou o *blush*). Em certas regiões da Polônia, as flores são acrescentadas ao pão e a outros alimentos.

O cártamo também é cultivado por causa da semente, da qual se extrai um importante óleo comestível. Dentre todos os óleos de salada, é o que contém a menor porcentagem de colesterol. Algumas vezes, as sementes servem de alimento para as pessoas pobres, e mesmo as folhas podem ser usadas como salada. Outras espécies silvestres de cártamo que crescem no Oriente Médio e no norte da Índia têm propriedades similares e usos locais.

CÁSSIA *Ver* Canela.

CATCHUP

Grafada em geral *ketchup* na Grã-Bretanha e *catchup* nos Estados Unidos, a palavra chegou à Europa, originária da Índia, no fim do século XVII. Há várias grafias nos países do Extremo Oriente: *ketsiap*, *keotsiap*, *kitjap*, *ketjap* e outras. Parece provável que *catchup* originalmente nomeasse a salmoura na qual o peixe tinha sido conservado ou, em outros casos, extratos de peixe fermentado (*ver* Concentrados de peixe). Hoje *catchup* é o nome dado a quase todos os extratos salgados de peixe, mariscos, frutas, vegetais ou cogumelos. Ao se explorar receitas da culinária dos países orientais deve-se usar apenas o *catchup* feito naquele país. De outra forma, é possível que o prato não fique condimentado corretamente.

***Catchup* de tomate.** Na verdade trata-se de um molho, mas é usado frequentemente como tempero na culinária moderna.

***Catchup* de cogumelos.** É o caldo escuro dos cogumelos, extraído em salmoura, depois fervido e em geral temperado com pimenta, ervas e especiarias; as variedades picantes incluem a pimenta-vermelha. Embora hoje seja um produto industrializado, antigamente era preparado em casa, e muitas receitas podem ser encontradas em velhos livros de culinária. Antes de os pastos serem tratados com aplicação de compostagem básica e outros fertilizantes – que matam os cogumelos –, e quando os cavalos eram comuns em todas as fazendas, no verão do hemisfério norte os campos ficavam salpicados do branco dos cogumelos *Agaricus campestris*. As gerações anteriores o colhiam em grandes cestos e havia muito mais que o necessário para o consumo imediato. Como eles não se prestam para serem desidratados, o *catchup* salgado de cogumelos era uma forma de conservá-los. Na Europa continental, onde se comem inúmeras outras espécies de *funghi*, a tendência é fazer conservas deles – os que se prestam a isso são os mais valorizados na Europa Oriental –, ou secá-los, como é mais comum na Itália.

Hoje em dia, no entanto, quando os cogumelos cultivados comercialmente são bem fáceis de serem encontrados e os cogumelos silvestres são mais raros, o *catchup* de cogumelos é muito menos utilizado. No entanto, é um condimento útil de se ter na cozinha (*ver* Cogumelos).

Os antigos livros ingleses de culinária também fornecem receitas de vários outros *catchups*, mais raros atualmente. Havia o *catchup* de ostras, preparado com vinho branco, conhaque e/ou *jerez*, echalotas, especiarias e sal. Uma versão mais econômica era o *catchup* feito à base de mariscos e cidra. O *catchup* Windermere era o de cogumelos com raiz-forte; o *poulac* era feito com bagas de sabugueiro; o Wolfram, com cerveja *ale*, anchovas e cogumelos. Pode-se também mencionar o *catchup* irlandês de nozes, o de peixe e o Prince of Wales. Estas são na maioria receitas britânicas dos séculos XVIII e XIX que, sem dúvida, não interessam senão àqueles dispostos a prepará-las. Muitas das receitas se encontram, por exemplo, no *Dictionary of Cooking*, da editora Cassell, publicado no final do século XIX.

Voltando ao Extremo Oriente, o *catchup* (ou *ketjap*) será imprescindível no preparo de pratos indonésios ou indoneso-holandeses. Os artigos genuínos são difíceis de se obter, mas são fundamentais para que se consiga um resultado correto.

Aromatizantes: 1. Lúpulo 2. Quássia-amarga 3. Erva-benta
4. Aspérula-cheirosa 5. Genciana 6. Salsaparrilha

CEBOLA

BOT: *Allium cepa*
FAM: Liliáceas (Amarilidáceas, Aliáceas)
ALE: *Zwiebel*
ESP: *Cebolla*
FRA: *Oignon*
ING: *Onion*
ITA: *Cipolla*

A cebola que hoje cultivamos é desconhecida em seu estado selvagem, mas é quase certo que seu antepassado seja nativo da Ásia Central. O bulbo é utilizado há mais de quatro milênios, sendo o mais comum dentre todos os nossos temperos vegetais. Existem centenas de variedades cultivadas, que se distinguem por tamanho, cor, pungência, sabor e resistência. É importante estar atento a isto ao adquiri-las: conhecer o tipo de cebola oferecido. Por exemplo, o sabor adequado de um *carbonnade* (*ver* Cerveja) não pode ser obtido sem o tipo correto de cebolas belgas, bem fortes.

As cebolas ganham sabores bem distintos dependendo do grau de cozimento. Se o prato pede cebolas fritas douradas ou que apenas transpirem no óleo ou manteiga, em fogo brando, não se deve permitir que fiquem marrons: cebolas marrons ou até enegrecidas têm um sabor diferente e mais acentuado.

Cebolas cortadas e expostas ao ar por algum tempo adquirem um gosto "passado" de *kebabs* e de carne que foi misturada de véspera à cebola. Esse é um sabor encontrado na cozinha dos mercados no Oriente Médio. *Chefs* que querem preparar uma quantidade de cebolas cortadas com antecedência cozinham-nas um pouco na manteiga. Dessa forma, podem ser mantidas na geladeira por um dia.

Embora em muitas comunidades agrícolas grandes rodelas de cebola crua sejam alegremente consumidas com pão, cebolas novas e tenras ou cebolinhas-verdes são mais apropriadas cruas nas saladas. Para essa finalidade são utilizadas, portanto, não apenas as variedades de *Allium cepa*, mas também a variedade perene de folhas estreitas, *Allium fistulosum*, que muito raramente floresce e em inglês é algumas vezes erroneamente chamada de *Welsh onion* (no Brasil é chamada de cebolinha-comum), e que não forma um bulbo arredondado e sim um maço de folhinhas compridas, cilíndricas e ocas.

A cebolinha, ou cebola-de-cheiro, como também é chamada, é o tipo mais importante cultivado na China e no Japão. É desconhecido na forma silvestre, mas provavelmente se originou de espécies siberianas. Essa variedade pode crescer praticamente em qualquer área ensolarada. Menos comum é a variedade de *Allium cepa* conhecida em inglês como *top onion, tree onion* ou *egyptian tree onion*, um cultivar não encontrado no Brasil que forma bulbos minúsculos com folhas na parte superior dos talos ocos. Os bulbos são extremamente ardidos, mas muitas pessoas acham que não vale a pena cultivar esse tipo. Outra variedade é a echalota, que cresce em algumas partes da Irlanda e produz um largo feixe de bulbos numa única touceira (daí o seu nome em inglês, *potato onion*).

Hoje em dia, pode-se comprar cebola desidratada ou em pó, porém por mais prático que isso seja esses temperos não se comparam à cebola fresca. No Oriente, a semente da cebola algumas vezes é utilizada como uma especiaria e confundida com a nigela.

Debate-se sobre a qual família pertenceria o gênero da cebola. Isso porque as cebolas têm alguns traços que as colocam entre os narcisos (Amarilidáceas) e outros que as aproximam dos lírios (Liliáceas), e a escolha depende da importância que se dá a cada característica. Esse é o tipo de problema que dá úlceras em botânicos sistemáticos, mas felizmente não é uma preocupação para os cozinheiros. A terceira opção é dar às cebolas uma família própria, a das Aliáceas.

Existem centenas de espécies do gênero *Allium*, e elas crescem silvestres na Europa, Ásia e América do Norte. Nenhuma delas é venenosa, embora algumas sejam muito desagradáveis ao paladar – fortes e ardidas. Diversos tipos silvestres são utilizados localmente. Os índios norte-americanos fizeram uso de cebolas, e alguns tipos foram temperos importantes por toda a Europa e a Ásia, como atestam vários registros.

Cebolas também vêm sendo cultivadas há muito tempo: os antigos egípcios já as plantavam e, nos tempos romanos, inúmeras variedades eram conhecidas e usadas na cozinha. Como frequentemente acontece quando o cultivo é antigo, os ancestrais silvestres são desconhecidos, seja porque foram extintos, talvez devido a mudanças climáticas, seja porque o cultivo modificou as plantas de tal modo que a origem não pode mais ser reconhecida, e somente estudos bem detalhados podem esclarecer esse passado.

A cebola, em particular, causa algumas confusões porque os tipos cultivados tendem a apresentar diversas formas — um único bulbo, um feixe de bulbos, pequenos bulbos com longas extremidades verdes, bulbilhos em vez de flores etc. — que são de fundamental importância para o cozinheiro e para o jardineiro, mas não caracterizam espécies distintas. Na verdade, parece que não são muitas as espécies cultivadas de cebola.

Entre as cebolas cultivadas na Europa as *Allium cepa* são as mais conhecidas, das quais as echalotas, ou chalotas, são apenas uma variedade (apesar de terem sido consideradas espécie à parte em livros antigos). São muitos os tipos, da echalota à cebolinha verde, da cebola-branca à roxa, da forte à suave, da delicada à extremamente picante, crescendo sob o solo em largos feixes ou brotando para fora da terra, em touceiras etc. As folhas das variedades *cepa* são achatadas.

No Extremo Oriente – Japão e China –, como já dito, a *Allium fistulosum* é a espécie mais importante. As cebolas *fistulosum* se parecem com o alho-porró (as verdadeiras cebolinhas-de-cheiro ou cebolinhas-comuns são bem conhecidas na Europa e pertencem a essa espécie), mas existem muitos outros cultivares no Oriente, alguns com folhas de mais de 2,50cm de espessura. Um corte na folha da cebola *fistulosum* mostra que ela é oca e circular.

Outra espécie oriental, a *Allium tuberosum*, conhecida pela corruptela do cantonês como *cuchay*, ou como nirá ou cebolinha-chinesa, é comumente usada na China, no Japão, em partes do norte da Índia e em todo lugar onde há imigrantes chineses e japoneses (inclusive no Brasil, onde já é encontrada em feiras e supermercados). Essa cebolinha, uma exceção, ainda cresce silvestre na China e em certas partes do Himalaia. É maior e mais resistente que as cebolinhas ocidentais e tem folhas achatadas e sólidas – e não ocas. Suas flores podem ser utilizadas em saladas, e combinam o sabor da cebola com o mel; não floresce em climas quentes.

A *Allium schoenoprasum*, que no Brasil chamamos de cebolinha-francesa ou *ciboulette*, é a única que ainda pode ser encontrada selvagem tanto no Velho quanto no Novo Mundo. Cresce mesmo em locais tão frios como os Alpes. Seu cultivo é recente, provavelmente apenas a partir da Idade Média. Seu talo é oco, fino como grama, e a folha cortada é redonda.

Ver também Cebolinha, Alho, Alho-poró, Alho-espanhol, Echalota.

CEBOLINHA

BOT: *Allium schoenoprasum*
FAM: Aliáceas (Liliáceas ou Amarilidáceas)
ALE: *Schnittlauch*
ESP: *Cebolleta*
FRA: *Ciboulette*
ING: *Chive*
ITA: *Erba cipolina*

A cebolinha é um integrante conhecido do gênero cebola, nativa das partes mais frias da Europa, inclusive a Inglaterra, onde pode ser encontrada ocasionalmente na forma silvestre, em locais secos e rochosos. Também se desenvolve espontaneamente no Canadá e no norte dos Estados Unidos. Embora usada desde a Antiguidade, provavelmente não era cultivada até a Idade Média. A cebolinha tem talos ocos e finos que lembram grama, seus pequenos bulbos são discretos e ela cresce em touceiras. As flores são roxas e tornam o canteiro decorativo. A erva é perene, fácil de cultivar e cresce em qualquer solo a partir de sementes, mas em geral se propaga pela divisão dos bulbos das touceiras. Há uma variedade de folhas grandes, conhecida como *giant chive* (cebolinha-gigante). Maços de cebolinha podem ser comprados em quase todos os mercados da Alemanha, Áustria, Suíça e Escandinávia, embora sejam menos comuns ao sul dos Alpes. No Brasil, introduzida pelos portugueses, é bastante comum.

O sabor da cebolinha picada lembra o de uma cebola delicada, e sua cor verde forte faz dela uma guarnição perfeita dos pratos. É usada em molhos como *rémoulade* e *ravigote*, misturada com ovos ou *cream cheese*, salpicada em sopas, saladas de batata, saladas em geral e beterrabas na manteiga.

Não mantém seu sabor quando seca, mas pode ser congelada de forma satisfatória ou mantida por algum tempo em saco plástico na geladeira ou em local fresco.

O *cuchay* ou nirá (em inglês, *chinese chive*), um tipo maior e com sabor mais pronunciado, pertence a uma outra espécie (*ver* Cebola).

CENOURA

BOT: *Daucus carota*
FAM: Umbelíferas
ALE: *Karotte* (jovem), *Möhre*, *Mohrrübe*
ESP: *Safranories* (catalão), *zanahoria*

A cenoura é nativa da Europa. A espécie silvestre é comum nos campos da Grã-Bretanha, é fibrosa e um pouco tóxica. Foram agricultores franceses e alemães que no século XVI a livraram da toxina e transformaram a raiz pouco promissora na cenoura cultivada que conhecemos.

Hoje ela é encontrada em mercados de todo o mundo. Há muitas variedades e, nos melhores cultivos, o miolo fibroso foi eliminado por completo. A maioria das cenouras é de cor laranja, mas pode-se encontrar variedades de cor branca, vermelha e roxa em mercados estrangeiros. O sabor é sempre o mesmo.

FRA: *Carotte*
ING: *Carrot*
ITA: *Carota*

Em pequena quantidade, a cenoura é frequentemente usada para aromatizar sopas e caldos, e é parte importante de marinados para peixes. Como o sabor se concentra na casca ou logo abaixo dela, o mais importante é nunca raspar nem descascar as cenouras. A diferença do paladar entre a cenoura com e sem casca é enorme. Cenouras muito velhas ou algumas das que são vendidas já lavadas e em sacos plásticos desenvolvem uma camada mole e escurecida que precisa ser raspada; então, sempre que possível, compre cenouras frescas.

A cenoura confere um sabor adocicado e um toque aromático aos pratos, pois contém um alto teor de açúcar. Na França já se tentou usá-la como fonte comercial de açúcar.

CEREFÓLIO

BOT: *Anthriscus cerefolium*
FAM: Umbelíferas
ALE: *Kerbel*
ESP: *Perifollo*
FRA: *Cerfeuil*
ING: *Garden chervil*
ITA: *Cerfoglio*

Cerefólio-bravo
BOT: *Anthriscus silvestris*
ALE: *Gemeiner Kerbel*
ESP: *Perifollo silvestre*
FRA: *Cerfeuil sauvage*
ING: *Cow parsley*
ITA: *Cerfoglio selvatico*

O cerefólio das hortas e jardins (há várias outras plantas também denominadas cerefólios) é parente próximo do cerefólio-bravo, que embranquece os campos no início do verão. É natural do sul da Rússia, do Cáucaso e do Oriente Médio. É provável que tenha sido levado para a Grã-Bretanha pelos romanos e ocasionalmente pode ser encontrado crescendo silvestre e livremente.

O cerefólio tem folhas rendadas e, como a salsa, também possui variedades crespas, usadas para decorar pratos. Cresce até 50cm de altura e suas flores são miúdas e brancas, na forma de umbelas características dessa família.

Essa erva pode ser cultivada sem dificuldades em quase todos os jardins ou jardineiras de janelas, embora não goste de ambientes quentes e secos. Trata-se de uma planta anual, cujas sementes logo se soltam. Para manter

Cerefólio-tuberoso
BOT: *Chaerophyllum bulbosum*
ALE: *Knollenwürzliger Kerbel*
ESP: *Perifollo bulboso*
FRA: *Cerfeuil bulbeux*
ING: *Bulbous rooted chervil*
ITA: *Cerfoglio con bulbo*

um suprimento de folhas deve-se semeá-la em intervalos durante o verão ou podar as plantas jovens até o nível da raiz quando atingirem de 5cm a 8cm, incentivando a brotação de novas folhas. É possível obter um suprimento de inverno plantando-a em jardineiras em estufas.

O cerefólio é pouco cultivado nos Estados Unidos, na Grã-Bretanha, no Brasil e em outros países, com exceção da França, onde é muito importante. Portanto, aqueles que gostam da culinária francesa devem cultivá-lo em suas hortas, pois não é facilmente encontrado em mercados. O sabor é delicado e muito menos intenso que o da salsa, com a qual guarda ligeira semelhança, mas detém um aroma próprio bem distinto – que para alguns lembra a erva-doce ou anis, para outros, o alcaçuz. A erva deve ser utilizada fresca – picada ou em raminhos de folhas que os franceses chamam de *pluches*. Ela não deve ser cozida, mas usada crua ou adicionada ao prato quase pronto, sem fervê-la – por exemplo, salpicada sobre a sopa no momento de servir.

É usado habitualmente nas *fines herbes* para o preparo de omeletes. Também é erva clássica dos molhos *ravigote*, e nestes – sejam frios ou quentes – seu sabor nunca se torna muito ativo. O cerefólio é com frequência combinado com o estragão, e às vezes tempera molhos como o bechamel ou mesmo condimenta o creme de leite fresco. Também é usado para aromatizar o vinagre de vinho branco, além de saladas e guarnições.

Alguns especialistas recomendam o mil-folhas como um substituto ou, pelo menos, como enfeite de pratos (*ver* Mil-folhas).

Não se deve confundir o cerefólio com o cerefólio-tuberoso, que é um legume e de um gênero diferente da família da salsa. A raiz do cerefólio é dita venenosa.

CERVEJA

ESP: *Cerveza*
FRA: *Bière*

Uma das placas de argila mais antigas da Babilônia, datada de 6000 a.C., ilustra a preparação de cervejas *ale*. Bebidas alcoólicas rústicas feitas a partir de cereais fermentados – trigo, cevada, arroz, milho, painço etc. – ainda são feitas de forma caseira em muitos países, podendo ser a única opção em áreas rurais longínquas como Zululândia e Nepal. Em geral a aparência é de água turva e o sabor lembra mingau fermentado azedo. Contudo, se essas *ale* rústicas forem clarificadas e – como era habitual antigamente – condimentadas com ervas aromáticas ou amargas como balsamita, hera-terrestre, urtiga ou dente-de-leão, há uma melhoria significativa. Hoje, em quase todo o mundo, as *ales* são aromatizadas com lúpulo, que, segundo alguns, era acrescentado originalmente como conservante.

GBR: *Bier*
ING: *Beer*
ITA: *Birra*
LATIM: *Cerevisia* (de Ceres, deusa da colheita)

O lúpulo é utilizado desde pelo menos 600 a.C., mas sua introdução na cerveja europeia é muito posterior. O gosto pela *bere* ou *bière* de Flandres chegou à Inglaterra com os soldados que voltaram da Guerra dos Cem Anos (1338-1453). Apesar de ser uma planta autóctone em algumas partes da Grã-Bretanha, o lúpulo só passou a ser cultivado em 1525. Portanto, é mais correto referir-se às bebidas anteriores, sem sabor de lúpulo, como "*ale*" e reservar a palavra "cerveja" [*beer*] só para a versão mais moderna.

É importante, ao se preparar uma receita com cerveja, encontrar uma com a intensidade adequada de amargor – quantidade maior ou moderada de lúpulo – e de doçura, características que devem ser avaliadas corretamente para que correspondam ao tipo de cerveja usado no país de origem do prato.

A cerveja é usada na culinária do norte da Europa assim como o vinho nos países vinicultores, mas é bem menos adaptável e entra em uma variedade bem menor de pratos. Podemos mencionar a sopa de cerveja alemã, feita com uma *lager* escura, e a renomada *carbonnade* de carne, um ensopado delicioso de carne de boi com cebola, de origem flamenga, que deve ser preparado com uma cerveja belga chamada La Geuze, azeda, ou com a Carbonnade Walons, preta e doce. Em síntese: o tipo de cerveja usado é crucial. Em algumas regiões da Inglaterra é comum cozinhar mocotó em cerveja escura de baixa fermentação. Na culinária tradicional brasileira a cerveja entra em algumas vinhas-d'alho de carnes; usam-se as cervejas claras e a preta/doce em certos cozimentos prolongados de carnes, pois imprimem sabor agridoce e também amaciam as carnes.

Há livros inteiros escritos sobre a arte de utilizar cerveja na culinária (um campo negligenciado na Inglaterra e nos Estados Unidos). O objetivo deste verbete é chamar a atenção para algumas possibilidades interessantes.

CHICÓRIA *Ver* Endívia e chicória.

CHILLI *Ver* Pimentas e pimentões, Pimenta-vermelha.

CHOCOLATE

BOT: *Theobroma cacao*
FAM: Esterculiáceas
ALE: *Schokolade*
ESP: *Chocolate*
FRA: *Chocolat*
ING: *Chocolate*
ITA: *Cacao (cocoa), cioccolata, cioccolata amara* (amargo)

A palavra "chocolate" vem do asteca *chocolatl*, e *theobroma* significa "alimento dos deuses". O chocolate era usado por esse povo muito antes de os espanhóis chegarem ao México.

É feito a partir das sementes ou amêndoas do cacau, fruto do cacaueiro, uma árvore nativa das planícies tropicais das Américas Central e do Sul. Ela é cultivada há tanto tempo que hoje provavelmente não existem mais árvores silvestres vivas. Em condições naturais essa árvore atinge até 12m de altura, mas cultivada em geral chega apenas a 7,50m. Possui folhas verde-escuras brilhantes, duras, com cerca de 30cm de comprimento. As flores e os frutos grandes ficam pendurados em talos curtos diretamente no tronco e nos galhos grandes. Os frutos lembram melões pontudos, com nervuras na casca, passando de verde a amarelo-alaranjado ou vermelho-arroxeado quando maduros, e nessa época as árvores parecem decoradas para o Natal. Dentro do fruto há uma polpa rosada onde se encontram encaixadas as amêndoas rosa-arroxeadas-claras, dispostas em filas ao redor do miolo central.

Hoje há muitas variedades e híbridos e, portanto, uma considerável variação nesta descrição geral.

O chocolate era desconhecido na Europa e na Ásia até o século XVI. Foi em 1502 que Colombo, em sua quarta viagem, o encontrou na carga de um navio comercial indiano no golfo de Honduras; foi levado para a Espanha por Cortés em 1520. Naquela época, era uma bebida importante entre os astecas. De acordo com Prescott, o imperador Montezuma consumia 50 jarras por dia.

No início, os espanhóis tentaram manter o chocolate em segredo, mas seu uso se espalhou gradualmente pela Europa como uma bebida sofisticada, para ricos. A primeira loja de chocolate foi aberta em Londres em 1657, mas os altos impostos o mantiveram fora do alcance dos pobres até 1825.

Atualmente, os frutos do cacau são produzidos em vários países com clima tropical úmido, com destaque para Gana e a América tropical, em especial no México e no Brasil. O sabor depende não apenas da variedade, mas também da habilidade no preparo. Após serem cortados da árvore, os frutos maduros são abertos e a polpa e as amêndoas, retiradas. Estas são então fermentadas – processo importante, pois seu sabor é apurado durante essa fermentação (comparar com a baunilha), bem como a "capacidade de conservação". As amêndoas não fermentadas não podem ser transformadas em chocolate. Em seguida, as amêndoas são secas, espalhadas ao sol e viradas com frequência. É durante o processo de secagem que elas mudam de coloração, do arroxeado para o marrom.

Nessa condição são enviadas à fábrica. Lá são separadas, classificadas e tostadas. Depois da torrefação, são quebradas em lascas ou em pedacinhos, e a casca dura das amêndoas é descartada. Então estão prontas para serem moídas. Esse é um processo muito longo, e a habilidade e a eficácia com que é feito é vital para a excelência do produto final.

As amêndoas naturais do cacau contêm gordura (manteiga de cacau) demais para uma bebida, porém de menos para formar o chocolate sólido. Em 1828, o holandês Van Houten descobriu como retirar parte da gordura. Esse processo melhorou a bebida de chocolate e, por outro lado, tornou possível produzir chocolate em barra comestível, que é o chocolate com açúcar acrescido de um pouco mais de manteiga de cacau. O incansável Van Houten tratou então sua bebida de chocolate com um álcali, desenvolvendo assim o pó de cacau (*cocoa*). O processo escureceu o chocolate e destruiu parte do sabor, mas neutralizou a acidez e formou resíduos de sal de ácido graxo, o que fez o cacau se misturar mais facilmente com líquidos. Anos depois, em 1876, o chocolate ao leite foi inventado por M. Peter, na Suíça.

Portanto, a bebida de chocolate tem a cor mais clara, um sabor melhor que o cacau, apresenta alto teor de gordura e, em geral, contém muito açúcar. O cacau é mais escuro, menos doce e gorduroso, mais fácil de misturar, porém não possui o sabor especial do chocolate. Quanto ao chocolate em tablete, contém alta porcentagem de gordura e algum açúcar. O chocolate amargo, de uso culinário, tem menos gordura. É importante para o cozinheiro compreender essa distinção.

Na cozinha é usado principalmente como aromatizante em pratos doces (bolos, confeitos, caldas e molhos) e como bebida – não apenas o chocolate líquido, achocolatados, mas um licor, *crème de cacao*, feito da infusão de amêndoas moídas e baunilha, cravos e macis, destilada e acrescida de açúcar. Em geral, é extremamente doce.

Na Espanha e na Itália, o chocolate é usado como condimento junto com cebola, alho, tomate, óleo e especiarias em pratos de carne e até mesmo com peixes e polvos. O sabor do chocolate amargo mescla-se bem com os pratos salgados. O resultado é interessante e um pouco de sabor doce é adequado e necessário. No México, tradicionalmente, e já na gastronomia internacional, o chocolate é usado com pimenta-vermelha.

CIDRA

BOT: *Citrus medica*
FAM: Rutáceas
ALE: *Zitronat*
ESP: *Cidra*
FRA: *Cédrat*
ING: *Citron*
ITA: *Cedro*

A cidra é uma árvore cítrica pequena cheia de espinhos que mede de 3m a 6m de altura. As pétalas de suas flores são brancas e em geral com as bordas rosadas ou roxas, sendo bastante decorativas. A fruta lembra um limão-siciliano grande, com a casca áspera e, em algumas variedades, chega a pesar mais de 2kg. A casca é muito grossa e é a parte mais importante da fruta. A polpa interna é reduzida, ácida, não muito interessante.

Foi o primeiro cítrico a chegar à Europa, proveniente do sudeste da Ásia. Acredita-se que a planta tenha sido cultivada nos Jardins Suspensos da Babilônia para perfumar as águas de toalete, e é conhecida na Europa desde cerca de 300 a.C.

Hoje as cidras são cultivadas nos países mediterrâneos e nas Antilhas. Às vezes, podem ser encontradas nos mercados italianos. O uso principal é a casca glaceada, que é espessa e bem cara. A casca tem um sabor aromático peculiar, quase resinoso, diferente de outros cítricos. Cerca da metade de toda a produção mundial é consumida nos Estados Unidos. O óleo extraído da casca é usado principalmente em perfumaria, mas também em licores. O doce de cidra em calda é muito popular no Brasil, em especial nas regiões que receberam imigrantes italianos.

COCO

BOT: *Cocos nucifera*
FAM: Palmáceas
ALE: *Kokosnuß*
ESP: Coco (fruto)
FRA: *Noix de coco*
ING: *Coconut*
ITA: *Cocco*

O coqueiro é originário da Malásia, embora hoje cresça em costas tropicais do mundo todo, sendo às vezes cultivado em ilhas longínquas. Usar coco e óleo de coco nas receitas dá um sabor local e especial à culinária. No Ocidente, seu uso principal é na forma desidratada, e restrito a pratos doces e confeitos, mas em muitos países tropicais, especialmente no Oriente, entra em pratos de peixes e carnes, além de ser a base de alguns *chutneys* indianos. Com frequência emprega-se o leite de coco – não a água adocicada do fruto, mas um leite ou creme feito da polpa ralada macerada por pouco tempo em água quente, da qual se extrai o creme. A aparência é semelhante ao leite de vaca, mas tem o sabor delicado do coco. Quando feito com coco desidratado, o gosto é menos delicado. Alguns indianos fora de seu país de origem usam a manteiga especial de coco. O leite de coco é indispensável em receitas de *curries* que o incluem como ingrediente, pois o leite de vaca não produz o mesmo resultado. Uma variação deliciosa em pudins e doces à base de leite e gemas é substituir o creme de leite da receita original pelo leite de coco. No Brasil, o coco encontrou ambiente para se multiplicar e conquistar, há séculos, lugar importante na culinária – polpa e leite.

COENTRO

BOT: *Coriandrum sativum*
FAM: Umbelíferas
ALE: *Koriander, Krapfenkörner, Schwindelkraut*
ÁRABE: *Kizbara* e muitas variações
CINGAPURA: *Ketumbar*
ESP: *Coriandro, cilantro*
FRA: *Coriandre*
ÍNDIA: *Dhania, kotimli*
ING: *Coriander, Chinese parsley, Japanese parsley*
ITA: *Coriandolo*

Uma planta anual, robusta, o coentro cresce até 60cm de altura e tem flores brancas, rosadas ou lilás-claro. Para a obtenção de sementes, deve ser plantada na primavera e colhida imediatamente após a maturação, ou as sementes cairão. Porém, é fácil comprá-las. Se quiser apenas as folhas, semeie em carreiras no canteiro durante o verão. A erva não é muito exigente em relação ao solo, pode ser plantada numa jardineira e todos que apreciam *curries* deveriam cultivá-la. Na cozinha afro-brasileira é indispensável!

O coentro é nativo do sul da Europa e do Oriente Médio, embora hoje se desenvolva em todo o mundo. É uma das ervas mais antigas: "E a casa de Israel deu-lhe o nome de maná e era como a semente de coentro, branca; e tinha o sabor parecido com bolos feitos de mel" (Êxodo 16, 31). O uso do coentro, tanto culinário quanto medicinal, remonta a milhares de anos, não apenas na Europa, mas também na Índia e na China.

Quando se fala em coentro, devemos distinguir bem a folha verde da semente seca. O sabor é totalmente diferente. O uso da raiz é a contribuição exótica tailandesa à culinária do sudeste da Ásia. É amassada com alho para temperar carne e também dá um toque essencialmente local aos *curries* indianos e às sopas baseadas em receitas chinesas. (Sugiro a leitura de *S.E. Asian Food*, de Rosemary Brissenden.)

O cheiro do coentro guarda uma curiosa semelhança com o de percevejos (daí o nome da erva, em diversas línguas, originar-se do grego *koris*, um inseto). A maioria dos leitores não terá tido a "feliz" experiência com esses insetos, mas os que, por exemplo, viajaram ao Oriente num turismo mais rústico poderão julgar. Realmente há uma pequena semelhança.

A folha de coentro não é muito usada na Europa, e na Inglaterra é comum evitá-la como "desagradável" ou porque "não é uma erva culinária". Bobagem. Na verdade, talvez seja a erva aromática mais comum no mundo inteiro, sendo encontrada em quase todos os mercados, de Beirute até a Índia, passando pela China e o Japão, e é adorada em todo o sul asiático e também nas Américas – no México e na América do Sul.

Graças aos imigrantes do Paquistão e das Antilhas, as folhas de coentro estão de novo em uso na Grã-Bretanha, mas foram primeiramente introduzidas há muito tempo pelos romanos e eram usadas na culinária inglesa desde o tempo de Elisabeth I. Depois, como tantas outras ervas, caíram em desuso. As pessoas que moraram na Índia reconhecem imediatamente a falta que as folhas de coentro, com o seu sabor único, fazem nos *curries*. De fato, elas adicionam sabor aos mais variados tipos de *curry*, e o coentro picado com coco, pimenta-verde, sal e um pouco de limão ou creme azedo é a base da maioria dos mais deliciosos e tradicionais *chutneys* indianos. Aliás, o sabor das folhas do coentro combina bem especialmente com o da pimenta-verde, e não existe café da manhã melhor no mundo que *chapatties* com *chutney* de coentro e xarope de mel saboreado aos primeiros raios de sol, na companhia de rolinhas.

Os maços de coentro fresco podem ser reconhecidos facilmente nos mercados, não apenas pelo cheiro, mas também pelas folhas inferiores em forma de leque e as superiores mais recortadas. A erva não deve ser desidratada, porém pode sofrer *quick freezing* ou ser conservada com sal em óleo.

O coentro tem uma sementinha redonda que pode ser facilmente partida ao meio; sua cor varia, quando madura, de um verde pálido ao creme ou marrom. Pode ser adquirida em grãos ou em pó em todos os bons armazéns, e como é barata, é pouco provável que seja adulterada. Mas não deve estar velha, porque depois de moída perde rapidamente seu melhor sabor.

O gosto é adocicado, aromático, lembrando de leve casca de laranja. O dito sabor de "percevejo" das folhas frescas só é percebido nas sementes quando mastigadas por algum tempo ainda em estágio de maturação. Na Índia, em geral as sementes de coentro são ligeiramente tostadas antes de serem moídas, realçando melhor o sabor nos *curries*. No entanto, o gosto do coentro pode variar muito de uma planta para outra. Os grãos são muito cultivados na Rússia, Hungria, norte da África, Índia e América do Sul, em geral para a produção do óleo essencial por destilação a vapor. Tanto os grãos quanto o óleo são usados comercialmente em pastelaria, licores, vermutes e como condimentos na fabricação de alimentos.

Nas cozinhas inglesas ou norte-americanas, o grão é usado principalmente como tempero para picles, embora as receitas antigas o incluam em pratos como empadões de carne, rim ou ostra. Provavelmente sua aparência é familiar a pessoas que não o conheçam pelo nome. Não é muito usado na França, e na Itália apenas em algumas regiões. Mas na culinária de influência árabe – no Oriente Médio e Próximo, no norte da África, nos Bálcãs, na Espanha e em Portugal – é relevante.

Na culinária clássica, o coentro em grão quase sempre é usado em pratos preparados à grega. Condimenta algumas linguiças e acompanha bem peixe. Moído grosseiramente é um ótimo tempero para assados de porco e de cordeiro, para cabrito recheado e pratos condimentados de carnes variadas, do norte da África ou do Oriente.

O coentro também é usado em pratos doces em alguns tipos de bolo. Nos Bálcãs, aromatiza pães. Os grãos são cristalizados como doces.

Uma das especiarias mais interessantes e negligenciadas, o coentro em grão deveria estar presente na prateleira de todo cozinheiro. As folhas frescas são essenciais para os que apreciam pratos substanciosos de peixes.

COGUMELOS
Funghi

Cogumelo-do-campo, chapéu-de-sol
BOT: *Agaricus campestris*
FAM: Agaricáceas
ALE: *Eßbarer Pilz, Wiesenchampignon*
ESP: *Hongo silvestre*
FRA: *Champignon des prés*
ING: *Field mushroom*
ITA: *Prataiolo*

Cogumelo-agárico-branco, cogumelo-bola-de-neve
BOT: *Agaricus arvensis*

SILVESTRES. Em todos os países do mundo comem-se cogumelos silvestres que crescem praticamente em toda parte, até mesmo em lugares tão improváveis quanto a Mongólia, a Terra do Fogo, as areias do Saara e as costas do mar Morto. A França, a Itália, a República Tcheca, a Eslovênia e a Polônia são os grandes consumidores europeus, mas outros países da Europa continental os seguem de perto. Os países orientais, principalmente a China e o Japão, também consomem várias espécies de cogumelos. A Grã-Bretanha porém, por tradição, consome apenas o cogumelo-do-campo, o agárico-branco e alguns poucos outros, e nos Estados Unidos a condição é quase idêntica. Praticamente não há nomes populares ingleses para os cogumelos, ao contrário do que acontece no resto da

Europa. O conceito anglo-saxão é que, exceto pelos *champignons*, todos os outros cogumelos provavelmente são venenosos. Na verdade, a maioria dos cogumelos não é venenosa, mas o cogumelo-do-campo no estágio de botão pode ser um dos mais facilmente confundidos com o branco *Amanita verna*, uma espécie mortalmente venenosa. Por esse motivo, evita-se o cogumelo-do-campo em alguns países com melhor conhecimento do assunto do que os britânicos e os americanos têm.

Os cogumelos silvestres são importantes como alimento e como tempero, e nenhum cozinheiro sério pode dispensar o conhecimento a respeito deles. As barracas dos mercados europeus ficam repletas de cogumelos no fim do verão e do outono: eles são belos de se ver e excelentes para serem saboreados. É reconfortante saber que, apesar da vasta tonelagem de cogumelos consumida todos os anos na Europa, casos de envenenamentos sérios são raros. Várias escolas da Europa continental ensinam a distinguir as espécies comuns comestíveis das venenosas; em geral há legislação que define exatamente que variedades (que não são facilmente confundíveis com as venenosas) podem ser vendidas ao público, além de haver inspetores do governo especializados em cogumelos que verificam os cestos dos produtores. No entanto, alguns excelentes cogumelos são nocivos quando crus; outros são perigosos quando começam a se decompor; outros ainda requerem longo cozimento para se tornarem digeríveis ou pedem tratamento especial, como salgá-los ou prepará-los em conservas. Alguns precisam ser despelados; outros, como os cogumelos-do-campo, se estragam sem a pele, o que lhes reduz o sabor. Portanto, quando estiver diante de cogumelos que não lhe sejam familiares em uma barraca de mercado, não os compre sem antes perguntar sobre o uso e o método de preparo. Deve-se também ser cauteloso com livros sobre cogumelos escrito em outro país, pois isso pode levar a equívocos.

Na colheita de cogumelos silvestres não há regra fixa para separar as espécies comestíveis das venenosas; deve-se aprender a reconhecer os bons com segurança. Os cogumelos mais venenosos de todos, os *Amanitas*, passarão

FAM: Agaricáceas
ALE: *Acker-Champignon, Heiderling, Schaf-Egerling*
ESP: *Fongo commun, seta*
FRA: *Boule de neige, pratelle des jachères*
ING: *Horse mushroom*

Cogumelo-oranja, cogumelo-laranja
BOT: *Amanita caesarea*
FAM: Agaricáceas
ALE: *Orongen-wulstling*
ESP: *Amanita cesárea*
FRA: *Oronge*
ING: *Oronge* ou *caesar's amanita*
ITA: *Orolo*

Cogumelo-de-leite
BOT: *Lactarius deliciosa*
FAM: Russulinas
ALE: *Blut Reizker, Echtes Reizker, Röstling*
ESP: *Miscalo, mizcalo, rebollon, ruvalon*
FRA: *Lactaire délicieux, rouzillon, vache rouge*
ING: *Orange milk-cap*
ITA: *Fongo dal pin, lapacendro buono, sanguin*

Cantarelo, chapéu-de-cobra
BOT: *Cantharellus cibarius*
FAM: Cantareláceas
ALE: *Eierschwamm, Pfefferling*

ESP: *Canterelo*
FRA: *Chanterelle, girolle*
ING: *Chanterelle*
ITA: *Cantarello cibario, galleto, capo gallo, gallinaccio*

Cogumelo-da-montanha
BOT: *Marasmius oreades*
FAM: Agaricáceas
ALE: *Feld-schwindling, Suppenpilz*
ESP: *Camasec, crespilla marasmia, moxerno*
FRA: *Faux mousseron, marasme montagnard, petit mousseron des prés*
ING: *Fairy ring mushroom*
ITA: *Gambesecche, marasmio oreade*

Funghi-branco-picante
BOT: *Lactarius piperatus*
FAM: Russulinas
ALE: *Bitter-schwamm, Pfeffermilchling, Weißermilchling*
ESP: *Crespilla lactea piperata, girgolas, hungo pimentero, pebraga*
FRA: *Lactaire poivré, poivré preval, vache blanche*
ING: *Pepper cap*
ITA: *Lattario pepato*

pelos antigos critérios de identificação – e o levarão ao necrotério. Por exemplo, o conselho de não comer cogumelos que crescem nos bosques não é confiável, pois a maioria dos melhores cogumelos comestíveis cresce nos bosques, enquanto o letal *Amanita* pode ser encontrado ocasionalmente em campos abertos. E, como um micólogo adequadamente afirmou, "basta apenas uma árvore para formar um bosque".

No entanto, há alguns conselhos gerais. Uma vez que todos os temíveis cogumelos mortais (e basta apenas uma mordida) pertencem ao gênero *Amanita*, que é bem fácil de ser reconhecido, é preferível aprender suas características e evitá-los. Talvez seja uma pena perder um dos melhores cogumelos comestíveis, o cogumelo-laranja (*Amanita caesarea*), que também pertence a esse gênero. E mesmo esse às vezes é confundido pelos principiantes com o venenoso *Amanita muscaria*; portanto nenhum principiante deve consumir *Amanitas* até saber exatamente o que está fazendo. A propósito, no *Amanita muscaria* a bainha é tão frágil que só se encontra em sulcos pouco profundos. A chuva pode eliminar as manchas brancas características, mas as lamelas são brancas. Essa espécie não é das mais venenosas e parece que na Sibéria é usada como uma forma rápida de se embebedar.

O assassino clássico é o *Amanita phalloides*, chamado taça-da-morte ou taça-verde-da-morte (em inglês, *death cup*), comum em bosques da Europa e dos Estados Unidos no outono, quando os espécimes jovens cintilam com uma luz verde-clara perolada maligna, que mais tarde se torna cinza-amarelada, deixando-os com uma aparência de cogumelo comestível. Este, assim como seu primo branco *Amanita verna* (que já mencionamos por ter um botão muito parecido com o cogumelo-do-campo), quase sempre é mortal. Certa vez mais de 30 alunos morreram numa escola polonesa por terem consumido um prato no qual alguns desses tinham sido incluídos. A característica para diagnosticar um *Amanitas* é a taça, ou a bainha (volva) na base do talo. Mas ela não é muito óbvia no estágio de botão, ou pode ter se rompido, ou ainda ter sido comida por lesmas, razão pela qual a identificação de cogumelos comestíveis nunca deve ser feita apenas baseada em um espécime. Em grupo, as diferenças fortuitas podem ser facilmente identificadas. Se um cogumelo do tipo taça-da-morte é ingerido, não surgem sintomas imediatos nem vômitos por algum tempo (6 a 12 horas), mas nesse ínterim o veneno é absorvido pelo organismo, sendo tarde demais para o socorro. Outros cogumelos nocivos provocam enjoo logo após o consumo e são muito menos venenosos. Meu conselho é: se começar a sentir enjoos depois de consumir cogumelos, provoque o vômito pressionando a parte de trás da língua. Em seguida beba muita água e repita o processo. Tratamento radical – mas certa vez, quando me serviram alguns cogumelos venenosos num prato de *pfefferling* (cantarelos) num restaurante do sul da Alemanha, fiquei mal na manhã seguinte (após meu tratamento), porém apenas com uma leve dor de cabeça, enquanto a pessoa que estava comigo foi para o hospital. Dou o conselho na esperança de que nenhum leitor jamais tenha de segui-lo.

Dentre os vários cogumelos comestíveis excelentes, recomendo todo o grupo geralmente conhecido como boletos, do gênero *Boletus*. Possuem uma massa esponjosa ou tubos embaixo do chapéu, em vez das lamelas mais comuns. Embora uns poucos – de cores fortes e facilmente reconhecíveis – sejam ligeiramente venenosos ou provoquem problemas digestivos, especialmente se ingeridos crus, e alguns outros sejam amargos ou tenham sabor desagradável, é virtualmente impossível correr perigo sério com eles. Alguns tornam-se de uma cor azul alarmante depois de cortados, mas são boas espécies comestíveis. Certos livros afirmam que não o são, mas eu os como regularmente na Inglaterra. O famoso *cèpe*, tão popular na Europa continental, é o boleto comestível de mais destaque.

Alguns dos melhores cogumelos silvestres comestíveis comuns na Europa e também na América do Norte são os cogumelos-do-campo ou os agáricos-brancos, os cantarelos (especialmente importantes nos Alpes e no sul da Alemanha), o cogumelo-laranja ou oranja (maravilhoso, cozido ou cru, e importante na Itália e no sul da

Cogumelo-de-paris, *champignon*, cogumelo-branco
BOT: *Agaricus bisporus* (*Psalliota hortensis*)
FAM: Agaricáceas
ALE: *Kulturpilz*
ESP: *Hongo plantado*
FRA: *Champignon de couche, champignon de Paris*
ING: *The cultivated mushroom*
ITA: *Funghi di coltura, "champignon de Paris"*

Morel, morchella
BOT: *Morchella deliciosa* e muitas outras espécies
FAM: Morcheláceas
ALE: *Speisemorchel*
ESP: *Cagarria, colmenilla, gallaida, murgula*
FRA: *Morille*
ING: *Morel*
ITA: *Spugnola rotonda*

França; raro nos Estados Unidos), o cogumelo-de-leite (geralmente consumido nas áreas secas de pinheiros do sul da Europa) e o morel.

Há tantas espécies e variedades de morel que é difícil até para os especialistas distingui-las. São famosos acepipes não apenas na Europa, mas também no Oriente. A mais procurada, *Morchella deliciosa* (em francês, *morille délicieuse*), tem um perfume incomparável e é especialmente abundante na região do Jura. É um cogumelo pequeno, de cor escura e em geral consumido seco. As inúmeras espécies de morel são as preferidas na França, cozidas na manteiga, recheadas, ou usadas como tempero.

No Brasil não ocorrem muitos problemas com relação a cogumelos venenosos, pois os mais apreciados na culinária, os europeus ou os asiáticos, são cultivados por produtores especializados. O cantarelo multiplicou-se nas florestas da Tijuca e do Corcovado, no Rio de Janeiro, provavelmente com esporos vindos na terra com outras plantas europeias.

CULTIVADOS. Com tantas e tão boas espécies silvestres pode-se perguntar por que não se cultivam mais variedades. Não é por falta de tentativas. Uma das principais dificuldades é que muitas espécies comestíveis precisam ter uma associação simbiótica (micorrízica) com as raízes de árvores ou outras plantas sem as quais não podem sobreviver. É por isso que para se encontrar certas espécies silvestres primeiro buscam-se suas árvores prediletas (um exemplo é o boleto da bétula). Infelizmente, boletos e trufas estão nesse grupo. O melhor que se pode fazer no momento é introduzir as espécies em plantações de suas árvores prediletas. Outros cogumelos são tão delicados nos requisitos de cultivo que não são viáveis comercialmente – embora existam as exceções abaixo.

Champignons **ou cogumelos-de-paris.** No Ocidente, este é o cogumelo cultivado mais comum, sendo parente próximo do cogumelo-do-campo. Foi plantado inicialmente na França por volta de 1700, a princípio nos jardins e depois em cavernas. Hoje em dia, não ocorre mais na forma silvestre. Seu cultivo foi muito simplificado devido às pesquisas e não se usa mais composto de esterco de cavalo. Atualmente, os *champignons* são encontrados em lojas durante o ano todo (embora não necessariamente com tanta facilidade na Europa continental, em especial nos lugares onde são colhidas grandes quantidades de cogumelos silvestres).

Os cogumelos-de-paris variam de brancos e lisos a amarronzados e escamosos. Há variações em sabor, alguns quase não têm gosto, mas nenhum é tão bom quanto os silvestres. Portanto, muitas vezes parece que ao se adicionar cogumelos aos vários pratos nos quais são parte do tempero, ou ao se preparar *duxelles*, gasta-se dinheiro mais para "cumprir uma obrigação" do que para se alcançar um sabor original. Francamente, os *funghi* secos de outras espécies (os *champignons* não ficam bem desidratados) são sempre melhores para temperar e podem ser misturados com os cogumelos frescos, que fornecem a textura. O sabor dos cogumelos é acentuado por um pouco de alho. Em geral os bem desenvolvidos e com chapéus totalmente abertos são mais saborosos que os botões. Os talos, mais baratos, são comumente usados para tempero. Pratos nos quais os cogumelos são adicionados para dar um sabor de fundo são numerosos demais para serem mencionados aqui: cogumelos podem ser utilizados em quase todos os pratos salgados. Cogumelos em conserva têm ainda menos sabor e são inúteis como tempero (*ver* também *Catchup*).

Shitake e ***matsutake*** (cogumelos de árvore japoneses). No Japão e na China, vários *funghi* que crescem em troncos têm sido cultivados há muito tempo, antes dos cogumelos terem se aclimatado na Europa. Os mais famosos são o *shitake* (*Lentinus edodes*, em chinês *Leong goo*), que cresce em madeira dc lei, especialmente carvalho e troncos de *shiia* ("*shiitake*" significa cogumelo de *shiia*), e seu aparentado, o *matsutake*, que cresce em troncos de pinheiros. São cogumelos excelentes quando novos e frescos, podendo também ser encontrados secos, enlatados ou em conservas, como produtos de exportação do Japão. Na China, o *shitake* é sempre usado seco e sem os talos.

Cogumelo-palha. É cultivado em países tropicais, tendo sido inicialmente aclimatado na China e mais tarde levado por emigrantes chineses para o sudeste da Ásia, Madagascar, oeste da África e outras regiões. O cogumelo-palha (*Volvariella volvacea*) tem uma bainha da taça como a dos *Amanitas*, mas, apesar dessa aparência de venenoso, é excelente. Pode ser encontrado seco e deve ser mantido num recipiente hermético, pois de outra forma fica com um cheiro ruim (que todavia desaparece durante o cozimento).

Morel ou **morchella.** Esse é um dos *funghi* mais saborosos, com várias espécies cultivadas (*Morchella hortensis, Morchella esculenta, Morchella costata*). São usados secos no mundo todo, sendo expostos em cestos nos mercados de várias cidades do Oriente. Como todos os *funghi* secos, são reconstituídos na água antes de serem acrescentados à panela.

De forma alguma a lista de espécies cultivadas se encerra aqui. Há muitas outras espécies de *funghi* verdadeiros que são cultivados especialmente na China e no leste da Rússia, como por exemplo as espécies de *Pleurotus*. A menos que o cozinheiro esteja preparado para estudar o assunto, realmente ficará preso ao sistema de tentativa-e-erro, baseado nas mercadorias que encontrar. No entanto, os tipos mencionados são provavelmente os mais comuns, e estas informações deverão assegurar às pessoas nervosas que os aclamados *funghi* secos do Oriente não são uma seleção aleatória de cogumelos selvagens (sem dúvida incluindo alguns venenosos) feita por crianças carentes, mas *funghi* que são habitualmente cultivados por pessoas que, nesse quesito, são provavelmente melhores especialistas que nós.

Na Europa, há cogumelos cultivados localmente, como o *Pietra fungaia* (*Polyporus tuberaster*), cujo cultivo já foi feito nas montanhas do sul da Itália e que se parece com o *tuckahoe* do Canadá. Também há o *pioppino* (Itália), *champignon du peuplier* (França) ou *hongo del sauce* (Espanha), que é cultivado localmente nas áreas mediterrâneas. Este cogumelo é o *aegerita* dos romanos (*Agrocybe aegerita*), que pode ser usado fresco ou seco.

DESIDRATADOS. Na Europa, a espécie mais comumente usada seca é o *Boletus*, do qual se colhem grandes quantidades em alguns países (especialmente na Itália). Os espécimes são depois fatiados, desidratados e embalados. Embora quando velhos e de cor marrom-escura, ou quando de qualidade inferior, tenham um sabor de carne bolorenta, são excelentes quando claros e razoavelmente frescos. Qualquer pessoa que já tenha colhido boletos, jogado fora os bichados e depois verificado quanto o peso do saco se reduz após desidratá-los entenderá o motivo de o *Boletus* seco ser tão caro.

Outro cogumelo-silvestre que deve ser mencionado é o orelha-de-judas, que mais se parece com a parte interna de uma orelha de cachorro. Várias espécies são cultivadas na China, particularmente o *Auricularia polytricha*. São desidratados e podem ser encontrados em lojas especializadas em produtos alimentícios chineses.

Os leitores que gostam de desidratar os próprios cogumelos devem se dar ao trabalho de experimentar os cogumelos-de-chapéu, como a *Lepiota procera*, que são bem grandes, seguros de serem comidos, e podem ser encontrados facilmente e desidratados sem dificuldades. Deve-se consultar algum livro sobre cogumelos. Um outro cogumelo-silvestre excelente que é desidratado com facilidade é o cogumelo-da-montanha (*Marasmium oreades*), que felizmente não pode ser confundido com as variedades venenosas.

Embora a maioria dos cogumelos seja usada para fornecer (com variação considerável) o sabor tão típico dos *funghi*, alguns – como o funghi-branco-picante (*Lactarius piperatus*), que frequentemente é salgado no leste da Europa e na Rússia – são apimentados, ou oferecem outros sabores. O cogumelo *Fistulina hepatica* (conhecido em inglês como *beef-steak fungus*) tem um gosto ácido. O mais notável de todos é a trufa, que merece um verbete especial.

No mercado brasileiro encontramos com facilidade atualmente *shitakes*, *shimejis*, *hinatakis*, cogumelos-de-paris, *cardoncellos*, *pleurotes*, *portobellos*, *funghi porcini* e *champignons* em conserva.

COIRAMA

Saião

As coiramas pertencem à família das crassuláceas. Têm folhas suculentas e são bem conhecidas da maioria das pessoas, pois costumam crescer anônimas, discretas, em velhos muros, telhados e rochedos úmidos.

Destas, as vermiculárias ficam excelentes em saladas, já tendo sido usadas como condimento em sopas, cozidas como espinafre ou, por serem carnudas, preparadas em conservas, como o funcho-marinho. O saião-branco (*Sedum album*) pode ser usado da mesma forma.

Alguns livros citam também a erva-de-nossa-senhora (*Sedum telephium*) como adequada para saladas, mas seu uso era principalmente medicinal.

O saião-acre (*Sedum acre*), também conhecido como pão-de-pássaro, não é bom condimento, pois tem sabor excessivamente picante.

BOT: espécies de *Sedum*
FAM: Crassuláceas
ALE: *Fettkraut*
ESP: *Chubarba, fabacrasa*
FRA: *Orpin*
ING: *Stonecrop*

Vermiculária
BOT: *Sedum reflexum*
ALE: *Zuruckgebogenes Steinkraut*
ESP: *Fabacrasa reflejada*
FRA: *Grand orpin jaune, orpin réfléchi*
ING: *Reflexed stonecrop*
ITA: *Erba risetta, sopravivolo dei muri*

COMINHO

Planta anual e delicada de países quentes. Chega a atingir mais de 30cm de altura, mas suas hastes frágeis tombam com facilidade. As flores são lilases e brancas. Pode ser cultivado a partir de sementes, em lugares quentes com

BOT: *Cuminum cyminum*
FAM: Umbelíferas
ALE: *Kreuzkümmel, Stachelkümmel*

ESP: *Comino*
FRA: *Cumin, cumin de Maroc*
ÍNDIA: *Jeera, zira*
ING: *Cumin*
ITA: *Cumino*

um bom solo arenoso, mas, como o que se consome são as sementes e não as folhas, não é de grande interesse tê-lo em hortas residenciais.

É cultivado com fins comerciais especialmente na costa norte da África, em Malta, na Sicília, no Oriente Médio e na Índia, e também nos Estados Unidos. As sementes secas são vendidas inteiras ou moídas. Se compradas em pó, este deve ser fresco, pois, assim como ocorre com muitas especiarias, o processo de moagem libera os óleos aromáticos, que perdem rapidamente o aroma.

O cominho é originário do Oriente, mas era cultivado na região mediterrânea muitos anos antes de Cristo, sendo usado pelos romanos como alternativa à pimenta ou mesmo moído como uma pasta para passar no pão. Por causa da aparência bem semelhante, há muita confusão entre as sementes do cominho e da alcarávia, embora os sabores sejam totalmente distintos. De fato, em muitos lugares o cominho-verdadeiro é conhecido apenas pelas pessoas que fazem cuscuz, pratos mexicanos ou orientais. Na culinária brasileira tempera o feijão e as carnes.

Sempre foi empregado na culinária e também para fins medicinais. Um dos usos mais interessantes era intensificar a palidez, e, de acordo com Plínio, o óleo extraído das sementes era usado pelos estudantes que queriam enganar os professores para que estes achassem que eles estudavam mais do que realmente o faziam.

A semente tem um aroma pungente, especial, acre, sendo um condimento muito popular na culinária tanto do Oriente quanto do México e do norte da África. É muito comum em *curries*, embora os cozinheiros indianos digam que o cominho não é muito apreciado pelos europeus. Talvez seja um gosto adquirido, apesar de muitos norte-americanos usarem o condimento em pratos como o *chilli con carne* (do México). É também uma especiaria com sabor intenso e característico que acaba dominando qualquer prato em que seja empregada (diferente da alcarávia, cujo sabor tende a se mesclar nos pratos de carne, como se pode ver na culinária austríaca). É absolutamente essencial na despensa dos que apreciam *curries* ou pratos orientais e mexicanos, além de outros pratos condimentados. Na culinária europeia, às vezes é usado no preparo de conservas, por exemplo a de repolho, mas nunca em pratos doces, embora possa ser utilizado no licor *kümmel*.

Há muita confusão em vários livros por causa da tradução errônea das palavras indianas *jeera* e *zira*, que normalmente significam cominho e podem ter *safed* (branco) ou *kala* (preto) acrescentado para distinguir diferentes tipos. Ocorre, no entanto, que *jeera* também é tradução para a alcarávia (não muito usada na Índia); para a nigela (*Nigella sativa*), que na Índia é também *kala jeera* ou mais corretamente *kalonji*; e para as sementes de um plântago (*Plantago pumila*). A menos que haja um bom motivo para se acreditar no contrário, nas receitas de *curry* deve-se sempre presumir que *jeera* é o cominho, embora a alcarávia entre em certos *curries* mais sofisticados.

CONCENTRADOS DE PEIXES

Muitos peixes ou mariscos não possuem propriamente sabor de peixe se cozidos e consumidos quando inteiramente frescos (é interessante pensar que o peixe como um organismo está morto, mas as células ainda estão vivas).

Podemos encontrar peixes assim apenas nos restaurantes que os mantêm vivos em tanques para serem escolhidos na hora, ou quando os compramos recém-pescados. O peixe cru "vivo" como é consumido, por exemplo, em algumas partes da Holanda ou no Oriente não tem sabor de peixe. O aroma é de mar, com gosto de mar, até que "a iguaria" tenha ficado em repouso por algumas horas. O caviar consumido nas costas do mar Cáspio também não tem sabor de peixe.

Se o peixe fresco é o ideal, então a maioria das pessoas não apreciaria o sabor de peixe ligeiramente "passado". Mas o homem sempre gostou do sabor de carne levemente decomposta, e peixes que já "passaram do ponto" ou foram modificados pela fermentação estão sempre entre os prediletos. Alguns desses produtos são inacreditáveis. Enquanto escrevia este livro eu trouxe da Suécia para casa uma lata de *surströmming*. Minha receita: mande a família passar o dia fora e abra a lata no fundo do jardim, ficando contra o vento e segurando uma pá. Depois de apreciar o horror na lata, enterre rapidamente e finja que experimentou.

Há preparos muito mais razoáveis de peixe fermentado, seco ou salgado, que podem ser encontrados em todo o mundo. Um exemplo seriam as anchovas, o bacalhau seco e sem sal ou o bacalhau salgado, em francês chamado *morue* e que é a base de muitos pratos famosos, como a *brandade de morue* da Provença, o *bacalao* e os pratos tipicamente mediterrâneos de sextas-feiras nos quais o peixe salgado, após ficar de molho, é cozido com batatas e azeitonas pretas. Todos esses pratos têm forte sabor de peixe fermentado e seriam bem diferentes e menos interessantes se feitos com peixe fresco.

No Oriente, há grande consumo de peixes, camarões, mariscos, lulas e polvos secos ao sol. Por exemplo, o *Bombay duck* é a carne seca de um pequeno peixe gelatinoso (*Harpodon negerus*). As praias dos vilarejos de pescadores perto de Bombaim estão repletas de estrados enormes com esse e outros tipos de peixe pendurados secando ao sol tropical; o cheiro de tais vilarejos mais parece o de uma fábrica de cola de peixe. O *Bombay duck* e outros acepipes de peixes desidratados, como a lula seca japonesa, entraram na moda recentemente, como aperitivos sofisticados. O polvo seco é mais um produto internacional, e, em alguns lugares como as ilhas Maurício, em determinadas épocas as praias ficam enfeitadas por esses cefalópodes secando ao sol. O *beche-de-mer*, ou *trepang*, que os chineses usam para fazer sopa e que é comum em receitas da Malásia, consiste em iguaria feita de pepinos-do-mar desidratados ao sol; chamados erroneamente de lesmas-do-mar, são animais primitivos, que têm a forma semelhante a um pepino, mas aparentados das estrelas-do-mar e dos ouriços. *Balachan* (*balachong*, *blachan* etc.) e *trasi* vêm da costa, da Índia ao Vietnã, e apresentam muitas variações. São essencialmente pastas de camarões bem secos, sendo condimentos muito importantes na culinária do sudeste da Ásia. A anchova não os substitui.

Há inúmeros molhos e condimentos importantes derivados do peixe por processo de fermentação – como o *garon* (grego antigo) ou *garum* (latim), que era usado na Grécia Antiga cerca de seis ou sete séculos antes de Cristo; produtos similares eram empregados na culinária e também como molho de mesa pelos romanos ("o melhor *garum* coado da fábrica de Umbricus Agathopus. Pompeia"). Os peixes pequenos, com tripas e tudo, eram fermentados em salmoura durante dois ou três meses, e o líquido era então coado. Excetuando-se a parte de manter as entranhas e valorizar mais o líquido que o peixe, esse processo é muito parecido com o método atual de salgar anchovas. É provavelmente por essa descendência direta que os italianos ainda hoje utilizam o líquido das anchovas, ou mesmo arenques salgados, como condimento. Já no Egito e no Sudão, prepara-se um molho de sabor intenso – o *faseekh* – fermentando-se peixes pequenos com sal em antigos tambores de gasolina.

Processos semelhantes são usados para produzir o *nam pla* da Tailândia, o *ngapi* de Birmânia e o *nghoc-nam*, o tempero nacional do Vietnã.

Esse país é rico em peixes, não apenas do mar, mas também provenientes dos afluentes e do delta do rio Mekong e dos campos de arroz inundados. O *nghoc-nam* varia consideravelmente em sabor e qualidade, os melhores sendo feitos de filés de peixe e denominados *phu-quoc*, nome da ilha de onde se originam. Diz-se que não existe refeição vietnamita sem *nghoc-nam*. Pode ser despejado sobre o arroz ou servido num potinho ao lado de cada prato, no qual se "mergulham" os pedaços de peixe ou de carne. Em geral, o molho é temperado com suco de limão-siciliano, açúcar, alho e pimenta-vermelha. O sabor, ao menos para mim, faz lembrar cola de peixe, mas esses molhos são repletos de aminoácidos, nutritivos e completos. No Vietnã, algumas gotas de *nghoc-nam* são colocadas nas mamadeiras dos bebês. Por causa da ligação histórica, pode-se comprar alimentos vietnamitas ou comê-los em restaurantes na França.

Um outro exemplo de molho para tempero do sudeste da Ásia é o *prahoc*. Colocam-se peixes pequenos, sem as cabeças, em cestos, que são esmagados sob os pés e depois mergulhados várias vezes na água, para lavar. Dessa forma, removem-se as escamas e as tripas. A água é extraída prensando-se o peixe entre folhas de bananeira sob pedras pesadas; depois o peixe é misturado com sal (uma parte de sal para dez de peixe) e deixado para secar ao sol forte por um dia; em seguida amassa-se e coloca-se em potes de barro para fermentar. Diariamente, por um período de cerca de um mês, o sumo que aflui para a borda é retirado. Este é o molho *prahoc* (*ver também* Anchova, *Catchup*).

CONFREI *Ver* Borago.

CRAVO-DA-ÍNDIA

O cravo-da-índia é uma das mais conhecidas especiarias. Nativo das ilhas do sudeste da Ásia, era usado na China milênios antes de Cristo, sendo um produto comercializado nas caravanas, bem conhecido dos romanos. Trata-

BOT: *Eugenia aromática*
FAM: Mirtáceas
ALE: *Gewürznelke, Nelke*

ESP: *Clavo*
FRA: *Clou de girofle*
HINDI: *Laoong*
ING: *Clove*
ITA: *Chiòdo di garofano*

se de uma das especiarias do arquipélago das Molucas, tendo sido um monopólio dos portugueses e depois dos holandeses. No século XVIII, seu cultivo se espalhou por outros países tropicais, principalmente Zanzibar, Madagascar, Antilhas e Brasil. A planta só floresce em locais perto do mar, e hoje Zanzibar é a mais famosa ilha produtora de cravo-da-índia. Em noites quentes e úmidas, quando as brisas leves perpassam as árvores, se alguém se aproximar da ilha contra o vento sentirá o aroma dos cravos mesmo antes de avistá-la.

As árvores de cravo-da-índia podem chegar a cerca de 9m de altura – belas, de copas verdes brilhantes, perenes e com cachos de flores carmim. Na prática, poucas flores podem ser vistas, porque, embora todas as partes do craveiro sejam aromáticas, os botões são especialmente perfumados e colhidos antes de abrir, quando ainda estão frescos e rosados. Nas Molucas, são secados cuidadosamente ao sol sobre camadas de folhas de palmeira ou alguma superfície levemente aquecida, tornando-se então marrom-avermelhados, como nos são familiares.

O tamanho, a aparência e o sabor picante dos cravos variam dependendo de sua idade e procedência. Devem ser bem formados, oleosos e arredondados, nunca murchos, nem empoeirados. No entanto, têm um sabor tão pronunciado que não é preciso renovar seu estoque com frequência, como acontece com ervas e algumas outras especiarias.

O sabor característico do cravo-da-índia provém do óleo essencial que contém eugenol, cujo sabor infelizmente é familiar à maioria das pessoas associado ao dentista – o cravo é um antisséptico poderoso e penetrante, o que o torna duplamente útil no preparo de medicamentos ou de alimentos como picles, caldos e *curries*.

Os cravos devem ser comprados inteiros, nunca moídos. Se precisar de um pouco de cravo em pó, o miolo central pode ser amassado facilmente. Com frequência os cravos são usados espetados em cebolas, além de condimentarem de caldos a *bread sauce*, de *coq au vin* a presunto (com açúcar mascavo). Outra receita comum é usá-lo com maçãs, embora em geral as pessoas exagerem na quantidade. No Oriente, são ingredientes de vários *curries* – em geral associados com cardamomo e canela – e em todos os tipos de conservas. Por fim, estão na maioria de receitas de vinhos com especiarias e de muitos licores.

O cravo-da-índia é, de certa forma, uma especiaria difícil de ser usada, pois seu sabor pode tornar-se exagerado e dominante. No entanto, não se pode prescindir dele, e apenas um cravo num guisado de carne ou num *pot-au-feu* – comum na França e na Itália – é exemplo de bom uso: não se sente o gosto do cravo, mas sem ele a carne fica menos aromática. Por outro lado, o uso de cravos com vinagre confere um sabor exagerado, seja às conservas, seja às especiarias para marinados de peixe. Pode ser uma cisma pessoal, mas nunca uso cravos em conservas.

É um condimento indispensável na doçaria brasileira e nas vinhas-d'alho portuguesas.

CRAVO-ROSA

BOT: *Dianthus carophyllus*
FAM: Cariofiláceas
ALE: *Gartennelke*
ESP: *Alhelí, clavel*
FRA: *Oeillet-giroflée*
ING: *Clove pink, clove carnation, clove gillyflower, gillyflower, grenadine, picotee*
ITA: *Garofano*

Variedades modernas de cravos geralmente têm pouco perfume, mas as flores tradicionais têm um aroma maravilhoso, agradável, semelhante ao dos cravos-da-índia.

Os cravos provavelmente são nativos da região do Mediterrâneo, mas atualmente podem ser encontrados da Normandia ao Punjab. No passado, inclusive nos tempos romanos, mas especialmente nos séculos XVII e XVIII, eram usados como aromatizantes e colocados em vinhos (um antigo costume era pôr as pétalas nas taças dos noivos), e havia uma variedade conhecida como *sops-in-wine* ("embriagada de vinho"). Podem ser usados em licores (no *chartreuse*, por exemplo, embora digam que a fórmula é secreta) e cordiais, para aromatizar vinagres, nas saladas (principalmente como decoração) e mesmo em sopas e molhos.

O sabor pode ser obtido despejando-se calda fervente sobre as pétalas, deixando-se algumas horas em infusão e coando-se depois.

Ervas / especiarias: 1. Talo de funcho 1a. Bulbo de funcho 2. *Dill* ou aneto 3. Cerefólio 4. Salsinha de folha crespa 4a. Salsinha de folha lisa 5. Mirra-branca 6. Salsa-de-cavalo 7. Levístico.

CRISÂNTEMO

A palavra *pyrethrum* é amplamente empregada para designar todos os crisântemos de jardim com flores ou capítulos únicos. E é também um inseticida, feito principalmente de três espécies: esta mencionada aqui, que cresce selvagem na Dalmácia (Croácia), e mais duas, uma oriunda do Irã e outra do Cáucaso. A culinária romana adotava o uso de uma pitada de crisântemo nos rissoles. Crisântemos não são venenosos, por isso, se alguém os cultivar no jardim, vale a pena se dar ao trabalho de experimentá-los. Outras espécies de *Chrysanthemum* têm usos culinários no Japão e mesmo as variedades grandes de jardim podem ser usadas como uma guarnição para saladas exóticas ou decoração em outros pratos.

BOT: *Chrysanthemum cinerariaefolium*
FAM: Compostas
ALE: *Pyrethrum*
ESP: *Piretro*
FRA: *Pyrèthre*
ING: *Pyrethrum*
ITA: *Piretro*

CÚRCUMA

Açafrão-da-terra, açafrão-da-índia

A cúrcuma moída é o pó amarelo, bastante conhecido, utilizado no *piccalilli* (espécie de conserva) e nos *curries* indianos. Original do sudeste da Ásia, do Vietnã às regiões montanhosas e úmidas do sul da Índia, a cúrcuma é hoje cultivada em regiões tropicais do mundo todo (sendo que, no Brasil, desde o século XVII). É uma planta perene, com grandes e longas folhas semelhantes às do lírio e flores amarelo-claras agrupadas em cachos densos. Assim como no gengibre, seu parente, os rizomas é que fornecem a especiaria. Na cúrcuma estes são menores e redondos (quando seccionados), não achatados, e ao serem partidos exibem cor amarelo-laranja forte. Os rizomas são fervidos, desidratados ao sol por cerca de duas semanas, e depois disso a casca externa é retirada. A cúrcuma fresca não é usada em culinária. Apesar de ser habitualmente vendida inteira nos mercados orientais, é uma das poucas especiarias que se pode comprar em pó. É muito barata para ser adulterada, e é difícil moê-la em casa.

BOT: *Curcuma longa*
FAM: Zingiberáceas
ALE: *Gelbwurz*
ESP: *Cúrcuma*
FRA: *Curcuma, safran des Indes, terre-mérite*
ÍNDIA: *Haldi, huldie, safran des Indes*
ING: *Turmeric, Indian saffron*
ITA: *Curcuma*

A cúrcuma é uma das especiarias que chegaram à Europa por terra, vindo da Índia e atravessando territórios árabes. Era usada como um corante de tecidos, mas com pouca eficiência, já que a cor demora a se diluir; todavia, os mantos dos monges budistas no Oriente são frequentemente tingidos com ela. É o corante amarelo mais barato e mais comum que existe – a cor é pouco solúvel em água, embora bastante em álcool. Mas a cúrcuma é, de fato, comercializada como colorante para alimentos, em especial mostarda e picles. É ingrediente comum nos *curries* e no *curry* em pó, e muito usada na culinária indiana para dar cor a pratos doces. Não pode, porém, ser usada como um substituto para o açafrão-verdadeiro ou como um mero colorante sem sabor como o urucum, por ter um gosto bem peculiar.

Em geral, a cúrcuma é chamada também de açafrão nos livros de culinária indiana, mas a única coisa que têm em comum é a cor amarela. Inversamente, substituir açafrão por cúrcuma, por exemplo, na *bouillabaisse*, é desastroso (*ver* Açafrão). No Brasil ganhou a alcunha de "açafrão-da-terra", pois substituiu os pistilos do açafrão-verdadeiro na comida dos colonizadores, já que o rizoma se espalhou com facilidade em várias regiões do país.

CURRY EM PÓ
Caril

ALE: *Currypulver*
ESP: *Polvo de curry*
FRA: *Poudre de cari (de curry)*
ING: *Curry powder*
ITA: *"Curry"*

A palavra "*curry*" provavelmente vem de *kari* (um molho), vocábulo oriundo do tâmil, idioma do sul da Índia, e se tornou o nome genérico de quase todos os pratos picantes e condimentados do Oriente. Uma vez que há centenas de tipos bem distintos de *curry* na própria Índia, é como se um indiano chamasse de cozido todos os pratos europeus que vão de *coq au vin* ao *goulash*. A Índia tem uma tradição culinária bem refinada, com o mérito especial de conseguir fazer uma cozinha vegetariana interessante e saborosa.

Na Índia, o *curry* em pó raramente é usado – não apenas porque condimentos moídos na hora são mais aromáticos, mas também porque, como há proporções diferentes de especiarias nos diferentes pratos, o uso de uma mistura em pó pré-preparada fica limitado. O tempero mais próximo do *curry* em pó que a família média indiana consegue usar é a *garam masala*, que significa literalmente "mistura quente", "mistura picante".

De modo algum se pretende que a *garam masala* seja o único tempero de um prato: é apenas a base. É feita em casa ou comprada em mercados, sempre que necessário – o que é uma conveniência, pois não apenas moer as especiarias é trabalho difícil, mas também porque, em muitos casos, os vários ingredientes devem ser tostados separadamente antes de serem moídos. Portanto, é economia de tempo fazer uma boa quantidade de cada vez. A *garam masala* pode conter 250g de coentro em grão tostado ligeiramente, 250g de pimenta-vermelha também tostada de leve e 30g de pimenta-do-reino – tudo moído bem fino e guardado numa lata com tampa totalmente vedada. Há gradações de complexidade desse tempero para o *curry* em pó. Mesmo na Índia, às vezes, os pós são feitos para tipos específicos de pratos – um exemplo seria *sambar* ou *kolumb* em pó. Tais temperos e certas pastas moídas com vinagre, como a *vindaloo*, podem ser adquiridos prontos em lojas indianas.

Mas o que chamamos de *curry* em pó foi inventado para os europeus. Não há dúvida de que foi inicialmente preparado a fim de ser usado nos navios pelos empregados da Companhia das Índias Ocidentais, de regresso ao lar. Poucos *mensahibs* aprenderam a culinária indiana, pois havia abundância de empregados. O *curry* em pó deveria ser o condimento completo para se fazer pratos de *curry*, mas como essas receitas variam muito dependendo da região da Índia de onde se originam, acontece o mesmo com as receitas de *curry* em pó. Não é uma substância padrão. Desde que o objetivo seja fazer *curry*, isso não é muito importante. No entanto, o *curry* em pó foi adotado pela culinária inglesa e da Europa continental, sendo empregado em receitas que não as de *curries* indianos, por isso a falta de uma receita padrão provoca confusão. Faz muita diferença para um prato que pede um pouco de *curry* em pó se a mistura selecionada foi o famoso Vencatachellum de Madras ou um pó europeu continental com gosto um pouco mais pronunciado que a cúrcuma crua. Todos os cozinheiros devem prestar atenção nisso. Os portugueses se tornaram grandes apreciadores dessas misturas de ingredientes, que chamam de "caril".

Os leitores interessados na culinária oriental devem estar preparados para tostar e moer as próprias especiarias. Obtêm-se bons resultados com nada além de uma frigideira velha de ferro, um moedor de café elétrico usado apenas para condimentos e uma peneira fina.

Todos os ingredientes comuns e alguns mais raros usados nos *curries* da Índia e do sudeste da Ásia têm verbetes individuais neste livro, mas é útil fazer uma breve análise dos *curries* e do *curry* em pó em termos dos ingredientes mais comuns e dos seus nomes indianos correntes.

Pimenta-do-reino (*kali mirchi*): é um ingrediente comum do *curry* em pó e de *curries*. Em alguns lugares usa-se também o pipel, uma pimenta comprida. O ardido é diferente do da pimenta-vermelha e é aromático. A pimenta-branca (*safed mirchi*) raramente é, se o é, utilizada em *curry*.

Pimenta-vermelha (*chilli*): o ingrediente mais importante é a pimenta-vermelha seca (*lal mirchi*), que é moída num pó fino que confere o picante do *curry*. As pimentas-verdes (*hari mirchi*) também são utilizadas; além de serem bem picantes, têm um sabor característico. As sementes, especialmente ardidas, às vezes não são incluídas. Claro que a pimenta-verde fresca não pode ser usada num *curry* em pó, mas pode ser incluída na pasta.

Cravo (*laung*), **canela** (*dalchini*) e **cardamomo** (*elaichi*): embora tenham sabores diferentes, são mesclados nos *curries* e podem ser considerados um grupo. Apenas se um ou outro for mais dominante muda a característica do *curry*, mas juntos produzem uma qualidade aromática e rica.

Coentro (*dhania*): em grão é uma das especiarias mais importantes do *curry*. É tostado ligeiramente antes de ser moído. O sabor é suave e bem adocicado, e quase todos os *curries* em pó o usam em grande quantidade. Na verdade, é o primeiro condimento a ser considerado em proporção com o total de carne a ser cozido. Controla o sabor básico, assim como a pimenta controla o sabor picante.

Cominho: na Índia é *jeera*, palavra com frequência traduzida erroneamente como alcarávia nas receitas, e há tipos de variada pujança (preto e branco). O sabor é mais pronunciado e mais intenso que o dos outros temperos do *curry*.

Folhas de *curry* (*curripatá*): dão um sabor característico ao *curry* em pó de Madras. Se as folhas forem frescas, o gosto do *curry* se modifica bastante; na minha experiência, as folhas secas vendidas em lojas em geral perdem muito do seu sabor.

Feno-grego (*methi*): as sementes de feno-grego tostadas e moídas são um ingrediente de muitos *curries* em pó, mas se muito torradas ficam amargas. É o sabor dominante de vários pós comercializados.

Gengibre: o gengibre seco (*sonth*) pode ou não ser usado em alguns *curries* em pó. O fresco (*adrak*), que é menos ardido, é encontrado em todo o sudeste da Ásia e é ingrediente comum nos *curries* locais ou na pasta de *curry*. Naturalmente, o gengibre deixa o *curry* mais picante, e muitas pessoas que não suportam o ardido da pimenta também não gostam do gengibre. Na Índia, com frequência é adicionado como um digestivo.

Macis (*tavitri*), **noz-moscada** (*taiphal*), **pimenta-da-jamaica** (*kabab cheene*): essas e outras especiarias podem ser adicionadas ocasionalmente aos *curries*, mas são menos comuns e dificilmente seriam consideradas temperos triviais de *curry*, embora a pimenta-da-jamaica seja usada em *pilaus* e o macis, em *curries* da Malásia.

Grãos de mostarda (*rai*): os grãos de mostarda escura entram no preparo de vários *curries* em pó, mas não devido ao sabor ardido. Quando torrados secos, adquirem um sabor exótico de nozes, e são muito apreciados como acabamento de pratos indianos depois de "estourarem" na manteiga quente ou *ghee*. A mostarda mista em pó, na qual o sabor ardido se acentua, raramente é usada nas receitas indianas.

Sementes de papoula (*khus-khus*) e **lentilhas** (*gram*): adicionam certo sabor, mas normalmente são usadas para melhorar a textura.

Cúrcuma (*haldi*): dá a cor amarela aos *curries* e, em geral, essa é sua maior função. Os *curries* em pó com muita cúrcuma podem ficar com um gosto de terra, com fragrância de condimento "vencido". Em muitas regiões, a cúrcuma predomina em *curries* para pratos de peixes.

Os *curries* da Ásia são muito variados, mas costumam conter também cebola, alho, sal e, habitualmente, um agente ácido como o tamarindo, o limão-taiti, a manga verde ou outra fruta ácida, além dos sabores provenientes do óleo de mostarda, do coco, noz-da-índia, capim-limão, galanga, camarões secos, asa-fétida, açúcar mascavo etc. A tabela a seguir, em que cada letra representa uma combinação diferente, dá uma ideia da imensa variedade de receitas para *curry* em pó:

	A	B	C	D	E	F	G	H	I	J	K	L	M
Pimenta-do-reino	1	1	4	1	1	1⅓	2	2	½	1	1¼	8	4
Pimenta-vermelha	1	2	-	1	8	1	3	2	6	8	4	-	-
Cravos-da-índia	1	1	4	-	-	-	-	-	-	-	½	2	2
Canela	-	2	1	-	-	-	-	-	-	1	½	2	2
Cardamomo	1	1	1	-	-	1	-	-	-	1	½	2	4
Coentro	8	6	-	8	6	8	8	8	8	8	8	8	8
Cominho	-	2	4	2	1	-	1	1	1½	4	2	6	4
Folhas de *curry*	-	-	½	-	½	-	-	-	-	-	-	-	-
Feno-grego	-	½	-	2	1	-	1	-	1½	-	1	-	-
Gengibre	1	-	-	1	-	2	-	1	-	-	-	-	-
Macis, noz-moscada, pimenta-da-jamaica	-	1	1	-	-	-	-	-	-	-	-	-	-
Grãos de mostarda	-	-	-	½	1	-	-	2	-	-	-	-	-
Sementes de papoula e lentilhas	-	-	-	1	-	-	-	-	-	-	-	-	-
Cúrcuma	10	-	-	5	-	10	4	2	2	3	2½	-	-

* Os números indicam partes por peso.

D

DAIKON

Nabo-japonês, raiz-forte, rabanete-japonês

Tipo grande de rabanete branco que cresce abundantemente no Japão, provavelmente o país que mais o consome. É usado cru ou cozido, mas também pode ser servido ralado e em saladas, e o suco obtido é utilizado como tempero em cozidos de feijão fermentado, entre outros.

DEFUMADOS

Sabores defumados tornaram-se tradicionais em vários alimentos – do salmão, bacon e presunto ao uísque e chás da China. Além disso, em todo alimento cozido em fogueiras ou churrasqueiras, mesmo que não seja intencional, a fumaça imprime um sabor especial que não pode ser imitado em um forno elétrico ou a gás. O defumado é um sabor de toda culinária camponesa. Nas planícies da Índia, por exemplo, o aroma acre peculiar de esterco de vaca queimado fica impregnado no ar depois de um dia de calor, e fornece o seu sabor à culinária dos vilarejos indianos. Do mesmo modo, a fumaça aromática da murta-cheirosa e do zimbro perfuma o cordeiro assado que se come ao pé da fogueira feita por algum pastor nas montanhas da Sardenha. Nas carnes grelhadas, ou mesmo cozidas, preparadas em uma panela em fogão a lenha ou carvão, o aroma de defumado penetra no alimento. Na verdade, é muito difícil evitá-lo.

A fumigação intencional, e não a defumação casual pelo fogo aceso para se cozinhar, era originalmente parte do processo de curar ou defumar. Ela secava e conservava a superfície da carne ou do peixe e, acima de tudo, afastava moscas e larvas. Na África contemporânea ainda se pode ver o que eu imagino que fosse o processo primitivo que levou à carne defumada. Quando um animal é abatido, toda a carne que não será consumida imediatamente é retalhada e pendurada para secar (um charque primitivo), mas sempre de modo a ficar próximo do calor e da fumaça da fogueira no acampamento para evitar as moscas (que não apenas botam ovos que se tornarão larvas, como também carregam bactérias putrefacientes nas patas e na língua).

De todo modo, em climas ensolarados e quentes a defumação ocorre, com frequência, casualmente, pois a desidratação é rápida; porém em regiões mais úmidas da Europa defumar o peixe e a carne era uma etapa essencial do processo de conservação. Defumadouros eram construídos atrás dos fogões a lenha, ou havia ambientes especiais para defumação – estruturas às vezes temporárias, às vezes permanentes. A defumação era feita com tipos variados de madeiras, mas o carvalho e o olmo eram os mais comuns; nos Estados Unidos, também a nogueira. A turfa era usada em áreas de charcos. Cada combustível produz fumaça com aroma próprio e característico. No entanto, hoje em dia, muitos produtos comerciais são simplesmente aromatizados com ácido pirolenhoso, uma fumaça artificial, e coloridos com antocianina (um corante vegetal comestível). A defumação pode ser feita facilmente em casa preparando-se uma caixa ou barril de defumação. A carne salgada ou o peixe é pendurado sobre ela e serragem em combustão lenta é posta em uma bandeja de metal no fundo. Durante a Segunda Guerra Mundial, servindo por longos períodos no sudeste da Ásia onde os alimentos defumados são raros, alguns de nós matávamos a vontade de comer peixe defumado dessa maneira simples. O homem moderno tende a considerar que tais técnicas, empregadas por todos os camponeses no passado, são complicadas. Não são: a maioria delas é pouco trabalhosa e surpreendentemente simples, fato que foi redescoberto nos Estados Unidos, onde pato e frango marinados e defumados na brasa tornaram-se um churrasco popular. O sabor defumado também pode ser obtido com o uso do sal aromatizado, por exemplo, por fumaça de nogueira, ou com linguiça ou bacon defumado. Mas o cozinheiro que usa linguiça ou bacon defumado em pratos que requerem ingredientes não defumados é bem descuidado!

DENTE-DE-LEÃO

BOT: *Taraxacum officinale*
FAM: Compostas
ALE: *Hundelblume, Löwenzahn, Milchdistel, Mönchkopf, Röhrlkraut*
ESP: *Amargón, diente de león*
FRA: *Dent de lion, pissenlit*
ING: *Dandelion*
ITA: *Dente di leone, soffione*

Na forma natural silvestre, o dente-de-leão é bem fibroso e muito amargo, mas existem variedades cultivadas e melhoradas.

Como verdura de salada é especialmente valiosa no inverno, além de poder ser cozida como o espinafre, de preferência misturada com a azedinha. Age intensamente nos rins, e disto lhe vêm alguns nomes populares na França ("*Pissenlit*", por exemplo, significa fazer xixi na cama) e na Alemanha. Já os outros nomes se referem à forma serrilhada, das folhas que lembrariam os dentes do leão.

O vinho de dente-de-leão é feito com as pétalas das flores. As folhas e as raízes são usadas para conferir amargor às cervejas de ervas (dente-de-leão e urtiga, dente-de-leão e bardana etc.). A raiz de dente-de-leão tostada, seca e moída é usada como um substituto do café (da mesma forma que a chicória). Não contém cafeína, é considerada um sedativo e pode ser encontrada com frequência em lojas de produtos naturais.

DESTILADOS E LICORES

Um grande número de destilados de álcool ou aguardentes e licores é empregado como tempero em culinária; uns comumente, outros regionalmente, ou como segredo especial de algum *chef*. Embora tenham se tornado excessivamente caros devido à taxação de impostos em vários países, em geral pequenas quantidades são suficientes para cada receita, e as garrafas em miniatura possibilitam ao cozinheiro estocar uma ampla diversidade na despensa, desde que ele resista à tentação de bebê-las.

O conteúdo dessas garrafas tem uma coisa em comum: são todas bebidas alcoólicas fortes e, ao contrário dos vinhos ou mesmo vinhos fortificados, podem se inflamar ao serem aquecidas. Portanto, possibilitam a espetacular operação de flambar exibida em vários restaurantes, que está longe de ser uma simples demonstração de habilidade. O seu verdadeiro objetivo é queimar e eliminar pequenas quantidades de gordura que tenham se misturado ao álcool, além de produzir determinadas alterações no sabor dos pratos – as quais são mais fáceis de se experimentar que de se descrever.

O **conhaque (*brandy*)** é, sem nenhuma dúvida, a bebida mais importante usada em culinária. É destilado a partir do vinho e varia enormemente em qualidade e sabor dependendo da sua origem, do tipo de uvas usado, do modo como é destilado, da sua idade etc. Os melhores destilados da França são o *cognac* e o *armagnac*. Como o conhaque é acima de tudo um destilado francês, e como é usado especialmente na culinária francesa, não seria apropriado usar um conhaque nacional barato, geralmente feito com uvas moscatel e que retém seu sabor característico, em um prato de origem francesa. É necessário um pouco de bom-senso na escolha. Mesmo que não se possa comprar um conhaque de qualidade, ainda assim o chamado "conhaque para culinária" deve ser evitado.

O conhaque é empregado como parte tradicional do tempero em um grande número de pratos à base de peixe, mariscos, carne e aves, oriundos especialmente da França e da Espanha (as receitas usadas ao redor do mundo geralmente são de origem francesa). Pode ser encontrado em quase todos os tipos de pratos: patês salgados como a *tapénade*; patês de fígado, pato e caça; em sopas de peixes e mariscos, como por exemplo *zarzuela* e *bisque*; em pratos de carne (*tranches de mouton à la poitevine, daube de veau, étouffade de boeuf, étouffade de veau*); com frango (*coq au vin*); em pratos de caça como faisão, galinhola e outras; bem como em inúmeros pratos doces, geralmente associado com licores.

Marc é outro destilado de uvas, mas feito a partir dos resíduos fermentados das uvas que já foram pressionadas para obtenção do vinho. É usado para temperar vários pratos regionais, especialmente em áreas produtoras de vinho. Nesses pratos, geralmente substitui o conhaque.

Outras aguardentes de frutas ou *eaux-de-vie* são obtidas pela destilação de resíduos fermentados de variadas frutas, mas seu sabor difere totalmente do sabor da fruta de que é feito. Têm grande importância culinária em pratos regionais.

Calvados é uma aguardente de cidra, equivalente ao norte-americano *applejack*. É produzido especialmente na Normandia e utilizado em várias receitas típicas, em geral flambadas, de frangos, tripas ou maçãs. Seu sabor é bem característico, mas não havendo *calvados* disponível recomenda-se usar uísque como o melhor substituto.

Quetsch e ***mirabelle***, destilados dessas duas variedades de ameixas, são usados em alguns pratos regionais do nordeste da França, locais onde são produzidas. Outros destilados de frutas da mesma região, como o *framboise* (feito de framboesas), também são usados ocasionalmente.

O ***kirsch*** é feito com suco fermentado de cerejas-pretas e produzido em toda a região do Vosges, da Floresta Negra e na vizinha Suíça. É um dos mais importantes destilados, usado como aromatizante em pratos doces, com frutas (especialmente abacaxi, banana e em saladas de frutas), com castanhas, cremes e confeitaria; mas também é usado com queijo em *fondues* e em alguns pratos de carne e frango. O *kirsch* é seco, sem o mínimo sabor doce, e tem um gosto totalmente diferente dos outros destilados à base de cerejas, como o *maraschino*.

O **uísque** é destilado de cereais e não é tradicionalmente um aromatizante comum na culinária – os escoceses preferem bebê-lo –, mas pode produzir alguns resultados interessantes. Recentemente se tornou mais popular, com vários *chefs* da Europa continental produzindo pratos como *fagiano all' whisky* na Itália ou o filé ao uísque na Espanha. O gim é às vezes usado na Inglaterra para aromatizar um molho doce, e a vodca pode ser usada para flambar.

O **rum**, destilado de caldo de cana-de-açúcar fermentado ou de melaço fermentado, é um aromatizante muito importante na culinária. O rum varia enormemente de sabor: dos bem claros – entre os quais o mais famoso é o Bacardi – aos runs escuros de sabor pronunciado, como os originários da Jamaica. Alguns são secos, outros doces. O uso do rum em pratos salgados não é usual, embora ele seja empregado em algumas receitas regionais *creoles* ou de origem caribenha e também na Espanha, no prato *langostinos al ron*, mas em bolos e pratos doces o seu uso é bem conhecido. A escolha do rum adequado é importante, e não basta o cozinheiro utilizar qualquer um que tenha à mão ou aromatizantes com sabor de rum como alternativa. Vale a pena conhecer bem as variedades que existem.

No Brasil, terra de boas **cachaças** pela tradição do cultivo da cana-de-açúcar, essa bebida também é usada para imprimir sabor a alguns preparos, por exemplo à conserva de pimentas, aos flambados, especialmente de doces, e até em sobremesas feitas com chocolate amargo, trazendo a elas o toque adocicado.

O sabor de todas as bebidas mencionadas, com a exceção do gim, tem origem em congêneres que se formam durante a fermentação e são geralmente destiladas do álcool ou de outras substâncias formadas pela reação química durante o envelhecimento na madeira. Teoricamente, não se adicionam outros aromatizantes. Na prática, ao menos em relação às marcas mais baratas, isso nem sempre é verdade, mas seria o ideal. O gim é uma franca exceção, pois é sempre aromatizado, habitualmente com zimbro e outras substâncias.

No entanto, há inúmeros licores e outras bebidas alcoólicas que dependem do álcool adequadamente aromatizado e adoçado. O álcool pode derivar de uvas, cereais, batatas ou de quaisquer outras substâncias com amido ou açucaradas e fermentadas, até mesmo de serragem. É altamente purificado e tem muito pouco sabor próprio, exceto o álcool etil, de gosto ligeiramente adocicado e que queima.

Mas o álcool e a água juntos dissolvem muitos dos óleos essenciais e éteres se as frutas, sementes aromáticas, ervas ou especiarias forem maceradas no líquido. Algumas vezes, esses são novamente destilados, mas em outras apenas filtrados e limpos, produzindo uma simples *ratafia* (*ver*). Pode-se adicionar um colorante, e em geral adoça-se com um pouco de xarope de açúcar. Quase sempre, a fórmula exata é um segredo. A característica principal desses licores é que o sabor guarda alguma semelhança com as substâncias das quais eles são produzidos. Por exemplo, quem conhece bebidas pode adivinhar, ao provar um licor de cereja, que ele foi aromatizado com cerejas, mas dificilmente descobrirá que o *kirsch* é um destilado delas.

O ***maraschino***, um licor muito doce originalmente feito da cereja-marasca da costa do Adriático, na Iugoslávia, tem um sabor ímpar, muito perfumado e totalmente diferente do *kirsch*. É um aromatizante comum em cremes e pratos doces ou com frutas, bem claro, e cujo sabor difere dos *brandies* de cerejas-vermelhas escuras produzidos particularmente na Inglaterra, Holanda e Dinamarca. Estes têm um sabor mais óbvio de cereja – com um traço de amargor proveniente de sementes de amêndoas-amargas – e são menos usados como aromatizantes.

Os **licores à base de laranja** também são importantes na culinária, para aromatizar pratos e molhos de laranja que acompanham, por exemplo, pato. Existem muitos desses licores, variando bastante em sabor e doçura, mas todos reconhecivelmente com gosto de laranja. Enquanto escrevia este livro, fiz o exercício interessante, porém cansativo, de experimentar vários deles, um após outro, mas as diferenças desafiam a descrição. Os mais famosos são o Cointreau e o Grand

Marnier, bem como os vários *curaçaos*, assim chamados por serem feitos com laranjas da ilha holandesa com esse nome, na costa da Venezuela, embora hoje as frutas sejam procedentes de vários outros lugares. Mas também são dignos de nota o italiano Aurum (ouro), muitos licores classificados como "*triple sec*", uma lista de licores de laranja da Espanha, o Unicum da Hungria e o Van der Hum da África do Sul. Variam de coloração, do branco (transparente) ao laranja e até roxo. A maioria de nós acaba preferindo usar o Grand Marnier ou o Cointreau, mas excelentes resultados na culinária podem ser alcançados com a escolha de algo menos óbvio.

Os **licores à base de damasco** são, talvez, aromatizantes tão importantes quanto os licores de laranja. Até onde sei, são usados apenas em pratos doces, embora os damascos, como frutas, sejam usados em pratos salgados. Existem muitos: *capricot*, *apricot brandy*, *abricota*, *abricotine* e *apry*. O famoso *barack* da Hungria é um outro destilado de damasco, mas sem o gosto da fruta, e, embora seja um dos meus prediletos, que eu saiba não é usado como aromatizante.

Há também muitos outros licores à base de frutas, aromatizados com todas as frutas possíveis e imagináveis. A maioria deverá ser usada apenas em pratos doces, se for o caso.

Na culinária, outros licores aromatizados podem ser utilizados, como o *kümmel*, aromatizado com alcarávia e cominho, o *crème de menthe*, com hortelã, e os vários tipos de licores de anis ou *anisettes*, com sementes de erva-doce. E, embora não seja um licor, eu incluiria aqui as variedades de *pastis* – também aromatizados com anis, anis-estrelado e funcho –, por serem úteis em pratos nos quais um toque sutil de anis se faz necessário. Também há vários aperitivos e outras bebidas alcoólicas menos conhecidas, como o *pineau des Charentes*, que são usados em pratos especiais.

Além dos licores cujos sabores são identificáveis e, portanto, razoavelmente fáceis de empregar, há também vários licores aromatizados com complexas misturas de ervas e especiarias que podem ser indicados como ingrediente para determinados pratos, ou que podem simplesmente ser experimentados. A formulação da maioria destes é secreta. Mencionemos alguns mais óbvios, tais como Bénédictine, Chartreuse, Raspail, Goldwasser, Tia Maria, Izara e Trapistine. Poderemos, por vezes, nos deparar com esses ingredientes em receitas, embora seu uso como aromatizante seja muito mais a exceção que a regra.

DÍLL

Endro, aneto

BOT: *Anethum graveolens*
FAM: Umbelíferas
ALE: *Dill, Till, Tille*
ESP: *Eneldo*
FR: *Aneth odorant, fenouil bâtard*
ING: *Dill*
ITA: *Aneto*

O *dill* é uma erva importante tanto pelas sementes quanto pelas folhas. Atribui-se sua origem ao sul da Europa ou ao oeste da Ásia, mas seja como for, já era usada há muito tempo na Europa. É certo que era utilizada pelos antigos gregos e romanos e espalhou-se do norte ao centro da Europa na Idade Média, ou talvez antes. É uma planta típica da família da salsinha, com flores amarelas em umbelas e folhas finas, filiformes, muito semelhantes às do funcho embora bem menores, e que cresce até cerca de 1m de altura.

O sabor das folhas é inconfundível, bem diferente do funcho; talvez lembre um pouco o da salsinha, mas não o do anis (ou erva-doce). O aroma das sementes, que difere bastante do das folhas, é amargo e semelhante à alcarávia devido à presença do mesmo óleo essencial, o carvona.

A erva tem ciclo anual, se desenvolve facilmente a partir das sementes plantadas na primavera e viceja em praticamente qualquer tipo de solo irrigado. É resistente, mas prefere um lugar quente, longe dos ventos. Se deixada, com frequência renascerá no mesmo lugar. O *dill* pode ser comprado em mercados na forma de ervas frescas, porém, para ser consumido dessa forma, o melhor é cultivá-lo em casa. Pode ser desidratado, mas perde grande parte do sabor durante o processo. É possível submetê-lo satisfatoriamente ao *quick freezing*.

A erva pode ser encontrada crescendo nos campos de milho do sul da Europa, da Espanha e Portugal até a Bulgária e a Romênia, no entanto não é comum seu emprego na cozinha mediterrânea, exceto na Grécia. É mais consumida na Escandinávia (onde tendem a exagerar no seu uso), na Alemanha e no centro e leste europeus, sendo muito popular na Rússia, nos Bálcãs e na Romênia, assim como no Irã e na Turquia.

Na Inglaterra, seu uso mais conhecido é sem dúvida nos picles de pepinos fermentados em solução láctica (como o chucrute ou leite azedo). Normalmente usa-se

Ervas / especiarias: 1. Tamarindo 1a. Vagem de tamarindo 2. *Sumac* 3. Nigela 4. Trevo-azedo 5. Azedinha-comum 6. Azedinha-miúda 7. Vinagreira

a planta inteira fresca junto com as sementes meio maduras, sendo este o sabor predominante. Na América do Norte são conhecidos como picles de *dill*. Às vezes, a erva também é usada em chucrutes e, de fato, parece que combina especialmente bem com pratos ácidos. Também pode ser macerada em vinagre.

Em certas partes do norte da Europa é muito empregado no molho para peixe como alternativa ao molho de funcho – como usado na Alemanha, com enguias. Na Rússia, na Romênia e nos Bálcãs aparece nos pratos com pepino, com iogurte e com creme azedo, por vezes com os três ingredientes juntos. Entra no preparo de charutinhos de folha de uva da Romênia, e talvez nos da Turquia ou Grécia. Nessas regiões também é acrescentado a pratos de espinafre e a caçarolas de frango com cogumelos ou de carne de cordeiro. Eventualmente, é picado e incluído entre os ingredientes no início do preparo do prato, mas o *dill* perde seu aroma durante o cozimento e por isso é mais frequentemente acrescentado pouco antes de o prato ser retirado do fogo. Tanto na Escandinávia quanto no sudeste da Europa e na Turquia, seu sabor é muito característico da culinária local.

A semente é usada como condimento da mesma forma que a alcarávia. No entanto, o seu uso principal é como fonte de óleo. Os óleos essenciais são destilados a vapor tanto a partir das sementes quanto da erva. Uma outra espécie chamada endro-indiano (*Anethum sowa*) também é usada na culinária e possui sabor ligeiramente diferente. Os óleos são empregados comercialmente como aromatizantes de alimentos, em especial nos picles industrializados. Um outro uso bastante conhecido é a água ou xarope de *dill*, oferecido com bons resultados aos bebês como digestivo e remédio para alívio de cólicas.

É uma erva útil, que vale a pena cultivar, e se usada com critério pode introduzir vários sabores novos à culinária.

E

ECHALOTA

Chalota, chalota-das-cozinhas, cebola-ascalônica, cebolinha-branca

BOT: *Allium cepa*
FAM: Liliáceas, Aliáceas, Amarilidáceas
ALE: *Schalotte*
ESP: *Ascalonia, chalota, escalma*
FRA: *Echalote*
ING: *Shallot, eschalots, Spanish garlic*
ITA: *Scalogna, scalogno*

A echalota é uma variedade de cebola que forma um aglomerado de pequenos bulbos em vez de um único. Os livros antigos a consideram como uma espécie separada, *Allium ascalonicum* – o nome romano para um tipo de cebola que crescia em Ascalon –, mas havia confusão com outra cebola-silvestre da Palestina que possui flor azul.

As echalotas resistem a geadas e podem se desenvolver facilmente a partir de pequenos bulbos enterrados pela metade a intervalos de cerca de 7cm. Por tradição, o plantio é feito no dia mais curto do ano e a colheita no mais longo, mas elas também podem ser plantadas na primavera e, em certos locais mais úmidos, no outono. Se colhidos e adequadamente secos quando a folhagem começa a amarelar, os bulbos se conservarão por um ano ou até dois. As echalotas não são cultivadas a partir de sementes por se preferir propagá-las a partir de touceiras que não chegam a gerar sementes.

Essas cebolas são especialmente apreciadas no norte da França, onde são parte relevante da excelente culinária regional. O sabor é mais sutil que o da maioria das cebolas mas varia consideravelmente dependendo da espécie, do solo e do clima, o que gera preferências locais. Por exemplo, na Normandia, as echalotas lembram pequenas cebolas, com casca marrom-alaranjada e sabor suave. Por outro lado, nos mercados da Borgonha elas são alongadas como dentes de alho graúdos, cinzentas, com um forte aroma ardido. Uma região despreza as echalotas de outra. Uma dará um *coq au Chambertin* melhor, a outra, melhores *moules à la marinière*. No entanto, ambas concordam que outros tipos de cebolas não substituem as echalotas e que estas, ao contrário das cebolas, nunca devem ser douradas, pois tornam-se amargosas. No interior da Inglaterra as pessoas dizem, também corretamente, que as echalotas pequenas são melhores que as cebolas para se fazer conservas.

ENDÍVIA E CHICÓRIA

A endívia é nativa da Europa, inclusive da Grã-Bretanha, e se naturalizou como uma planta daninha na América do Norte. Possui flores azul-celeste e é comum em solos calcários. A planta silvestre e que não tenha sofrido processo de seleção para ficar mais branca é extremamente amarga, mas é usada há muito tempo na Europa. Atualmente, há muitas variedades cultivadas interessantes, sendo a mais conhecida a de formato comprido com folhas bem fechadas e brancas, por serem mantidas no escuro, conhecida como endívia-de-bruxelas (um tipo híbrido da endívia, já cultivado no Brasil). Há outras variedades de aparência totalmente diferente, como por exemplo as decorativas de folhas rosadas e vermelhas usadas em saladas e conhecidas como *cicoria di Treviso* ou *chicorée de Trevise*, populares na Itália e na Suíça.

Endívia
BOT: *Chicorium endivia*
FAM: Compostas
ALE: *Endivie*
ESP: *Endibia*
FRA: *Chicorée endive*
ING: *Endive, endives* (Inglaterra), *chicory* (EUA)
ITA: *Indivia, endivia*

Chicória
BOT: *Chicorium intybus*
FAM: Compostas
ALE: *Chicorie, Indivia, Hindlauf, Wegeleuchte, Wegwarte*
ESP: *Achicoria*
FRA: *Chicorée*
ING: *Chicory, chiccory, succory, suckery*
ITA: *Cicoria, radicchio*

As folhas de endívia dão às saladas aquele toque amargo que tantas pessoas apreciam. A raiz primária bem desenvolvida de algumas variedades é cultivada para aromatizar o café (na França, *chicorée à café*); a data e o local de origem desse uso da endívia oscilam entre 1769 na Sicília e cerca de 1800 na Holanda. Parece que no início era usada como um adulterante. Em 1832, seu uso foi proibido por lei na Inglaterra, mas como algumas pessoas apreciavam seu sabor, em 1840 foi liberada de novo, desde que o produto fosse rotulado adequadamente – como de fato deve ser.

Para ser usada no café, a raiz primária é desenterrada, lavada, partida em pedaços e secada em calor ameno. Depois é quebrada em aparas pequenas que são torradas. Naturalmente, a qualidade varia. O melhor produto não é muito amargo. Essa endívia tem gosto de caramelo derivado do açúcar presente nas raízes, além de um aroma bem peculiar.

A endívia é popularmente chamada de *chicory* nos Estados Unidos e *chicorée* na França, mas na Inglaterra é *endives*. Tem parentesco muito próximo com a chicória, sendo uma folha popular em saladas na Europa há vários séculos. Em diversos países os nomes são bastante confundidos. No Brasil já se cultiva a endívia de leste a sul; a chicória, por sua vez, verdura "rechonchuda" de folhas verde-escuras e amargas, é muito popular no país, consumida de norte a sul.

ERVA-BENTA

Cravoila, sanamunda, erva-santa, erva-bendita

BOT: *Geum urbanum*
FAM: Rosáceas
ALE: *Geum, Nelkenwurz, Sumpfnelke*
ESP: *Gariofilea*
FRA: *Benoîte*
ING: *Avens, wood avens, herb bennet, geum*
ITA: *Cariofillata, ambretta*

A erva-benta, nativa da Europa, é comumente encontrada silvestre em bosques e matas úmidas e sombreadas na Inglaterra. Também cresce na Ásia, mas não na América do Norte.

A planta chega a cerca de 30cm de altura. A flor tem cinco pétalas amarelas que, vistas de cima, parecem estar separadas pelas sépalas verdes. As raízes têm cheiro doce de cravo e, segundo os antigos herboristas, eram usadas para condimentar cervejas *ale* e impedir que azedassem, o que indica a presença de substâncias bacteriostáticas, que inibem a proliferação de bactérias sem matá-las completamente. O cravo produz essa mesma reação.

A erva-benta era considerada essencial nos canteiros de ervas da dinastia britânica dos Tudor e é mencionada em receitas antigas. Quando novas, as folhas podem ser consumidas em saladas.

ERVA-CIDREIRA

Capim-cidreira, cidreira-verdadeira, melissa, citronela

A erva-cidreira não deve ser confundida com o capim-limão, de sabor semelhante. Nativa do sul da Europa, sendo cultivada há mais de dois mil anos, foi introduzida na Inglaterra pelos romanos. No Brasil, como todas as ervas europeias, chegou com os portugueses.

A planta alcança cerca de 60cm de altura, tem folhas ovais com as bordas ligeiramente serradas e flores pequenas, brancas ou amareladas, em ramalhetes. É perene, mas fica improdutiva no inverno. Fácil de cultivar, espalha-se rápido e pode ser plantada a partir de sementes, de mudas de plantas jovens ou da divisão de suas raízes. Cada planta precisa de um espaçamento de pelo menos 30cm ao redor de si.

Tem um agradável aroma cítrico e combina bem com outras ervas picadas, por exemplo nas omeletes. Na Bélgica e na Holanda, às vezes é usada em conservas de arenque e enguia, embora as receitas que tenho desses países utilizem casca de limão. Alguns a adicionam em saladas. É ainda a base do famoso licor de melissa, ou *eau de mélisse des Carmes*, além de entrar na composição de vários outros licores. A erva-cidreira tem um perfume agradável e é muito apreciada pelas abelhas (o nome melissa deriva da palavra grega para "abelha"). É deliciosa em infusões, coquetéis com vinho branco e bebidas geladas. Na Espanha é utilizada – sempre que possível fresca – em sopas, molhos e saladas verdes, mas também com carne e aves de caça, além de peixes. Também é usada para aromatizar o leite – *leche perfumada con melisa.*

BOT: *Melissa officinalis*
FAM: Labiadas
ALE: *Bienenkraut, Honigblume, Melisse, Zitronenmelisse*
ESP: *Balsamita major, toronjiña, toronjil*
FRA: *Baume, citronelle, mélisse*
ING: *Balm, sweet balm, balm-mint, lemon balm, melissa, balm-gendle*
ITA: *Melisa, melissa*

ERVA-DOCE

Anis, anis-verdadeiro

Essa planta anual cresce cerca de 60cm. Assim como o coentro, as folhas da base são lobuladas, mas ao longo do caule tornam-se bem divididas. As flores são branco-

BOT: *Pimpinella anisum*
FAM: Umbelíferas
ALE: *Anis*

ESP: *Anís matalahuga, anis matalahúva*
FRA: *Anis*
ÍNDIA: *Saunf*
ING: *Anise, sweet cumin*
ITA: *Anice*

amareladas. Para o consumo das folhas, a erva-doce pode ser facilmente cultivada a partir de sementes em locais quentes, mas em latitudes mais ao norte as sementes só amadurecem nos verões mais intensos. Visto que é tão fácil comprar as sementes, não faz muito sentido tentar produzi-las nós mesmos.

A erva-doce, ou anis, é nativa do Oriente e foi usada pelos antigos egípcios, gregos e romanos. Espalhou-se pelo restante do sul e do centro europeus durante a Idade Média, e em certas épocas foi cultivada na Grã-Bretanha. Hoje é produzida comercialmente em locais de clima quente no mundo todo, em particular no sudeste europeu, no norte da África e na Índia.

O sabor do anis é doce e muito característico. Seu principal óleo essencial é o anetol, substância também presente em grande quantidade no anis-estrelado e em menor quantidade no funcho cultivado (mas não no silvestre).

É tradicionalmente utilizado para condimentar doces e cremes, além de bolos e pães no leste e norte da Europa, bem como no Brasil. Seu uso gastronômico mais importante é provavelmente em vários licores e cordiais, que são condimentados através da maceração da erva-doce em álcool ou da destilação das sementes para produzir o "óleo de anis". A maioria dos países do Mediterrâneo produz pelo menos uma bebida com predominância desse sabor, ainda que ele geralmente seja derivado não só da erva-doce, mas também do funcho e do anis-estrelado. Na França, em especial no sul, há diversas bebidas denominadas genericamente *pastis* (Pernod, Ricard, Berger etc.), além de licores doces como o anisete. Na Espanha e no norte da África há outros preparados semelhantes com sabor de anis. Mais para o leste – podemos pular a Itália, onde as bebidas com sabor de erva-doce são menos populares –, na Grécia, temos o *ouzo,* e nos países do leste do Mediterrâneo há uma versão popular bem parecida chamada *arrak.* A paixão pelas bebidas com gosto de anis também migrou para a América Latina.

Essas bebidas são uma maneira oportuna de se apresentar o sabor do anis na culinária – e ao cozinheiro! Alguns *chefs* adicionam gotas de *pastis* à manteiga de alho e salsa que acompanha *escargot*, e o combinam com azeite de oliva para marinar certos peixes do Mediterrâneo antes de transformá-los em *soupe de poisson*. Há ainda, por exemplo, as muitas *spécialités Ricard*, nas quais o *pastis* é empregado em pratos à base de frango, perdiz, crustáceos, bacalhau salgado, tainha e atum. Anisete faz parte do condimento do molho de *homard Courchamps* e *Pernod* para as ostras Rockefeller. Fica delicioso em pratos com castanhas, e deixa ainda melhores os figos secos. Quando morei em Maiorca, amigos de lá sempre me davam, para o Natal, bolos de figos picados temperados com anisete e secos em folhas de figueira ou videira (em catalão: *Pa de figues*).

Também no Oriente as sementes de erva-doce são uma especiaria importante. Na Índia são utilizadas em alguns tipos de *curry*, especialmente em Bengala nos pratos de peixes e hortaliças, e costuma-se mastigá-las após as refeições (assim como as sementes de funcho) para melhorar o hálito e auxiliar a digestão. Para isto, em geral as sementes são tostadas ligeiramente, o que lhes confere um sabor que lembra frutas secas. Em restaurantes, um hábito não tão higiênico consiste em entregar o troco em um pires com sementes de erva-doce, para que se pegue algumas para mastigar ao sair.

A folha verde da erva-doce é menos consumida do que a semente, mas algumas pessoas a utilizam como erva para condimento ou em saladas. Um uso francês já quase clássico é salpicar folhas bem picadas sobre cenouras tenras, mas na minha opinião cenouras tenras inteiras não pedem nada além de manteiga derretida.

ERVA-DOS-GATOS

Gatária

A erva-dos-gatos desenvolve-se naturalmente em solos calcários em várias partes da Europa e da Ásia, sendo bastante rara no sul da Grã-Bretanha. É uma erva comum nos jardins da América do Norte. Perene, chega a atingir mais de 60cm de altura. Folhas e hastes são cobertas com pelos esbranquiçados; as flores, purpúreas ou brancas

BOT: *Nepeta cataria*
FAM: Labiadas
ALE: *Echte Katzenminze*
ESP: *Calaminta*
FRA: *Cataire, herbe aux chats*

ING: *Catmint, catnep, catnip*
ITA: *Erba dei gatti*

com pontinhos vermelhos, crescem em verticilos densos no alto das hastes. É fácil de ser cultivada tanto a partir de sementes como por mudas.

A gatária tem um sabor singular, mentolado, e os gatos adoram brincar com ela. O chá de erva-dos-gatos era famoso na Europa no tempo dos romanos e já foi popular na América do Norte. Na Idade Média as folhas eram usadas para condimentar carnes, e os brotos novos eram colocados em saladas. Diz-se que a erva é às vezes usada como tempero na França. Particularmente, nunca a encontrei como ingrediente em algum prato.

No Brasil, é cultivada especialmente para uso na medicina veterinária de felinos, sendo empregada também como enchimento de brinquedos de pano para gatos, pois é erva que acalma os agressivos e excita os apáticos.

ESPECIARIAS

Condimentos secos

ALE: *Gewürz*
ESP: *Especia*
FRA: *Aromate, épice*
ING: *Spice*
ITA: *Spezie*

"Especiaria" deriva de "espécie" e originalmente significava "tipos ou espécies de mercadorias". Hoje, por especiarias designamos, em geral, os produtos secos aromáticos originários principalmente do sudeste da Ásia tropical, além de alguns do Novo Mundo ou da África.

Não parece haver muita lógica em se tentar dar uma definição moderna e exata a uma palavra antiga com conexões históricas. Geralmente chamamos de especiarias a pimenta-do-reino e seus aparentados, pimenta-branca, pimenta-de-rabo (pimenta-da-guiné), pimenta-longa-da-índia, noz-moscada e o macis, pimenta-da-jamaica, cardamomo (sementes ou bagas), cravos-da-índia (botões), canela e canela-cássia (casca), gengibre seco, cúrcuma (raiz) e outros.

Coentro, alcarávia, sementes de *dill*, cominho e açafrão, entre tantos, também podem ser chamados por alguns de especiarias, mas os produtos de zonas temperadas que são cultivados na Europa entram em outra categoria, pois o termo "especiarias" implica terem sido trazidas de navio das Índias para o Ocidente. Os franceses as denominam também *aromates.*

ESSÊNCIAS

Essências são óleos aromáticos extraídos pela maceração ou destilação e, em geral, engarrafados em solução alcoólica. Infelizmente, durante a extração perdemos alguns vestígios delicados do aroma. Na pior das hipóteses, as essências comerciais contêm substitutos sintéticos ou baratos. É melhor não usar nenhuma essência, a menos que seja processada e garantida por fabricantes de primeira linha, e nesse caso o preço tende a ser alto.

As essências mais comuns encontradas no comércio são de pimenta-da-jamaica, amêndoa, anchova, manjericão, alcarávia, cardamomo, canela-cássia, pimenta-de-caiena, sementes de aipo, canela, cravo, sementes de coentro, funcho, alho, gengibre, limão, macis, manjerona, noz-moscada, laranja, menta, abacaxi, framboesa, *ratafia*, hortelã, morango, baunilha e acetato de amila, também conhecido como óleo de banana.

Em casa, é melhor limitar-se às seguintes essências: o óleo de hortelã de boa qualidade (caso queira preparar seu próprio creme de hortelã); água de rosas, *kewra* e água de flor de laranjeira; e talvez uma boa essência de café para cremes e mousses (embora seja muito melhor usar o café em grão moído na hora) (*ver* Destilados e licores; Óleos, óleos essenciais).

ESTRAGÃO

O estragão é uma das melhores ervas culinárias. Botanicamente está relacionada à losna, ao abrótano e à artemísia (*Artemisia vulgaris*). É uma erva arbustiva perene, de cerca de 90cm de altura, com folhas estreitas e pequenas inflorescências verde-acinzentadas. Requer solo com boa drenagem e ambiente com sol ou sombra parcial. Deve

BOT: *Artemisia dracunculus*
FAM: Compostas
ALE: *Dragon, Estragon*
ESP: *Estragón, tarragón, tarragona*

FRA: *Estragon*
ING: *Tarragon*
ITA: *Dragoncello, estragone*

ser podada no inverno e coberta com forragem para protegê-la da geada, ou então retirada do canteiro no outono e mantida em uma estufa para o suprimento de inverno. Os canteiros precisam ser renovados a cada três ou quatro anos, pois o sabor da erva tende a perder a intensidade, principalmente se o solo for inadequado.

O verdadeiro estragão "francês" raramente, ou quase nunca, dá sementes viáveis, por isso a planta deve ser multiplicada por estacas de galhos ou divisão de mudas. É difícil obter sementes de uma variedade de qualidade: as sementes disponíveis são sempre do estragão-russo (*Artemisia dracunculoides*), inferior, cujas folhas são mais claras e o sabor, muito diferente, mais picante e com menos do aroma especial e delicado que torna o estragão "francês" tão cobiçado. O estragão russo é comumente usado no Irã como folha para salada, com carne grelhada.

O estragão é utilizado principalmente nos pratos de origem francesa, mas mesmo nas feiras da França o suprimento é irregular, predominando no mercado o estragão russo. É raro também na Itália, exceto em Siena e seus arredores. No Brasil, a erva é cultivada nas serras fluminenses e em algumas regiões de São Paulo.

É impossível descrever ou comparar o aroma do estragão "francês", mas a maioria das pessoas o conhece pelo vinagre de estragão. Este pode ser comprado pronto ou preparado em casa enchendo-se um vidro com a erva fresca, colhida pouco antes da floração, e completando-o com vinagre de vinho branco. Depois de dois meses estará pronto para a decantação, mas é melhor conservar a erva no recipiente, tanto pela aparência quanto para se obter melhor sabor. É empregado em inúmeras receitas, principalmente de molhos para salada e maionese. Também é importante no preparo de mostarda.

O estragão pode ser desidratado, mas nesse caso costuma adquirir um sabor que lembra ligeiramente o feno. Pode passar por *quick freezing* ou ser conservado em vidros, simplesmente colocando as folhas dentro de potes, vedando-os e esterilizando-os.

O vinagre de estragão e a erva fresca são essenciais para o molho *béarnaise*. Naturalmente também são indispensáveis em todos os pratos franceses "ao estragão", como o *poulet à l'estragon* e *oeufs en gelée à l'estragon.* É habitualmente incluído no condimento de ervas finas (*fines herbes*) para omeletes, assim como é ingrediente de vários molhos – *verte*, *ravigote*, *messine* –, de manteigas, purês com creme e sopas cremosas. Também pode ser usado com linguado, frango, ovos e saladas. Embora o sabor do estragão seja volátil, ele é forte e se difunde rapidamente pelo prato, em especial nos quentes. Como quase sempre entra na composição de pratos delicados, precisa ser adicionado com parcimônia. O estragão é usado também para aromatizar vários licores e em perfumaria.

Uma outra planta, *Tagetes lucida*, tem sabor parecido com o do estragão, sendo algumas vezes usada como um substituto.

EXTRATO DE CARNE

Cubos de bouillon, *cubos de caldo de carne*

Os extratos de carne foram elaborados pela primeira vez no início do século XIX, mas somente mais tarde, quando o grande químico alemão Liebig voltou sua atenção para este processo, surgiu a primeira fábrica, em Fray Bentos, no Uruguai, no ano de 1847. Foi por volta de 1840 que Liebig começou a se interessar por agricultura, deixando de lado a química pura e voltando-se para questões de proveito mais óbvio para a humanidade – por exemplo, foi por sugestão sua que os primeiros fertilizantes artificiais foram produzidos, em 1843.

Se a carne crua é moída com água fria, o líquido, quando filtrado, conterá de 15% a 25% de carne na solução. Se esse líquido é fervido, o albúmen irá coagular, e quando ele assentar resultará em uma sopa clara que, concentrada pela evaporação em calor brando, se transformará em uma substância marrom com sabor e cheiro de carne assada. Como são necessários 14,5kg de carne vermelha para produzir menos de 0,5kg de tal extrato, o puro extrato de carne de Liebig é muito caro.

Os cubos de caldo de carne e os extratos de carne mais baratos contêm quantidades variáveis de puro extrato de carne misturados com sal e outros derivados de carne, além de glutamato sódico para intensificar o sabor. Também podem conter ervas, condimentos, temperos e talvez levedo autolisado e colorantes. As fórmulas e os métodos usados são segredo das fábricas, e a única orientação para o cozinheiro é seguir seu próprio bom-senso quanto ao paladar. Alguns extratos e cubos são excelentes numa emergência, outros, quase que completamente inúteis.

F

FENO-GREGO

BOT: *Trigonella foenum-graecum*
FAM: Leguminosas
ALE: *Bockshornklee, Griechisches Heu*
ESP: *Alholva, fenogreco*
FRA: *Fenugrec sénegré, trigonelle*
ÍNDIA: *Methi*
ING: *Fenugreek*
ITA: *Fieno greco*

"Feno-grego" vem do latim *fenum graecum*. Nativo do oeste da Ásia, foi cultivado nos países mediterrâneos, conforme o próprio nome sugere, desde tempos remotos, e agora já está plenamente aclimatado por lá. Ocasionalmente é cultivado mais ao norte como parte das misturas de sementes para forragem. A aparência geral é semelhante à de um trevo com uma flor pequenina parecida com a de uma ervilha. Os frutos são do tipo vagem. As sementes são amargas com um aroma discreto mas característico e contêm um corante amarelo. São usadas como especiarias em países às margens do Mediterrâneo Oriental, como a Grécia e o Egito, mas são principalmente um ingrediente bem comum dos temperos *curries* indianos. Para tanto, a semente é tostada ligeiramente antes de ser moída, mudando assim um pouco a cor; se passar do ponto, torna-se vermelha e fica muito amarga. O sabor e o aroma das sementes de feno-grego não são muito intensos – embora elas variem bastante de tamanho e de sabor –, mas, se conservadas por alguns dias depois de tostadas e moídas, desenvolve-se o cheiro característico de *curry* em pó barato (ou de tempero para aves). Muitas pessoas não o apreciam, outras não concebem o *curry* sem esse tempero. O feno-grego contém cumarina e é um ingrediente comum dos *curries* em pó comprados prontos. A erva tem a reputação de combater gases, ao contrário de outros membros da família das ervilhas e feijões.

Também é importante por sua folha verde, especialmente na Índia, onde fica excelente quando incluído como vegetal no preparo de *curries*, nos quais plantas amargas são usadas com frequência. Já o provei cozido como espinafre à moda ocidental, mas é extremamente amargo e desagradável preparado assim. É muito fácil semeá-lo e cultivá-lo nos jardins – as sementes cruas podem ser compradas como especiarias em lojas indianas. Recomendo às pessoas que apreciam a culinária indiana que o plantem. Outras espécies de *Trigonella* também são consumidas na Índia: há tanto variedades silvestres quanto de jardim, ocorrendo, portanto, variações consideráveis de acordo com a procedência das sementes.

Se o feno-grego for semeado em jardineiras e chegar ao estágio de duas folhas (dicotiledôneas) como a mostarda e o agrião, esse broto se transforma numa verdura excelente para saladas, temperado com azeite e vinagre. O sabor é refrescante, novo e exótico. Aprendi isso com uma família norte-americana que morava perto de Bombaim. Eles descobriram que o feno-grego era duplamente útil onde o mercado de verduras é arriscado. Sendo cultivado em casa, fornece uma salada saudável e fresca que mesmo crianças pequenas podem comer com segurança.

FINES HERBES

Combinação, criada pelos franceses, de três ou mais ervas delicadas e usada para temperar vários pratos. Na culinária francesa, em geral, as ervas são a salsinha, o estragão, o cerefólio e a cebolinha, mas outras podem ser incluídas para receitas específicas.

ALE: *Küchenkräuter*
ESP: *Hortalizas*
FRA: *Fines herbes*
ING: *Fines herbes*
ITA: *Verdure tritate*

O uso mais comum das *fines herbes* é em omeletes, embora tenham amplo emprego na cozinha cotidiana. Nos livros mais antigos, *fines herbes* pode significar um preparado – também chamado *duxelles* – de cogumelos e echalotas picadas e cozidas.

FİVE SPİCES

"Cinco especiarias chinesas"

ALE: *Fünf Gewürze*
CANTONÊS: *Heung new fun, humng-liu, ngung heung*
FRA: *Cinq épices chinoises, cinq parfums*
ING: *Chinese five spices, five fragrances, five spice powder*

Essa é uma mistura delicada de especiarias chinesas que pode ser adquirida em lojas especializadas em alimentos chineses ou vietnamitas. Consiste numa proporção igual das especiarias pimenta-sichuan, anis-estrelado, canela-cássia, cravos e sementes de funcho ou erva-doce, moídas em pó bem fino. É necessária em receitas do Extremo Oriente, como por exemplo *porc laqué*, e ideal para pratos de carne de porco – eu sempre a uso para temperar o patê de fígado de porco. Mistura excelente que vale a pena ter na cozinha. Para misturas de especiarias, *ver* Especiarias.

FLOR-DE-LİS

Lírio-roxo, lírio-germânico, lírio-cardeno

BOT: *Iris pallida, Iris germanica florentina*
FAM: Iridáceas
ALE: *Florentina Schwertillie*
ESP: *Raiz de iris florentina, raiz de lírio*
FRA: *Iris, racine d'iris*
ING: *Orris*
ITA: *Giaggiolo*

A espécie de íris que produz a flor-de-lis é nativa da região mediterrânea e atualmente é cultivada em muitos lugares, como no Irã e no norte da Índia. A íris-roxa, comum em jardins, é a *Iris germanica*. Ocorre também o cultivo de íris especialmente nas colinas e encostas de montanhas ao redor de Florença, em clareiras ensolaradas ou entre as videiras. Essa variedade, *Iris pallida* ou *Iris florentina*, abunda em solo seco pedregoso.

As raízes ou bulbos são desidratados e pulverizados para se fazer o pó-de-íris, que possui o doce aroma de violetas, embora com sabor mais amargo. A flor-de-lis era comumente utilizada na culinária dos séculos XVI e XVII. Hoje, sua essência entra na composição de alguns licores, mas seu uso principal é em perfumaria, especialmente em perfumes de violetas. O bulbo da flor-de-lis não deve ser confundido com a raiz de cálamo-aromático, conhecido às vezes como íris-selvagem nos Estados Unidos.

FOLHA DE *CURRY*

Curripatá

BOT: *Chalcas koenigii* (*Murraya koenigii*)
FAM: Rutáceas
HINDI: *Katnim, mitha neem*
ING: *Curry leaf*
TÂMIL: *Karuvepila*

O aroma peculiar do pó de *curry* de Madras deve-se muito às folhas de *curry*. No sul da Índia, quase não há jardins sem essa planta, embora ela seja raramente usada no norte do país.

A planta é nativa do sudoeste da Ásia e cresce profusamente em locais de pequenas elevações nas florestas na base do Himalaia. As pessoas que visitam o Parque Nacional de Corbett em Kumaon percebem o cheiro forte e agradável de *curry* quando os elefantes pisam as folhas da planta, que em alguns lugares formam grande parte da vegetação rasteira.

As folhas de *curry* podem ser compradas secas ou frescas em lojas especializadas em condimentos indianos, embora as folhas secas percam o sabor rapidamente. Elas são essenciais apenas para os que vão preparar pratos vegetarianos típicos do sul da Índia, mas o sabor é bem interessante.

A palavra "*chalcas*", do nome botânico *Chalcas koenigii*, vem do grego e significa cobre, pois a madeira do arbusto do *curry* tem veios acobreados. Há muitas outras espécies de *chalcas*, inclusive a *Chalcas exotica*, o *orange jasmin*. Fatos interessantes sobre essa árvore: ela pertence à mesma família da arruda e dos limões, e os limões podem ser enxertados nela.

FREIXO

BOT: *Fraxinus excelsior*
FAM: Oleáceas
ALE: *Esche*
ESP: *Fresno*
FRA: *Frêne*
ING: *Ash*
ITA: *Frassino*

Os brotos e as sâmaras (um tipo de fruto), quando jovens, podem ser usados em saladas, temperados com azeite e vinagre. Na França, das folhas se faz *frenette*, uma bebida fermentada. Uma vez fervidas em muita água até se tornarem tenras e menos amargas, as sâmaras ficam excelentes em conserva, com vinagre salgado e picante.

Na Itália, faz-se um chá com as folhas e os frutos de freixo em infusão (uma colher de sopa para cada xícara de água fervente). Além de refrescante, é diurético e levemente laxativo. O uso de ervas para medicina caseira muitas vezes se sobrepõe à sua utilização na culinária.

FRUTAS

A acidez das frutas se deve a vários ácidos orgânicos, e a doçura, aos açúcares, principalmente a frutose e a glicose (*ver* Açúcar). As frutas ainda verdes contêm bastante amido que se transforma em açúcar quando elas amadurecem. A relação entre a doçura (*ver* Sabores doces) e a acidez (*ver* Sabores ácidos) é essencial para determinar uma fruta saborosa.

Em todo o mundo usam-se frutas de muitas maneiras – verdes, maduras ou secas –, tanto como agentes de acidez quanto como adoçantes em pratos doces e salgados.

As frutas têm também sabores próprios, em geral acentuadamente individuais. O gosto, assim como a acidez, podem diferir brutalmente entre a fruta madura ou verde, como nas mangas, por exemplo, ou entre a casca, a polpa e as sementes, caso dos limões e dos pêssegos. Também podem mudar completamente quando cozidas ou secas, o que acontece com a groselha-preta e os figos. As frutas reagem de forma muito diferente aos processos de enlatamento, congelamento, estocagem e transporte. Às vezes, óleos essenciais ou aromatizantes sintéticos são adicionados a produtos industrializados de frutas para incrementar ou imitar os sabores perdidos durante o preparo. Na cozinha, um licor ou *eau-de-vie* pode ser usado com propósitos semelhantes, ou pequenas quantidades de outras frutas, tais como marmelo ou limão, podem ser acrescentadas para melhorar o sabor.

Os sabores de frutas associados a carnes e legumes, apesar de comuns no Oriente Médio e Extremo Oriente, são menos habituais na culinária inglesa, embora um tanto popular nos Estados Unidos. Frequentemente, a fruta é servida como um acompanhamento para ser saboreada à mesa, com a carne ou o peixe, mas é difícil definir seu uso como guarnição, molho e tempero. Veja os seguintes exemplos:

Maçãs: com carne de ganso, pato e carne de porco em vários países europeus, mas no Oriente Médio maçãs assadas recheadas com frango;

com chucrute ou repolho-roxo, na Alemanha e na Polônia; com peixe, misturada com raiz-forte, ou assada em torta com arenques, prato de Yorkshire.

Damascos: com carne de porco e em molhos na Europa e no leste e sul da África.

Cerejas (*cherries*): com pato; e cristalizadas com frango, no Oriente Médio.

Oxicocos (*cranberries*): como um molho, com peru.

Groselha (*red currant*): como geleia com carne de carneiro e de lebre, e em sopa de rabada.

Groselha-espinhosa (*gooseberries*): para molhos ácidos; e com carne de carneiro, no Oriente Médio.

Uvas: com linguado e com perdiz.

Laranja: com pato; o suco com aves assadas como frango, peru e chester, no Brasil.

Peras: assadas com carne, no sul da África.

Abacaxi: com carne de porco, presunto e vitela, na Dinamarca.

Ameixa: ácida e doce, com carne, no Oriente Médio.

Romã: o suco com carne no Oriente Médio.

Ameixa seca: com carne de porco e bacon, na Europa; e em cozidos de carne de carneiro, no mundo árabe.

Marmelo: com carne de porco e ganso ou com outras carnes, no Irã.

Há também várias frutas silvestres europeias – em geral, bem adstringentes – como abrunhos, sorvas (*rowan berries*) e maçãs-silvestres, que têm os seus usos. Como as receitas de frutas com carnes, aves e peixes podem criar combinações muito interessantes, e como esse aspecto do tempero com frequência é negligenciado, conclamo a sua atenção e o seu gênio criativo para isso.

Ver também Laranja, Limão-siciliano, Limão-taiti, Mamão-papaia, Manga e Romã.

Plantas / frutos aromáticos: 1. Maçã-silvestre 2. Sabugueiro 3. Sorva (*rowan berry*) 4. Oxicoco (*cranberry*) 5. Abrunho 6. Marmelo

FUNCHO

Erva-doce de cabeça, finóquio

BOT: *Foeniculum vulgare*, var. *dulce*, *sativum* etc.
FAM: Umbelíferas
ALE: *Fenchel*
ESP: *Hinojo*
FRA: *Aneth doux, fenouil*
ING: *Fennel*
ITA: *Finocchio*

Planta perene resistente, em geral cultivada como uma erva anual. É grande, chega a atingir 1,80m de altura, tem ponteiros com flores amarelas do tipo umbelas e folhas verdes brilhantes e filiformes. Pode ser cultivada muito facilmente em solo comum a partir de sementes que devem ser plantadas na primavera, e dura vários anos, especialmente quando não se deixa que floresça.

É usado tanto como uma erva quanto por suas sementes aromáticas. Também há variedades cultivadas pela base bulbosa (funcho de Florença) e pelos talos (*carosella*) parecidos com o aipo, que são vegetais populares especialmente na Itália mas que requerem um cultivo cuidadoso em clima adequado para uma boa produção.

Nativo do sul da Europa, tem sido consumido desde a Antiguidade. Era muito usado pelos romanos, que sem dúvida foram os responsáveis por sua introdução na Grã-Bretanha. Mais tarde foi levado para a América e hoje é uma das ervas aclimatadas mais comuns na Califórnia. Em muitos países é cultivado comercialmente para produção de sementes, em especial na França, na Alemanha e na Itália, mas também na Índia, no Japão e nos Estados Unidos. De fato, em quase todos os países além dos trópicos úmidos o funcho é cultivado para esse fim. Quanto às folhas, podem ser desidratadas por métodos modernos ou submetidas a *quick freezing*, embora não se mantenham muito bem na geladeira. É preferível comprá-las frescas, e uma planta é suficiente para uma família de tamanho médio.

O sabor do funcho varia muito dependendo do tipo. O funcho-selvagem ou cicuta-da-europa (*Conium maculatum*, em inglês *wild fennel*), é ligeiramente amargo e não possui o típico sabor de anis. O funcho-doce (*sweet fennel*) – funcho-romano, funcho-comum –, por outro lado, não tem nenhum amargor e apresenta gosto pronunciado de anis, pois contém grande quantidade do óleo essencial anetol, que constitui 90% do óleo essencial do próprio anis. O funcho-amargo (*bitter fennel*) é o tipo mais cultivado na Europa Central e na Rússia, enquanto o funcho-doce é a variedade habitualmente cultivada na Itália, França e Grécia. Como tempero, faz uma grande diferença qual dos tipos é empregado como aromatizante em um prato.

Na culinária inglesa, o funcho já estava presente antes da conquista normanda e era tradicional em toda a Europa, sendo consumido com peixe tanto fresco quanto salgado. Na verdade, tornou-se de tal forma associado ao peixe que na Inglaterra diz-se que em dias de jejum pessoas muito pobres comem apenas o funcho, enquanto os ricos o comem com peixe. É usado no *court bouillon* para peixe, como molho de funcho, bem picadinho na maionese e em recheios. Talvez o preparo mais curioso do funcho seja no bem conhecido prato provençal *grillade au fenouil*, no qual a corvina (*loup de mer*), a trilha ou às vezes a truta são grelhadas e então flambadas em conhaque numa cama de funcho seco que ao queimar confere um sabor inigualável.

O funcho combina extraordinariamente bem com carne de porco (usado na Itália), com leitão e com marinadas para javali. Bem picado, pode ser servido com vitela, em sopas, em molhos vinagrete e saladas. A cozinha italiana, em particular, contém receitas nas quais o sabor do funcho é essencial. A semente verde do funcho-selvagem é especialmente saborosa e em geral é incluída no *bouquet* usado para cozinhar *escargots*.

As sementes da erva são um condimento útil de sabor parecido com o anis, mas não tão adocicadas. O funcho tinha boa reputação medicinal antes mesmo de ser usado na culinária e, junto com o *dill*, ainda é ingrediente comum de infusões dadas aos bebês contra cólicas. Trata-se de um bom digestivo, e de acordo com alguns especialistas também ajuda a emagrecer. Porém seu uso na culinária é bem restrito. Em Florença, produz-se um tipo de salame chamado *finocchiona*, condimentado com sementes de funcho. Na Índia, às vezes é ingrediente de *curries*, mas o uso mais frequente é como digestivo e purificador de hálito, sendo mascado após as refeições. A variedade de funcho conhecida como funcho-de-florença ou *finocchio*, é um tipo de bulbo formado pela base larga dos talos. O sabor desse vegetal quando cru é delicadamente anisado e quase todos o apreciam em saladas. Menos conhecida é a variedade chamada *carosella* ou *cartucci*, com os talos descascados, popular no sul da Itália. O funcho é empregado no preparo de várias bebidas alcoólicas e do licor *fenouillette*.* A raiz do funcho é um dos

---

* Licor muito forte e perfumado, famoso nos séculos XVII e XVIII e ainda hoje fabricado na França. (N.R.T.)

aromatizantes do *sack*, uma bebida à base de hidromel, popular na época de Shakespeare.

FUNCHO-MARINHO

Funcho-do-mar

É uma planta umbelífera, com flores amarelo-esverdeadas, que pode ser reconhecida imediatamente por suas folhas carnudas e suculentas e pelo forte cheiro característico. É um vegetal dos penhascos marítimos, encontrado na Inglaterra apenas em determinadas regiões (embora às vezes vendido nos mercados), mas é comum no sul da costa atlântica europeia, na maioria dos países mediterrâneos e na Crimeia. O funcho-marinho possui sabor acentuado, aromático e salgado (curiosamente sempre me lembra uma mistura de aipo e querosene, mas tenho certeza de que essa é uma impressão pessoal). Na Inglaterra era comum se fazer conservas de funcho-marinho (há relatos de donzelas envenenadas por tais preparos guardados em recipientes de cobre). Ainda se vendem conservas de funcho-marinho em mercados do sul da Europa, como os de Maiorca, onde são expostas ao lado de potes de azeitona. A conserva de funcho-marinho tem um sabor muito intenso, e mesmo as pessoas que de início o apreciam, acabam enjoando. Algumas vezes, o vegetal também é usado fresco em saladas, ou pode ser consumido refogado na manteiga como uma hortaliça ou uma guarnição. O nome em inglês, *samphire*, vem do francês (*herbe de*) *Saint-Pierre* (erva-de-são-pedro), e a planta não deve ser confundida com a *golden samphire*, *Inula crithmoides*, que tem parentesco com a *Inula helenium* – ênula-campana, ou ínula.

BOT: *Crithmum maritimum*
FAM: Umbelíferas
ALE: *Meerfenchel*
ESP: *Hinojo marino*
FRA: *Bacile, fenouil de mer, fenouil marin, perce-pierres*
ING: *Samphire, peter's cress, rock samphire, sea fennel*
ITA: *Critmo, finocchio marino*

G

GALANGA

BOT: *Alpinia* ou *Kempferia galanga* (galanga-grande); *Alpinia officinarum* (galanga-pequena)
FAM: Zingiberáceas
ALE: *Galangawurzel, Galgantwurzel*
ESP: *Galang*
FRA: *Souchet long, souchet odorant*
ING: *Galangal*
ITA: *Galanga*

Há dois tipos de galanga: a grande e a pequena. São aparentadas, embora a pequena seja mais importante. A grande é da família do gengibre e nativa da Indonésia.

A raiz picante, maior que a da galanga-pequena, é coberta de nós e, embora ambas sejam marrom-avermelhadas por fora, a grande é amarelo-pálido ou branca por dentro. O sabor é bem parecido com o do gengibre, e é usada em *curries* regionais.

A galanga-pequena é o rizoma de uma planta nativa do sul da China, onde era usada desde a Antiguidade. Também é mencionada em textos indianos antigos. A planta é perene e produz cachos de flores vistosas. As raízes são pequenas, marrom-avermelhadas por fora e vermelho-claras por dentro. O sabor é parecido com algo entre a pimenta e o gengibre. Já foi uma especiaria importante na Europa e ainda é usada em licores e bebidas amargas. Na culinária do sudeste da Ásia (especialmente Indonésia e Malásia), é um ingrediente importante em vários pratos e uma das especiarias que a distingue da cozinha indiana, sendo conhecida naquela região como *laos*, *leuqkuas* ou *kah*.

A galanga não deve ser confundida com *galingale*, palavra antiga que designava tanto a galanga quanto as raízes de ciperáceas – por exemplo, as chufas.

GÁLIO-AMARELO
Erva-coalheira, coalha-leite

Planta silvestre, comum na Europa, em especial na Grã-Bretanha, que se tornou daninha em certas partes do leste dos Estados Unidos. Ela se alastra e possui pequenas flores amarelas. No passado, foi usada como palha para se encher colchões, por causa do seu perfume agradável de feno. Pertencendo à mesma família da garança, planta trepadeira de cujas raízes se extrai um corante avermelhado, também do gálio se extrai uma tinta, embora seu uso principal seja para coalhar o leite no preparo de queijo, pois o sumo da planta age da mesma forma que o coalho biológico. O nome *Galium* vem de *galion*, uma planta citada por Dioscórides como adequada para coalhar o leite.

BOT: *Galium verum*
FAM: Rubiáceas
ALE: *Echtes Labkraut*
ESP: *Galio*
FRA: *Caille-lait, gaillet*
ING: *Lady's bedstraw, yellow bedstraw*
ITA: *Caglio, presvola*

GENCIANA
Raiz-de-genciana

Em geral, associamos a genciana com plantas de belas flores azuis, mas a espécie mais comumente usada como fonte dos *bitters* (licores amargos), a *Gentiana lutea*, possui flores amarelas. Cresce nos Alpes, nos Cárpatos, nos Bálcãs e mais ao leste em outras áreas montanhosas adequadas. O sabor da raiz da genciana é primeiramente adocicado, mudando depois para um forte amargor. É usada em aperitivos, em especial nos que são originários da região dos Alpes, como por exemplo *suze* (França) e *enzian* (Áustria). Algumas pessoas se habituam e apreciam o sabor amargo da raiz da planta.

BOT: *Genciana lutea*
FAM: Gencianáceas
ALE: *Enzian*
ESP: *Genciana*
FRA: *Gentiane*
ING: *Gentian*
ITA: *Genziana*

GENGIBRE

O gengibre é uma das especiarias mais conhecidas. A planta possui folhas longas, rizomas grossos e alongados e seu aspecto, à primeira vista, lembra vagamente um pé de íris, mas observando-a mais detalhadamente vemos que

BOT: *Zingiber officinale*
FAM: Zingiberáceas
ALE: *Ingwer*
ESP: *Jengibre*

FRA: *Gingembre*
ING: *Ginger*
ITA: *Zenzero*

pertence a uma família bem diferente. Cresce até cerca de 90cm de altura e as flores, vistosas e decorativas, são amarelo-claras com uma pétala labiada arroxeada. A raiz, usada como condimento, lembra uma mão inchada com dedos deformados e achatados.

Embora nativo das selvas tropicais úmidas do sudeste da Ásia, o gengibre é comumente cultivado em jardins onde há um pouco de sombra e clima tropical. Foi usado na Ásia, da Índia à China, desde tempos remotos, e o gengibre seco chegou ao Oriente Médio e ao sul da Europa antes mesmo do tempo dos romanos. Na verdade, foi uma das primeiras especiarias asiáticas a chegar à Europa vinda da Ásia. Na época, acreditava-se que era um produto árabe. Como os rizomas frescos se mantêm vivos por bastante tempo, os espanhóis não tiveram dificuldade para transportá-los em seus navios e transplantá-los nas Antilhas. A planta logo se aclimatou e já em 1547 era embarcada da Jamaica para a Espanha. Também chegou logo ao Brasil, no início do século XVII. Hoje é cultivada comercialmente nos trópicos, do sul da China e do Japão ao Caribe, em Queensland, no oeste da África, na Índia, na Indonésia e até mesmo na Flórida.

O gengibre foi importante na Europa durante a Idade Média não apenas como tempero, mas como remédio. Usado para combater a peste negra, talvez tenha mesmo ajudado, pois promove a sudorese – embora a única pessoa que eu conheço que teve peste bubônica e se recuperou, antes dos tempos dos antibióticos, diga que deve sua vida ao uísque escocês. Quando os seus convidados suam na testa após comerem um dos seus *curries* especiais e bem condimentados, geralmente é porque havia muito gengibre nele.

Gengibre fresco. O rizoma fresco é vendido nos mercados de países que cultivam o gengibre. No Brasil, é encontrado facilmente. Hoje, devido ao fluxo de imigrantes da Índia e das Antilhas, pode ser comprado também na Grã-Bretanha. A raiz deve ser grossa, não deve estar murcha e a polpa tem de ser firme, pouco fibrosa. O sabor difere ligeira e sutilmente do gengibre seco – é difícil descrevê-lo, mas pode-se dizer que é talvez menos picante. O gengibre fresco descascado e ralado até formar uma pasta é empregado em vários tipos de *curries*. Nos países tropicais prefere-se o gengibre fresco para os diversos usos, como em conservas com um pouco de vinagre e sal. Em Nova Délhi há uma loja que vende uma conserva envelhecida de 20 anos, chamada *gengibre gillori*, feita com grandes fatias bem finas de gengibre fresco dobradas em formato triangular, recheadas com especiarias e presas por um cravo. É intensamente ardida e aromática e, assim como a Fernet branca, aparentemente cura qualquer mal conhecido.

O gengibre fresco, depois de raspada a casca, pode ser conservado num destilado forte ou *jerez*. Também pode ser enlatado, cristalizado com açúcar ou conservado em calda. O melhor gengibre em conserva é conhecido como gengibre "de talo" e quase não tem fibras, pois é feito com os brotos mais novos do rizoma. O gengibre cristalizado vem, claro, da China e é consumido como guloseima, sendo também usado, assim como a calda, para aromatizar bolos e cremes.

Gengibre seco. Os rizomas podem simplesmente ser lavados e desidratados com a casca, ficando mais escuros, ou escaldados, tornando-se claros. Em geral, esse segundo tipo tem uma camada fina de pó conservante de limão na parte externa. É considerado o melhor. A forma clássica de usar o gengibre seco é "esmagando-o", ou seja, batendo com um martelinho de madeira para abrir as fibras e liberar o sabor aromático e picante.

Gengibre em pó. O gengibre comprado moído apresenta todos os defeitos das especiarias moídas. Pode ter sido usado gengibre de má qualidade, ou ele pode ter sido adulterado. Além disso, a raiz contém uma resina picante não volátil e um óleo essencial volátil, responsável por aquele sabor especial de gengibre e que se perde rapidamente. O cozinheiro dedicado vai preferir usar o gengibre seco, inteiro: amasse-o bem para que se abra e então use um moedor elétrico de café (reservado apenas para as especiarias) ou um almofariz; após peneirado, o pó, que deve ser usado imediatamente, conterá todo o perfume aromático do gengibre fresco.

Na culinária europeia, o condimento é usado principalmente em receitas de doces. Quase todos os países têm os seus pães, biscoitos e bolos à base de gengibre: bolo Parkin, biscoitos Ashbourne, biscoitos e bolinhos belgas, holandeses, alemães e suíços... Os livros de culinária estão repletos de receitas de pudins, cremes e molhos doces à base de gengibre, que condimenta ainda bebidas como cerveja, vinho, cordiais e ponches. No Brasil, é usado no quentão – bebida preparada com cachaça,

Ervas / flores aromáticas: 1. Estragão 2. Crisântemo 3. Abrótano
4. Gerânio 5. Verbena 6. Verbena-limão 7. Confrei

típica das festas juninas. À mesa, pode ser salpicado sobre as frutas, especialmente melão e pêssegos.

O gengibre é uma das especiarias mais usadas em conservas, molhos engarrafados e *chutneys*, mas não é muito usado em pratos de carne ou peixe na Europa e na América do Norte. Acrescentar o "molho picante de gengibre" dos norte-americanos em receitas de carne, peixe ou presunto cozidos em cerveja de gengibre é indicação tão exótica que surpreende. Por outro lado, é muito usado com carnes, peixes e mariscos na culinária asiática. Alguns livros dizem que não deve ser usado com peixe, mas, a julgar pelos chineses, o conselho não é correto. Na verdade, o gengibre parece ter o poder de neutralizar o mais desagradável dos cheiros de peixe, e com sua ajuda, um pouco de *jerez* e nabo ralado pode-se fazer uma sopa excelente com cabeça de bacalhau, que caso contrário seria oferecida apenas aos gatos. Em todo o Extremo Oriente, especialmente na Coreia, China e Japão, inúmeras receitas de peixe e carne contêm um pouco de gengibre, considerado essencial para o tempero.

GERÂNIO
Pelargônio

BOT: *Pelargonium capitatum* (gerânio-rosa), *Pelargonium graveolens* (gerânio-crespo) e também *Pelargonium odoratissimum* (gerânio-cheiroso)
FAM: Geraniáceas
ALE: *Geranie, Pelargonie*
ESP: *Gerânio*
FRA: *Bec-de-grue, géranium rosat, pélargonium*

Os gerânios, nativos da África do Sul, foram introduzidos na Europa em 1690 e começaram a ser cultivados pela indústria francesa de perfumes para obtenção do óleo essencial do gerânio-rosa em 1847. Atualmente, os pelargônios são cultivados para fins comerciais em muitos locais quentes, como o sul da França, Espanha e norte da África. O óleo produzido na ilha da Reunião é especialmente famoso.

O bom óleo de gerânio-rosa, que quase não se distingue do óleo de rosas, apresenta variações no aroma provocadas pelo solo e pelo clima, mesmo em plantas cultivadas a partir de mudas de um mesmo local. Há também diversas variedades como o *lemon geranium* (gerânio-limão), o *orange geranium* (gerânio-laranja), o

ING: *Geranium, pelargonium, rose geranium*
ITA: *Pelargonio, geranio odoroso*

gerânio-cheiroso, o gerânio-moscado (*Erodium moschatum*), o gerânio-crespo etc.

A planta não resiste à geada, mas pode-se facilmente fazer mudar com as hastes podadas e, após ter passado esse perigo, replantá-las em um local ensolarado, bem drenado, mantendo-se um espaçamento de 90cm entre elas; deve-se podar a planta e levá-la para um lugar protegido durante o inverno.

Todas as partes verdes do gerânio-rosa são aromáticas, particularmente as folhas, no entanto as flores não têm cheiro. As plantas atingem o auge do perfume pouco antes de florescerem e quando as folhas começam a amarelar. Nessa época, o perfume cítrico característico das folhas jovens transforma-se num aroma parecido com o de rosas.

Na culinária, as folhas dão um perfume aromático exótico, semelhante ao de água de rosas. São empregadas para aromatizar frutas, doces e geleias. Elizabeth David, no livro *Summer Cooking*, recomenda o uso de duas ou três folhas para cada 450g de amoras-pretas para dar um sabor maravilhoso à geleia dessa fruta, com a qual possuem "extraordinária afinidade". Também recomenda seu uso com sorvete de limão. Os óleos essenciais do gerânio-rosa são o geraniol e o citronelol, que também são os principais componentes da essência aromática de rosas.

Não confundir com as espécies europeias do gênero *Geranium*, como o bico-de-cegonha ou bico-de-grou (*Geranium robertianum*, em inglês *herb robert* ou *cranesbill*, em francês *bec-de-grue*).

GERGELIM

Sésamo, gingelim

BOT: *Sesamum indicum*
FAM: Pedaliáceas
ALE: *Indischer sesam, Vanglo*
ESP: *Ajonjolí, sésamo*

Talvez você já tenha se perguntado por que, na história de Ali Babá, quando Cassim esqueceu as palavras mágicas "Abre-te, Sésamo", ele experimentou "Abre-te, Cevada", e depois outros tipos de grãos, na vã tentativa de reabrir a porta da caverna do tesouro antes que os ladrões voltassem.

Nativo da Índia, o gergelim possui uma das sementes oleaginosas mais importantes no mundo. Já era cultivado no Oriente há milhares de anos e foi também usado pelos antigos gregos, egípcios e persas. Atualmente, o cultivo anual chega a três ou quatro milhões de acres. Embora tenha se espalhado por todo o mundo tropical e subtropical, China e Índia ainda são os grandes produtores, além do México, onde o gergelim é o principal óleo vegetal. Na China, o óleo de gergelim é um condimento, e o gergelim moído é um ingrediente da culinária japonesa.

FRA: *Sésame, teel, till*
ÍNDIA: *Gingelly, til*
ING: *Sesame, semsem*
ITA: *Sesamo*

Planta herbácea, arbustiva e anual, que pode crescer até cerca de 1,80m. As flores são brancas ou róseas, e as numerosas sementes podem ser vermelhas, marrons, pretas ou, geralmente, douradas, dependendo da variedade.

As sementes são extremamente oleaginosas, e algumas variedades cultivadas modernas contêm quase 60% de óleo. O óleo puro quase não tem sabor ou odor e dificilmente fica rançoso, em especial em regiões quentes, sendo esse um dos motivos de sua popularidade. A Europa importa grande quantidade do óleo, ingrediente fundamental para produção da margarina. Também é excelente como óleo culinário.

Para o cozinheiro, no entanto, o delicioso sabor das sementes, em especial depois de ligeiramente tostadas, é da maior importância. Usa-se espalhá-las sobre pães e bolos, como se faz com sementes da papoula, e com resultados bem semelhantes. No Oriente Próximo, entre os doces conhecidos como *halva*, dos quais existem vários tipos, o mais conhecido é o feito com gergelim moído, que tem o sabor intenso e característico de castanhas.

No entanto, talvez o produto mais importante de todos, do ponto de vista gastronômico, seja a pasta feita das sementes de gergelim finamente moídas e conhecida como *tahine* na Grécia, Chipre, Líbano, Jordânia e Síria. O *tahine* tem uma cor bege-amarelada e a textura, embora não o sabor, semelhante à manteiga de amendoim mole.

No Oriente Médio, o *tahine* é empregado no preparo de vários molhos de salada e para dar mais sabor ao *homus bitahine*, um purê de grão-de-bico misturado com água e fortemente temperado com alho e suco de limão, que é um dos pratos árabes básicos dessa região. É tradicional na *mezzé* (a tradição de se comer pequenas porções de comida com *apéritifs*), onde essa deliciosa substância é servida em vasilhas, com pedaços de pão para serem mergulhados nela, e, em vários lugares, acompanhada de um copo de *arak*. Sempre tenho *tahine* em casa para servir como aperitivo, com bebidas, e mesmo nas reservadas e gastronomicamente conservadoras França e Itália, ele sempre se mostra popular. Depois disso, na verdade nem é preciso se preocupar em servir qualquer jantar. Uma *mezzé* em boa companhia é como o pôr do sol na Antártica: "dura horas e horas, e então se transforma na aurora".

Na comida vegetariana, habitual no Brasil, o gergelim (dourado) é misturado ao sal marinho, formando o gersal.

GINKGO BILOBA

Os frutos da árvore ginkgo biloba – um tipo de fóssil vivo originário da China e do Japão – aparecem na espécie fêmea. São pequenos, parecidos com ameixas-amarelas, com cheiro repugnante. A semente extraída depois que a fruta se deteriora é a amêndoa comestível. Possui um sabor característico e é usada como aromatizante nas culinárias chinesa e japonesa, além de ser consumida tostada como as amêndoas. Pode ser comprada em lojas especializadas.

BOT: *Ginkgo biloba*
FAM: Ginkgoáceas
ING: *Ginkgo nut, maidenhair tree*

GIRASSOL

O girassol provavelmente é originário do Peru, mas vem sendo cultivado por tanto tempo que sua origem tornou-se obscura. Sua cultura é muito extensa, especialmente na Rússia, Bulgária, Hungria e Romênia, assim como na Argentina e na África. As sementes contêm cerca de 40% de um óleo que se tornou muito difundido recentemente por ser altamente insaturado e por isso considerado capaz de oferecer alguma proteção contra doenças coronarianas. É um óleo fino, quase sem sabor e de cor amarelo-clara.

BOT: *Helianthus annuus*
FAM: Compostas
ALE: *Sonnenblume*
ESP: *Girasol, helianto, mirasol*
FRA: *Girasol, hélianth annuel, soleil, tournesol*
ING: *Sunflower*
ITA: *Girasole*

É excelente para a culinária e para temperar saladas. Os botões da flor podem ser usados em saladas e as sementes, tostadas com a casca e salgadas, são consumidas como aperitivos, do mesmo modo que os amendoins.

GLUTAMATO DE SÓDIO

O glutamato de sódio é uma substância química branca cristalina, um sal de sódio de ácido glutâmico, assim como o de cozinha é um sal de sódio de ácido hidroclórico. A comparação acaba aqui, pois o ácido glutâmico é um dos aminoácidos orgânicos, os "tijolos" que constituem as proteínas e que podem ser formados quando elas são decompostas. Alguns aminoácidos são substâncias alimentícias essenciais, embora o ácido glutâmico não o seja. Na verdade, ele é um componente do glúten (uma proteína do trigo), a substância grudenta que faz a farinha "crescer" quando assada em pães e bolos.

ALE: *Mononatrium-glutamat*
CHI: *Mei jing* (Pequim)
ESP: *Glutamato de sódio*
FRA: *Glutamate de soude*
ING: *Monosodium glutamate, M.S.G., "taste powder", ve-tsin, gourmet powder, p'sst* e outros
ITA: *Glutiminato di soda*
JAP: *Aji no moto*

O glutamato de sódio era originalmente feito de trigo, mas os químicos estão sempre buscando fontes mais baratas, e hoje ele é feito a partir de ácido glutâmico recuperado de melaço de açúcar de beterraba ou, de forma mais barata ainda, fermentando soluções de glicose que contêm compostos simples de nitrogênio com bactérias especiais.

A explicação é detalhada porque algumas pessoas gostam de saber o que consomem, especialmente quando a indústria química está envolvida no processo. O glutamato de sódio parece ser razoavelmente inofensivo, mas suspeita-se que quando usado com regularidade provoque danos ao fígado, sendo condenado por alguns especialistas. Ele é processado em quase todos os países industrializados da Europa, nos Estados Unidos, China e Japão. É bastante usado em produtos comercializados, como as sopas e caldos em cubos. Também existe naturalmente no molho de soja.

O glutamato de sódio pode ser encontrado nas lojas com diversos nomes comerciais. Quase não tem sabor

Folhas e ervas condimentares / especiarias: 1. Rúcula 2. Pimpinela-da-itália 3. Capuchina 4. Raiz-forte 5. Feno-grego 6. Alcaparra

próprio, mas tem a incomum propriedade de intensificar o sabor de outras coisas – especialmente da carne. Não é tradicional em qualquer culinária, exceto quando ocorre em produtos naturais da China e do Extremo Oriente. Na Europa e nos Estados Unidos é um ingrediente do século XX. Pode ser adicionado a quase tudo para incrementar o sabor.

Enquanto escrevia este livro correspondi-me com pessoas de vários países e dentre outros itens recebi uma brochura excelente sobre a China contendo uma receita que deve ser mencionada por sua parcimônia: "Um cozinheiro chinês pode fazer uma sopa digna dos deuses apenas juntando um punhado de verduras frescas a 2 xícaras de água fervente, e em seguida despejando tudo sobre ½ colher (chá) de glutamato de sódio e 2 colheres (chá) de sal."

H

HERA-RASTEIRA

Hera-terrestre, hera-de-canteiro

BOT: *Glechoma hederacea*
FAM: Labiadas
ALE: *Gundelerbe*
ESP: *Hiedra terrestre*
FRA: *Herbe de Saint-Jean, lierre terrestre*
ING: *Ground ivy, alehoof*
ITA: *Edera terrestre*

A hera-terrestre é uma pequena trepadeira, bem comum na Grã-Bretanha, que cresce em sebes e no campo. Possui flores azul-arroxeadas e não pertence à família da hera tradicional, apesar de seu nome popular. Quando macerada, exala um odor mentolado. Uma ilustração dessa erva fazia parte da famosa série antiga de gravuras "Cries of London", que mostrava vendedores das ruas de Londres por volta de 1750. Sendo uma planta tão comum e fácil de reconhecer, é adequada para os cozinheiros inexperientes experimentarem.

Quando secados à sombra, na época do florescimento, botões e folhas podem ser empregados em tisanas. Deixe uma colher de chá de hera-rasteira seca em infusão numa xícara de água fervente por 20 minutos e adoce com mel. Diz-se que esse chá é bom para o tratamento de tosses e resfriados. A hera-terrestre já foi usada no preparo de cerveja, antes do lúpulo, para conservar, clarificar e aromatizar.

HISOPO

Hissopo

BOT: *Hyssopus officinalis*
FAM: Labiadas
ALE: *Eisop, Joseph, Kirchenseppl, Ysop*

Essa bela erva é originária do sul da Europa, do Oriente Próximo e do sul da Rússia. Muito comum nos jardins em certas partes dos Estados Unidos, não é silvestre na Grã-Bretanha. É uma planta arbustiforme de cerca de 45cm a

6ocm de altura, com folhas verde-escuras e flores azul-rei, embora haja variedades com floração branca ou rósea. O hisopo é perene, bem resistente e prefere um solo arenoso ligeiramente calcário. A propagação se dá por sementes, mudas de podas ou divisão. Precisa ser renovada a cada três ou quatro anos, mas é fácil de cultivar.

A planta tem sido usada na região mediterrânea desde antes de Cristo, embora mais para fins medicinais do que culinários. Tanto as flores quanto as folhas são utilizadas frescas ou secas. Seu sabor é amargo e ligeiramente mentolado, lembrando um pouco a arruda, sendo erva muito empregada para aromatizar licores. Alguns entusiastas defendem seu uso em sopas, molhos ou saladas, e por ser decorativa, perfumada e durar bastante é ótima para se ter no jardim.

ESP: *Hisopo*
FRA: *Hysope*
ING: *Hyssop*
ITA: *Issopo*

HORTELÃ

Há muitas espécies de hortelã, a maioria nativa das regiões temperadas do Velho Mundo, especialmente da área mediterrânea e do Oriente Próximo.

Sua classificação torna-se difícil porque as espécies se cruzam com facilidade e formam híbridos, gerando grande confusão – mesmo a famosa hortelã-pimenta é um híbrido e não uma espécie distinta. As hortelãs também variam de sabor conforme o solo e os climas em que crescem.

As hortelãs silvestres comuns na Grã-Bretanha são:

Mentha aquatica. Provavelmente a hortelã silvestre mais corriqueira na Inglaterra. Gosta de lugares bem úmidos. O sabor é insosso demais para uso culinário. O cruzamento com a hortelã-comum deu origem à hortelã-pimenta, que também pode ser encontrada na forma silvestre em vários lugares.

Hortelã-japonesa ou **hortelã-do-campo.** Essa também é uma hortelã-comum, mas que cresce em condições mais secas, em campos de milho e sebes. Do cruzamento

Menta
BOT: *Mentha*, diversas espécies
FAM: Labiadas
ALE: *Minze*
ESP: *Hierbabuena, menta*
FRA: *Menthe*
ING: *Mint*
ITA: *Menta*

Mentha aquatica
ALE: *Wasserminze*
ESP: *Hierbabuena acuática*
FRA: *Menthe aquatique*
ING: *Water mint*
ITA: *Menta d'acqua*

Hortelã-japonesa, hortelã-do-campo
BOT: *Mentha arvensis*
ALE: *Ackerminze*
ESP: *Menta arvense*

FRA: *Baume des champs*
ING: *Corn mint, field mint*
ITA: *Mentastro*

Mentha longifolia
ING: *Horse mint*

Hortelã-de-folha-redonda
BOT: *Mentha rotundifolia*
ALE: *Rundblätterige Minze*
ESP: *Matapulgas*
FRA: *Menthe rotundifuliée*
ING: *Round-leaved mint, horse mint*
ITA: *Menta selvatica*

Hortelã-comum
BOT: *Mentha spicata (Mentha viridis)*
ALE: *Grüne Minze*
ESP: *Hierbabuena punitaguda, menta verde*
FRA: *Baume vert, menthe verte*
ING: *Spearmint*
ITA: *Mentastro verde*

Hortelã-pimenta
BOT: *Mentha piperita*
ALE: *Edelminze, Hausminze, Krauseminze, Pfefferminze*
ESP: *Hierbabuena, menta, piperita, yerbabuena*
FRA: *Menthe anglaise, menthe poivrée*
ING: *Peppermint*
ITA: *Menta pepe, menta piperita*

com a *Mentha aquatica* origina-se a chamada hortelã-crespa. Também não é de destaque na culinária.

Mentha longifolia. Bastante típica na Grã-Bretanha, supõe-se que seja a menta mencionada na Bíblia. É cultivada no Oriente.

Hortelã-de-folha-redonda. Silvestre, também é típica da Grã-Bretanha, onde algumas variedades localmente bem conhecidas são cultivadas (*apple mint*, *bowles mint* e *pineapple mint*). Estão entre as melhores hortelãs para uso culinário.

Hortelã-comum. Nativa do Mediterrâneo, espalhou-se pela Grã-Bretanha, onde provavelmente foi introduzida pelos romanos. É a hortelã-das-hortas, também comum nos jardins e bastante comercializada. Há muitas variedades que diferem no sabor, na cor das folhas e das hastes, na textura e no formato das folhas, além dos tipos com folhas crespas, decorativas. É muito popular no Brasil.

Hortelã-pimenta. Embora frequentemente nomeada como uma espécie distinta, hoje é considerada um híbrido entre a *Mentha aquatica* e a hortelã-comum (*Mentha arvensis*). É muito cultivada e consumida na Inglaterra, onde há variedades habitualmente chamadas de "hortelã escura" (*black peppermint*), com hastes e folhas verde-púrpura bem escuras, e "hortelã-verde" (*white peppermint*), com hastes e folhas verde-claras. Destas, a verde possui a reputação de ter um melhor sabor. O clima e o solo também são fatores determinantes para essa qualidade. No Brasil, a variedade verde da *Mentha piperita* tem, principalmente, usos medicinais, mas é apreciada em infusões e em certos preparos culinários.

A hortelã-pimenta raramente é usada como erva culinária. Numa exceção à regra geral, é melhor usar um óleo de hortelã de qualidade do que a erva fresca. Ocasionalmente o sabor de hortelã é necessário em pratos doces, mas seu uso principal é em bombons e balas. Vale a pena preparar cremes caseiros de hortelã-pimenta usando os melhores e mais caros óleos de hortelã disponíveis – a inferioridade do doce industrializado ficará evidente. Talvez seja interessante saber que o óleo de hortelã-pimenta contém mentol, que tem ação anestésica e provoca a sensação de frescor na boca. Há inúmeros licores e cordiais aromatizados com hortelã-pimenta, dos quais o *crème de menthe* é o mais famoso. Alguns deles recebem colorante verde e outros, branco (*ver* Poejo).

Hortelã-água-de-cheiro. Outra espécie comumente cultivada em jardins. Sua fragrância lembra a de flor de laranjeira, embora cause impressões variadas nas pessoas. Às vezes é usada em coquetéis.

Hortelã-água-de-cheiro, hortelã-das-damas, hortelã-da-água-de-colônia
BOT: *Mentha citrata*
ING: *Eau de cologne mint, orange mint, lavande mint, bergamott mint*
ITA: *Menta acqua di colônia (menta arancio, menta lavanda, menta bergamotto)*

Para selecionar a melhor hortelã para a horta ou o jardim, devemos nos guiar pela experiência e pelo local de cultivo das ervas. Como as espécies variam enormemente de qualidade, é preciso procurar um ou mais tipos adequados ao solo onde vamos cultivá-las. As mentas com sabores mais especiais não são as mais comumente encontradas em jardins, e sim a enorme *apple mint*. Na Inglaterra, a *bowles mint* é particularmente famosa. A textura lanuginosa das folhas desaparece quando são picadas.

As hortelãs são plantas perenes, mas a folhagem morre durante o inverno. Preferem sombra parcial e alguma umidade. Touceiras de raízes são plantadas no início da primavera, geralmente com uns 5cm de distância e 5cm de profundidade. No outono, quando a planta começa a definhar, é melhor podar as folhas e em seguida cobri-la com adubo de compostagem. Frequentemente as hortelãs são atacadas por ferrugem, e isto acontece em especial com os melhores tipos de hortelã-comum para uso culinário. A solução mais eficiente para o cozinheiro é queimar as plantas afetadas e replantar mudas ou touceiras saudáveis em outro local do jardim.

As plantas podem ser mantidas em estufas durante o inverno e, de vez em quando, hortelãs cultivadas assim são encontradas à venda em mercados. Podem ser desidratadas (rapidamente em forno baixo) ou compradas já secas, mas nesse caso o sabor é inferior. Também é erva adequada para *quick freezing*. Pode-se preparar um concentrado salgado de hortelã e guardá-lo em garrafa quase que indefinidamente na geladeira.

A planta tem sido usada como tempero desde a Antiguidade. Tanto a hortelã-comum quanto o molho de menta foram apresentados à Grã-Bretanha pelos romanos. Na culinária britânica a hortelã é a principal erva para tempero no verão, usada tanto com batatas e ervilhas como no conhecido molho de hortelã para acompanhar cordeiro ou carneiro. Essa combinação casa tão bem na culinária inglesa que sua união tem quase a mesma autoridade da lei dos medas e persas. De fato, embora digam que o molho de hortelã é desprezado pelos franceses – que na minha experiência raramente o experimentaram –, fica excelente com o cordeiro gordo, porém é menos adequado para os cortes magros populares hoje. Mais recentemente a geleia de hortelã tornou-se popular, e alguns cozinheiros usam também a manteiga de hortelã.

Na França, a erva é pouco empregada nos grandes pratos da gastronomia clássica. Já na Espanha e na Itália é bastante comum, embora haja tantas ervas dentre as quais selecionar e de a hortelã não combinar bem com o alho.

É um tempero comum em todos os países do Oriente e do Oriente Médio, bem como na Índia. Moída com coco, por exemplo, forma a base de *chutneys* que também contêm cebola, pimenta verde, manga verde e outros ingredientes.

Em geral, a hortelã não se mistura bem com outras ervas, embora estejam associadas nas receitas para recheios de alguns peixes. Combina bem com pato e com laranja, ou com ambos ao mesmo tempo; com carneiro, mas raramente com outros tipos de carne; e pode ficar excelente com vegetais como batata, ervilha, feijões, lentilha, pepino, tomate, berinjela, cenoura, cogumelos, sopas e caldos. Vai bem ainda com várias frutas, como por exemplo maçãs e groselha-espinhosa, e em saladas e coquetéis de frutas em geral, refrescos e *mint julep*. Também é muito usada para aromatizar chás, do refrescante chá gelado à infusão quente e doce com leite, conforme é preparado na Índia.

A hortelã é, acima de tudo, uma erva refrescante de verão, e as pessoas que apreciam seu sabor devem procurar o livro de Elizabeth David, *Summer Cooking*, que contém um número incrível de receitas e ideias para usá-la.

HORTELÃ-DE-FOLHA-GROSSA

Hortelã-do-maranhão

BOT: *Marrubium vulgare* (marroio-branco)
FAM: Labiadas
ALE: *Weißer Andorn*
ESP: *Marrubio*
FRA: *Marrube*
ING: *Horehound, hoarhound*
ITA: *Marrobio, marrubio*

Há dois tipos distintos da planta, a branca e a negra, e são facilmente distinguíveis: o marroio-branco possui flores brancas e o marroio-negro, flores lilases, além de ser coberto com uma penugem esbranquiçada nas hastes e folhas. Esse segundo tipo (*Ballota nigra*) não é usado como tempero.

A espécie condimentar é nativa da Ásia Central e da Europa e se aclimatou na América do Norte. É comum em solo calcário na Grã-Bretanha. O sabor é aromático, amargo, almiscarado, e para alguns um pouco desagradável. É usada para condimentar doces e para fazer um tipo de cerveja *ale*. Alguns a recomendam para molhos, cozidos, saladas e até bolos. O chá feito com essa planta é usado como remédio caseiro para resfriados e tosses desde os tempos de John Gerard, famoso herborista inglês do século XVI.

I

ÍNULA

Ênula, ênula-campena

BOT: *Inula helenium*
FAM: Compostas
ALE: *Echter Alant*
ESP: *Enula campana*
FRA: *Aunée, hélène, inule*
ING: *Elecampane*
ITA: *Enula (campana)*

Planta com flores amarelas parecidas com margaridas, que cresce até cerca de 1,20m ou mais. É nativa da Europa e do norte da Ásia e se aclimatou bem nos Estados Unidos. No passado era muito cultivada na Inglaterra, principalmente na medicina rural. A raiz era usada açucarada e com certeza, até o início do século XX, muitos doces foram aromatizados com essa erva.

A ínula pode crescer facilmente no jardim, em solo úmido e com um pouco de sombra. As raízes devem ser arrancadas no outono. Toda a planta é perfumada e pode ser usada como aromatizante. Não deve ser confundida com a *Inula crithmoides* (em inglês, *golden samphire*). A *Inula conyza* (*ploughman's spikenard*), também uma parente próxima, é uma planta relativamente comum nos solos calcários da Inglaterra e do País de Gales.

K

KÜMMEL

Alcarávia

BOT: *Carum carvi*
FAM: Umbelíferas
ALE: *Kümmel, Mattenkümmel, Wiesenkümmel*
ESP: *Alcaravea, carvi kummel*
FRA: *Carvi, cumin des près*
ING: *Caraway*
ITA: *Carvi, comino dei prati*

Esta planta bianual cresce cerca de 1m de altura e possui as típicas flores brancas e as folhas delicadas das umbelíferas. Prefere locais parcialmente sombreados e solo moderadamente argiloso, mas não é muito difícil cultivá-la e ela se reproduzirá sozinha se as sementes não forem colhidas. Para o consumo das folhas, basta semeá-la a qualquer momento durante o verão, mas a germinação é lenta.

O *kümmel* ou alcarávia é nativo da Europa e da Ásia de clima temperado (Irã, Índia, Turquia e norte da África). Adaptou-se bem à América do Norte. A semente silvestre é menor do que a cultivada, porém seu sabor é mais intenso. O *kümmel* é utilizado desde a Antiguidade. Era consumido pelos romanos e ocupou lugar destacado na maior parte da culinária europeia. É cultivado comercialmente na Holanda, e em grande parte da Europa, da Rússia, nos Bálcãs e no norte da África, e em pequena quantidade na Inglaterra e nos Estados Unidos.

As folhas jovens do *kümmel* têm sabor suave, algo entre a salsa e o endro, e muito diferente do sabor pungente das sementes – se bem que o sabor se altera quando a planta envelhece. Na Idade Média (e atualmente, em certa medida, por exemplo na *Karvekål-suppe* norueguesa), folhas de *kümmel* picadas eram usadas em sopas e saladas exatamente como hoje usamos salsa ou cerefólio. As raízes longas e finas também são comestíveis e excelentes, sendo consumidas cozidas como vegetal em alguns países.

A semente de *kümmel*, de sabor semelhante ao do cominho, foi importante na culinária inglesa na era elisabetana, mas seu uso decaiu. Era consumida com frutas, em bolos e pães, assim como é utilizada hoje em dia no sul da Alemanha e na Áustria. Maçãs assadas eram sempre servidas com *kümmel*, e Falstaff foi recebido com "uma maçã e um prato de sementes de *kümmel*" pelo juiz Shallow (*Henrique IV*, parte 2).

As crianças talvez tenham lembranças traumáticas de "bolo de grãos" e muitos adultos não o apreciam. Na Áustria, onde as sementes são usadas em quase tudo, é preciso ficar atento. Lembro-me bem de estar sentado na beira da cama em uma cabana na montanha, às duas da manhã, tentando tirar todas as sementes de *kümmel* do pão, à luz de vela. Essa tarefa impossível era o prelúdio de quase todas as incursões que eu fazia aos Alpes Austríacos durante meu aprendizado como montanhista. Talvez seja graças a essas associações antigas que hoje eu aprecie o sabor.

Gostemos ou não de *kümmel*, essa é uma especiaria útil quando usada em quantidades imperceptíveis em petiscos e entradas. Seu sabor é muito germânico, sendo a Alemanha e a Áustria os maiores consumidores mundiais. Além de ser condimento em bolos e pães, é usado também em queijos, no chucrute, nos pratos de favas, e combina com receitas e saladas de repolho fresco. É adicionado ainda a pratos de carnes (salpicado sobre porco assado) e ao *goulash*. Embora, na minha opinião, o *kümmel* arruíne o sabor refinado da páprica, indubitavelmente confere o gosto especial do *goulash* rústico alpino que devoramos nas temporadas de esqui, mesmo em locais distantes como as cabanas nas montanhas da República Tcheca.

Às vezes o *kümmel* era cristalizado, com açúcar, para se criar um digestivo. Juntamente com o cominho (com o qual muitas vezes é confundido), é aromatizante do licor *kümmel* e de alguns tipos de *schnapps*. Comercialmente, produz-se um condimento de *kümmel* na forma de óleo essencial obtido através da destilação a vapor das sementes maduras secas. O óleo é utilizado em pães, doces, balas e outros preparados. O componente mais importante nesse óleo é a carvona – na proporção de mais da metade do total.

Por fim, um alerta: muitos livros sobre culinária oriental incluem o *kümmel* como um dos ingredientes do *curry*, o que quase sempre é uma tradução errônea. O ingrediente provavelmente é o cominho, que tende a ser mais usado do que o *kümmel* no Oriente e tem sabor mais amargo.

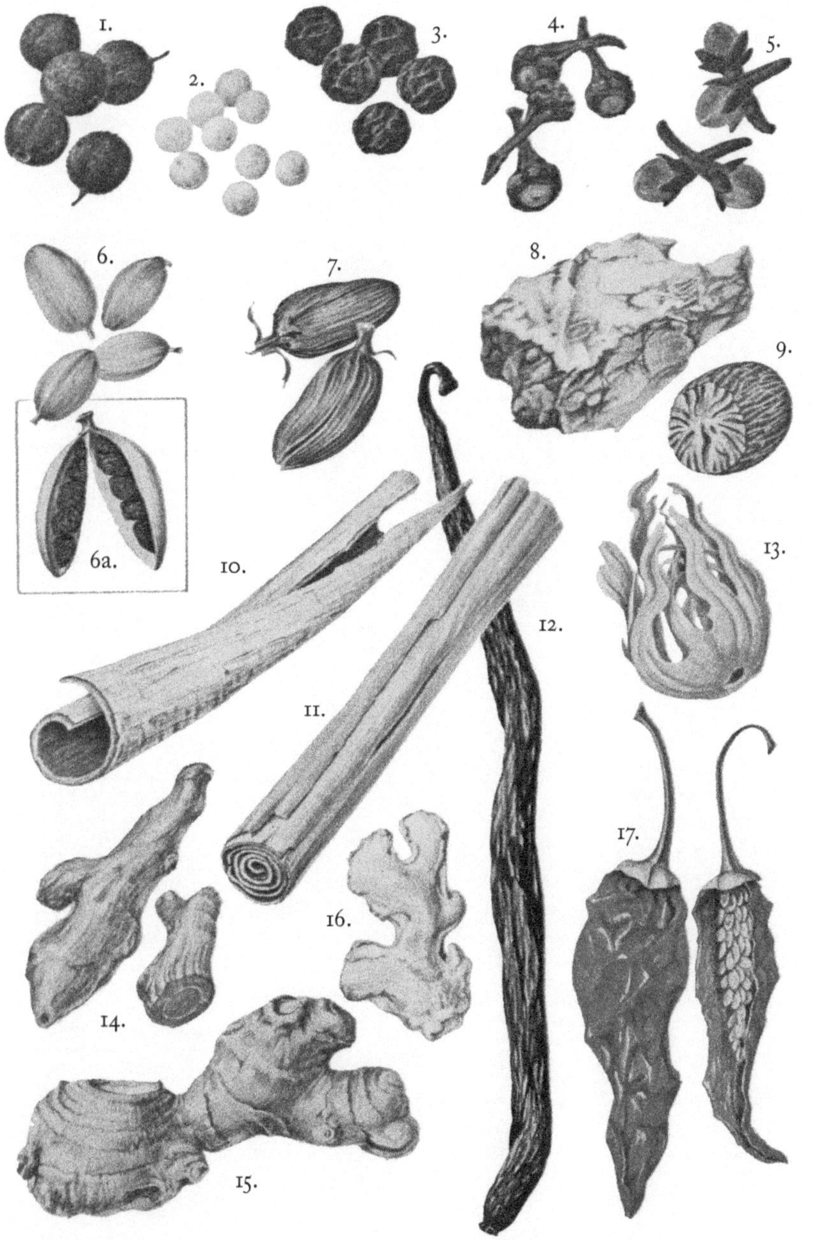

I – Especiarias: 1. Pimenta-da-jamaica 2. Grãos de pimenta-branca 3. Grãos de pimenta-do-reino 4. Botões das flores de canela-cássia 5. Cravos 6. Cápsulas de cardamomo 6a. Sementes de cardamomo 7. Cápsulas do cardamomo escuro 8. Asa-fétida 9. Noz-moscada 10. Pau de canela-cássia 11. Canela 12. Cápsula de baunilha 13. Macis 14. Cúrcuma 15. Gengibre seco 16. Gengibre fresco 17. Pimenta-malagueta 17a. Sementes de pimenta-malagueta

Cominho
Kümmel
Nigela
Erva-doce
DILL
FUNCHO
COENTRO
Aipo
AJOWAN
FENO-GREGO
Mostarda
ROMÃ

III – Temperos do sul da Europa: 1. Folha de louro 2. Azeitona
3. Manjericão 4. Manjerona 5. Orégano

IV – Plantas aromáticas: 1. Alecrim 2. Zimbro 3. Borago
4. Tomilho-silvestre 5. Arruda 6. Murta-cheirosa

V – Ervas silvestres: 1. Tanaceto 2. Artemísia 3. Losna
4. Camomila-de-paris 5. Alecrim-do-norte 6. Rainha-dos-prados
7. Viperina 8. Ínula 9. Gálio-amarelo 10. Meliloto

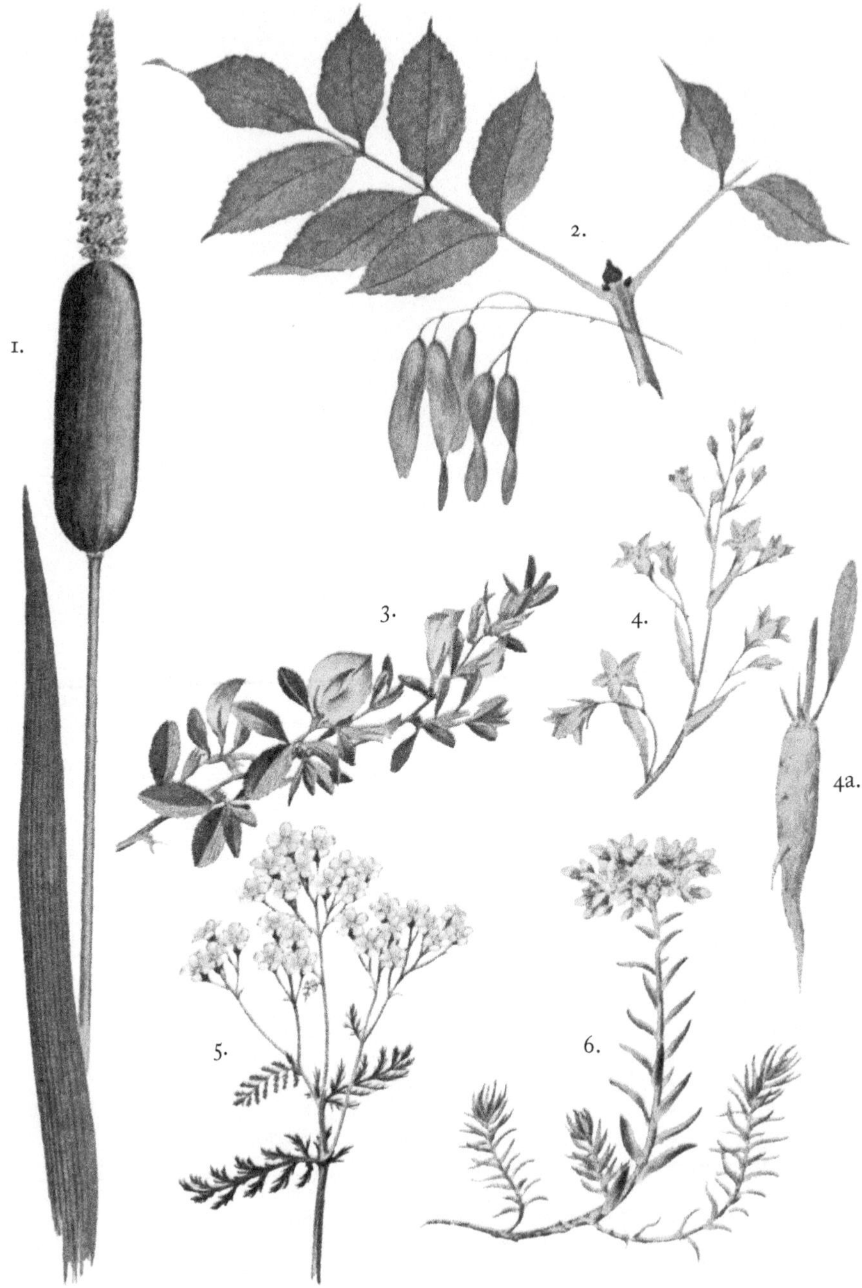

VI – Para saladas e decoração de pratos: 1. Taboa 2. Brotos de freixo 3. Ononide 4. Campânula 4a. Raiz de campânula 5. Mil-folhas 6. Vermiculária

VII – Flores: 1. Dente-de-leão 2. Cravo-rosa 3. Calêndula 4. Rosa-damascena 5. Prímula 6. Violeta 7. Flores de sabugueiro 8. Flores de limão-taiti

VIII – Cogumelos: 1. Taça-da-morte (venenoso) 2. *Boletus edulis* 3. Cogumelo-oranja 4. *Amanita muscaria* (venenoso) 5. Cogumelo-palha 6. Trufa-negra 7. Trufa-branca 8. Morel

L

LARANJA

BOT: *Citrus*, diversas espécies
FAM: Rutáceas
ALE: *Orange*
ESP: *Naranja*
FRA: *Orange*
ING: *Orange*
ITA: *Arancio*

Laranja-doce, laranja-da-china
BOT: *Citrus sinensis*
ALE: *Apfelsine, Süße Orange*
ESP: *Naranja China*
FRA: *Orange douce*
ING: *Sweet orange*
ITA: *Arancio dolce*

Laranja-amarga, laranja-de-sevilha, laranja-da-terra
BOT: *Citrus aurantium*
FAM: Rutáceas
ALE: *Pomeranze*
ESP: *Bigarade, naranja amarga*
FRA: *Bigarde, orange amère*
ING: *Bitter orange*
ITA: *Arancio amaro, arancio forte*

Tangerina
BOT: *Citrus reticulata*

Provavelmente nativas do sul da China ou do Vietnã, as laranjas só chegaram à Europa tardiamente, levadas para o Mediterrâneo pelos árabes, embora não se saiba ao certo se isso aconteceu no século I d.C. ou X d.C. As primeiras dessas frutas que lá chegaram eram de espécies azedas ou amargas, e as laranjas-doces, só muito tempo depois. É provável que isto tenha acontecido por volta de 1300, porém alguns especialistas consideram que as laranjas-doces levadas por Vasco da Gama para Portugal após a viagem em que contornou o cabo da Boa Esperança, em 1498, foram as primeiras a serem introduzidas na Europa. Já as tangerinas ou mandarinas, espécies com a casca solta, só o foram no início da época vitoriana. Essas datas podem ser úteis para aqueles que tentam determinar qual tipo de *Citrus* é mencionado nas receitas antigas. No Brasil, a laranja foi introduzida aproximadamente em 1530.

Há muita discussão sobre as características botânicas dessas frutas, pois elas hibridizam com muita facilidade – o que não deve preocupar o cozinheiro, a quem interessa muito mais o grande número de variedades conhecidas. A classificação mais comum é a seguinte:

Laranjas-doces. Têm a casca firme e são as laranjas comestíveis mais usadas. Podem ser classificadas em: espanholas, que são grandes e com a casca áspera; mediterrâneas, cujas cascas são lisas; sanguíneas, cujas polpas têm cores em tons avermelhados; e laranjas-de-umbigo, que não têm caroços, mas uma protuberância no centro de uma das extremidades.

Laranja-amarga, laranja-de-sevilha. É muito parecida com a laranja-doce. A árvore, também semelhante, possui as mesmas folhas verde-escuras e espinhos finos. A principal diferença entre as duas está na polpa, que na laranja-amarga é muito azeda e adstringente para ser consumida crua. Na verdade, essas laranjas são cultivadas principalmente por suas flores intensamente perfumadas, das quais se faz água de flor de laranjeira e se extrai o óleo de néroli (ou neroli), que é utilizado em perfumaria. A casca das laranjas-amargas é especialmente aromática e superior para a obtenção de aromatizantes. Uma variedade da laranja-amarga conhecida como bergamota (em partes do Brasil, também mexerica) é cultivada na região mediterrânea por causa de sua casca, da qual se extrai o óleo de bergamota empregado principalmente em perfumaria. Laranjas-amargas são muito valiosas na culinária, sendo utilizadas para preparar geleias, molhos salgados, caldas etc.

Tangerinas. São laranjas de casca solta, fáceis de descascar e de serem separadas em gomos. Também apresentam diversas variedades. A casca é muito perfumada e abundante em óleo essencial, e, diferentemente da casca de outras laranjas, tem o aroma da própria fruta.

Kinkan. Essas frutas lembram laranjas minúsculas e crescem em pequenas árvores de parentesco distante com as laranjeiras. As frutinhas têm cerca de 2cm de diâmetro, e muitas pessoas as conhecem apenas em compotas ou cristalizadas. No entanto, às vezes são encontradas em mercados e vêm se tornando cada vez mais populares em vários países. No Brasil, onde também são chamadas de laranjas-jabuticaba, não são ainda muito conhecidas. Na China recebe o nome de *kin kiu.*

A excelência dos pratos temperados com laranja depende do conteúdo aromático da casca da fruta. As laranjas comestíveis são selecionadas pelo sabor da polpa. A casca geralmente não é consumida. É por isso que, de preferência, *canard à l'orange*, molho *Cumberland* e, naturalmente, *sauce bigarade* devem ser temperados com casca de laranjas-amargas. Elas também são a melhor escolha

ALE: *Mandarine, Zwergapfelsine*
ESP: *Mandarina*
FRA: *Mandarine*
ING: *Mandarin orange, tangerina*
ITA: *Mandarino*

Kinkan
BOT: *Fortunella japonica* e outras
ALE: *Japanische Orange, Kleinfruchtige Goldorange*
ESP: *Naranja japonesa*
FRA: *Kumquat*
ING: *Kumquat*
ITA: *Kumquat*

para a casca de laranja desidratada que comumente faz parte do *bouquet garni*, no sul da França. Nos restaurantes mais sofisticados do Brasil, em tirinhas cristalizadas aromatizam o café servido ao final das refeições. No entanto, podem ser muito amargas para bolos e cremes. Embora a casca e o suco de tangerinas sejam menos utilizados como aromatizantes, ficam excelentes e tão interessantes quanto os da laranja em pratos doces, cremes, pasta de amêndoas e outros.

As folhas de laranjeiras são ocasionalmente usadas como tempero, em geral apenas por pessoas que vivem em lugares onde haja cultivo da árvore. Também é comum usarem-se as flores e a água de flor de laranjeira como aromatizante, particularmente no Oriente Médio. A água de flor de laranjeira pura é produzida em muitos lugares, como no sul da França e no Líbano. É encontrada nas boas casas brasileiras de gastronomia. A geleia feita de flores de laranjeira é popular no Irã e no Oriente Médio.

Geleias de laranja e tangerina também são comuns no Brasil, muitas vezes com as cascas cortadas em tiras; além de doces em calda feitos com laranja-da-terra e outras.

Muitos licores são aromatizados com a casca da laranja. Um deles, bastante utilizado em cremes e molhos, é o curaçau, originalmente um licor holandês à base de laranjas verdes aromáticas de Curaçao, uma ilha do Caribe, um pouco ao norte da costa da Venezuela. Existe, porém, um grande número de licores aromatizados com laranja: Cointreau, Triple Sec, Grand Marnier, Aurum, Cristal Floquet, Van der Hum etc. (*ver também* Destilados e Licores).

LATICÍNIOS

Produtos derivados do leite fermentado

Soro
ALE: *Buttermilch*
ESP: *Suero de manteca*
FRA: *Lait battu, lait de beurre*

Por experiência, todos sabem que o leite e a nata azedam, especialmente com o calor, mas há apenas cem anos, antes da descoberta de Pasteur, não se tinha conhecimento de que isso é causado pela ação de bactérias. Os produtos de leite fermentado vêm sendo feitos sob as condições mais primitivas desde tempos imemoriais, o que demonstra que para ser eficiente na cozinha nem sempre é necessário que se entenda o que se está fazendo – embora isso ajude.

Habitualmente, centenas de variados tipos de organismos são encontrados no leite, como ervas daninhas em um campo fértil. Alguns deles são comuns em certas partes do mundo, mas não em outras. Esses organismos pairam no ar, na poeira dos currais e das cozinhas, depositam-se sobre os utensílios, na água, nos pelos dos animais e nas pessoas. Em uma fazenda nos Bálcãs ou na Turquia, onde o iogurte é preparado há gerações, é mais provável que o ar esteja povoado de bacilos próprios para o iogurte do que em um apartamento em Nova York. Portanto, instruções culinárias em relação a bactérias que servem para um determinado lugar não necessariamente serão eficientes em outro. As bactérias adequadas devem estar presentes.

Para se entender o que acontece no processo de preparo de produtos de leite fermentado deve-se imaginar não apenas uma classe de organismos, mas uma mescla deles (bactérias, leveduras, fungos), em que cada qual produz mudanças químicas distintas. Alguns simplesmente transformam os açúcares do leite em ácido láctico. Outros produzem substâncias com sabor de nata ou manteiga, álcool, e delicados sabores avinagrados ou frutados. Se forem bem balanceados, o produto lácteo fermentado torna-se delicioso. Mas também há bactérias mais nocivas que atacam as gorduras e as proteínas do leite e que podem produzir, ao mesmo tempo, sabores amargos, rançosos ou pútridos – alguns dos quais até apreciamos em queijos, mas não no creme azedo. Há também processos que influem na textura do laticínio, coalhando, liquefazendo, tornando-o pastoso ou mais "grudento". Isto também é importante para se chegar ao resultado correto.

Os micro-organismos geralmente dependem da presença de outros micro-organismos para a sua alimentação: precisam que outros deem início aos processos nos quais então eles próprios prosseguem. Além disso, cada um tem sua temperatura predileta, na qual se multiplica e age melhor, ou seja, o controle da temperatura pode incentivar micro-organismos específicos em detrimento de outros.

ING: *Buttermilk*
ITA: *Siero del latte*

Creme azedo
ALE: *Sauer Sahne*
ESP: *Nata cuajada*
FRA: *Crème caillée*
ING: *Sour cream*
ITA: *Panna acida*

Iogurte
ALE: *Joghurt*
ESP: *Yajut*
FRA: *Yahourt, yaourt, yoghourth*
ING: *Yogurt*
ITA: *Yogurt, Yoghurt*

A sequência de processos torna-se incrivelmente complicada. Em termos culinários práticos, as bactérias que fermentam o leite podem ser divididas em duas grandes categorias: as que agem em temperatura ambiente (em países mais frios) e processam o leite azedo e o creme azedo, e as que agem melhor em temperaturas muito superiores à temperatura normal do corpo (como em febre alta de 43,3°C) e produzem o iogurte e as coalhadas consumidas em países quentes (dos Bálcãs, do Oriente Médio e na Índia, por exemplo).

Assim, para gerar produtos de leite fermentado da melhor qualidade e sabor, é necessário começar com a composição correta de bactérias na nata ou no leite e incubá-las na temperatura adequada. Isto pode ser feito fervendo-se o leite ou a nata, inoculando-os em seguida com a quantidade correta de cultura inicial e mantendo-os num lugar quente para que se desenvolvam. No começo, é melhor comprar-se uma cultura inicial – a não ser que, por acaso, você encontre uma de boa qualidade –, sendo apenas necessário guardar depois um pouco da fermentação obtida para usar como coalho de uma próxima vez.

Tudo seria mais prático se fosse simples comprar leite fermentado, creme azedo e iogurte de boa qualidade. Infelizmente, a maior parte dos produtos industrializados é "enganosamente" misturada com leite em pó e leite desnatado, e pouco se assemelha aos verdadeiros produtos, tanto em sabor quanto em consistência. O iogurte industrializado, em especial, quase sempre é ácido demais, muito visguento, ralo, além de pobre em sabor, e só vende porque a maioria das pessoas nunca provou um iogurte original.

O **leitelho**, palavra portuguesa também utilizada na culinária brasileira, é o líquido sem gordura obtido da nata depois de ter sido batida para fazer a manteiga. Ele dá um sabor especial a pães e bolos de aveia tradicionais (*scones*, *griddle cakes*). O **leite fermentado** (como o *prostokvash* do norte da Rússia) é o leite azedo comum. Se for guardado por muito tempo depois de fermentado, desenvolve um gosto ruim. A temperatura ideal para prepará-lo é de 29,5°C – temperatura em ambiente quente.

O **creme azedo** (*sour cream*), a *smytana* da Rússia, também é muito usado na Alemanha, Hungria, Romênia e outras partes da Europa Oriental. Pelo mesmo motivo que o leite fermentado, não deve ser guardado por um período longo após azedar, e a melhor temperatura para incubação também é 29,5°C; o sabor mais apurado vai depender das bactérias de aroma e gosto presentes, bem como dos fermentos, que dão um toque alcoólico. Se for feito a partir de nata de leite pasteurizado, será necessária uma cultura inicial que contenha cepas de bactérias que produzam um coalho pastoso, bem como organismos que desenvolvam bom sabor. O creme é usado em pratos como *bortsch* – uma sopa de legumes cremosa russa ou polonesa –, com pepino recheado, em pratos temperados com páprica e outros molhos e sopas. O iogurte comercial não é um bom substituto.

Com exceção do creme de nata azeda ou creme coalhado (em inglês *clotted cream*), que tem sabor de um creme ligeiramente cozido, muitos consideram que o creme azedo (*sour cream*) deve ser ou muito fresco, feito com o saboroso leite de vacas alimentadas com pastagem natural (e não com ração, feno ou silagem), ou, caso isso não seja possível, que o leite esteja bem maturado, quase ao ponto de azedar, e que seja aromatizado com produtos de bactérias. O creme azedo de boa qualidade fica delicioso com quase tudo.

Se for impossível obter esse tipo de creme, pode-se improvisar adicionando caldo de limão à nata fresca, mexendo até espessar, embora assim não fique tão bom quanto o verdadeiro creme azedo.

Iogurte é o nome turco para um produto comum, com variações, nos Bálcãs, Oriente, Oriente Médio, norte da África e Índia, bem como no sul da Rússia e também no Brasil. *Leben* (do Egito à Argélia), *laban* (na Síria e no Líbano), *mazun, matzun, mazoon* (na Armênia), *matsoni* (na Geórgia), *masturad, jodda* (na Sicília), *gioddu* (na Sardenha), *mast* (no Irã) e *dahi* ou *dahai* (na Índia, onde o melhor iogurte é feito de leite de búfala) são todos produtos similares, mas nem sempre idênticos. Variam de coalho suave, cremoso ou firme até coalho fermentado, com cheiro de cerveja e aerado. Com leite de ovelha faz-se um iogurte mais gostoso, porém o de vaca é mais digestivo. Há muitas formas de preparo do iogurte, mas a melhor delas é ferver o leite por dez minutos, deixar esfriar, inocular – com cuidado, sob a nata – uma cultura inicial ou mesmo um pouco de iogurte comprado ou cultura de iogurte (fermentos lácticos) e manter a 43°C por três ou quatro horas até tornar-se firme. Depois leve à geladeira, mas não o estoque por tempo demais, ou ficará muito ácido. Com a exceção dos bacilos de tuberculose e do *antrax*, todos os organismos que provocam doenças são mortos pelo ácido existente no iogurte, mas como em quase todos os casos o leite também foi fervido durante o preparo, é um dos alimentos mais seguros em países cujas condições sanitárias não são muito boas, desde que moscas não tenham pousado nele.

O iogurte não é apenas consumido, mas usado na culinária de todas as regiões nas quais é produzido, dando um sabor bem característico aos pratos. O iogurte de leite de vaca tende a talhar quando aquecido, mas isso pode ser evitado com o uso de um pouco de farinha ou outro estabilizante. As receitas que contêm iogurte variam desde o seu uso em bolos e doces com frutas secas picadas e nozes (armênios) a pratos de carne de carneiro e frango e *raitas*, *curries* e pilaus da Índia e do Paquistão. Também pode ser usado em molhos para saladas, combinando especialmente com as de pepino.

Há vários outros produtos de leite fermentado que merecem ser mencionados:

O **leite com acidófilos**, um preparo bem moderno que utiliza um organismo produtor de ácido especialmente saudável e que é muito usado na Rússia para fins de saúde.

O ***chal***, um produto da Ásia Central, feito do leite de camelo fêmea.

***Dough*, bebida láctea fermentada,** um refresco maravilhoso para épocas quentes que consiste em iogurte batido com sal e água. É amplamente consumido no Irã, onde pode ser encontrado com gás, engarrafado como refrigerante. No Líbano é conhecido como *ayran* e na Índia, como *lassi*.

O ***kefir***, originário do Cáucaso, um produto fermentado de leite de vaca, ácido e ligeiramente alcoólico, cuja fermentação é iniciada por um cereal seco conhecido como grãos de *kefir*.

O **cúmis**, feito pela combinação de ácido láctico e fermentação alcoólica com leite de égua ou jumenta, ou mesmo de leite de égua e de vaca misturados, é típico do sudeste da ex-União Soviética. Como o leite de égua contém mais açúcar que o de vaca, essa bebida é mais alcoólica que o *kefir*.

O ***kyringa*** é uma bebida alcoólica e gasosa de leite azedo, do leste da Ásia Central.

Recomenda-se que os viajantes experimentem esses produtos, em especial quando o tempo estiver insuportavelmente quente. Por experiência própria, sempre dei produtos de leite fermentado (depois de inspecionados) aos meus filhos pequenos quando viajava com eles para o Oriente. O iogurte que apresenta uma película de nata em cima é sempre seguro, pois quando esta é retirada livra o produto da possível contaminação por moscas. Na Romênia, durante a guerra, o meu café da manhã sempre consistia em leite fermentado vendido em barraquinhas à beira das estradas. Elas nunca eram impecavelmente limpas e os diplomatas norte-americanos e ingleses sempre foram contra o meu procedimento. No entanto, o tempo provou que eles estavam errados e agora sei que leite fermentado e chá preto quente, são as bebidas mais seguras para se ingerir em lugares pouco limpos. Além de produtos de leite fermentado serem um suplemento excelente para o arsenal de sabores diferenciados na culinária.

LENTISCO

Mastique, mástique, mástica, almécega

O mastique é a substância resinosa amarelo-clara que exsuda das incisões feitas no tronco das várias árvores do gênero *Pistacia*, geralmente vendida na forma de lágrimas ou gotas. Essa resina é empregada no preparo de vernizes. Uma dessas árvores é o lentisco – *Pistacia lentiscus* –, um arbusto de copa irregular que fica carregado de cachos de bagas vermelhas, sendo uma das plantas mais abundantes e típicas das encostas das colinas mediterrâneas. É usada como "apoio" para a enxertia de mudas de *Pistacia vera*, árvore que produz o pistache. A resina que escorre do tronco é aromática e usada para se mascar em países orientais do Mediterrâneo. Uma variedade de lentisco, a *Pistacia lentiscus Chia* ou *Latifolia* cresce apenas na ilha grega de Chios, e dela se extrai um mástique muito especial usado para aromatizar pães, doces e o licor grego *mastiha*, um destilado de uvas (*ver* Resinas).

BOT: *Pistacia, Pistacia lentiscus,* espécies de
FAM: Anacardináceas
ALE: *Mastix*
ESP: *Almáciga, lentisco, mástique*
FRA: *Mastic*
ING: *Mastic, lentisk, mastich*
ITA: *Lentischio, mastice*

LEVEDURA

Fermento biológico, levedo

Muitas pessoas conhecem o fermento de padeiro, ou fermento de cervejeiro, como uma substância que lembra um queijo, e com cheiro de cerveja. Na verdade, ele é composto por milhões de vegetais de levedura, unicelulares, que se multiplicam por brotamento quando num meio favorável, açucarado e quente, como por exemplo um suco de frutas. As leveduras são fungos minúsculos, apesar de serem maiores que as bactérias, e geralmente têm a forma oval em sua "fase vegetativa". Produzem "esporos", quando um intenso estágio de repouso é necessário para sobreviver a circunstâncias adversas. Produzem também enzimas que agem nos açúcares simples gerando gás carbônico e álcool. Esse é o processo comum que ocorre na fabricação de vinho e na fermentação do pão e de vários bolos, e aos quais adiciona um sabor característico. No entanto, existe um grande número de leveduras diferentes que criam sabores distintos nos líquidos que fermentam. Na produção de vinho caseiro é melhor não utilizar o fermento de padeiro, como sugerem antigas receitas, e sim encontrar uma levedura própria para vinho, cujas culturas, hoje em dia, estão disponíveis em lojas especializadas. Essas leveduras estão naturalmente presentes nas uvas de várias partes do mundo, e seu sabor é superior. É importante também estar-se atento a leveduras silvestres e danosas, presentes no ar da cozinha e que podem penetrar no vinho artesanal, estragando-o completamente.

Ver também Marmite.

LEVÍSTICO

Falso-aipo, ligústica

BOT: *Levisticum officinale* ou *Ligusticum officinalis*
FAM: Umbelíferas
ALE: *Badekraut, Großer Eppich, Liebstöckel, Mutterwurz*
ESP: *Ligústico*
FRA: *Livèche*
ING: *Lovage, love parsley*
ITA: *Levístico, sedamo di monte*

O levístico verdadeiro é nativo do sul da Europa, embora outras espécies denominadas *Ligusticum scoticum* também conhecidas como levístico (*sea lovage* ou *Scottish lovage* nos Estados Unidos) cresçam de forma silvestre no norte da Grã-Bretanha e na costa atlântica do norte dos Estados Unidos. No passado, era muito usado na Escócia, cozido ou cru, sendo localmente conhecido como *shunis*. O que em inglês se chama *black lovage* é a salsa-de-cavalo.

O levístico é uma umbelífera perene muito grande que chega a atingir mais de 2m de altura. Sua haste é grossa e oca, lembrando um aipo enorme, com flores amarelo-esverdeadas. Muito utilizado pelos gregos e romanos, e posteriormente tanto na Inglaterra quanto nos Estados Unidos, hoje é desconhecido pela maioria das pessoas nesses países, embora ainda seja usado no sudeste da Europa. Todas as partes da planta são aproveitadas: folhas, sementes e raízes.

É fácil de ser cultivado e prefere um solo bem úmido e ensolarado. Pode se desenvolver a partir de sementes ou por divisão de touceiras. Uma planta é mais que suficiente no jardim, a menos que se queira usar as raízes como vegetais.

O sabor da erva é bem peculiar e difícil de descrever. Para mim é um aipo com um agradável aroma de limão-almiscarado, mas Claire Loewenfeld, em seu livro *Herb Gardening,* diz que para ela o sabor lembra "fermento biológico e sopa de pacote". Isso ressalta a dificuldade de se descrever coisas que são baseadas essencialmente na experiência subjetiva.

Às vezes o levístico cru ou escaldado é usado em saladas. As hastes podem ser cristalizadas como a angélica, e as sementes são usadas em pães e biscoitos, especialmente em biscoitos de queijo. No entanto, o principal uso do levístico é sem dúvida como tempero de sopas, às quais fornece um sabor diferenciado.

Na verdade, o levístico talvez seja a erva mais interessante dentre as ervas antigas desprezadas, e vale a pena experimentá-lo. Aqueles que o cultivam sempre encontrarão um uso para ele.

LICOR DE ANGOSTURA

Angustura

Angostura é o antigo nome de Ciudad Bolívar, às margens do rio Orinoco, na Venezuela. Daí deriva a denominação do licor, originalmente um remédio para febre inventado pelo dr. Siegert no século XIX. Sua receita se transformou no famoso licor de angostura atual. Produzido em Trinidad, seus ingredientes são cravo e canela, macis e noz-moscada, casca de laranja e de limão, além de ameixas esmagadas com os caroços, quinina e rum.

É um licor aromático excelente que, além de ser usado em coquetéis com gim e champanhe, pode dar um toque amargo e aromático a sobremesas geladas com frutas e sorvetes. É ainda uma boa cura para soluço, em uma dose generosa sobre uma fatia de limão coberta com açúcar.

LIMÃO-SICILIANO

BOT: *Citrus limon*
FAM: Rutáceas
ALE: *Zitrone*
ESP: *Limón*
FRA: *Citron*
ING: *Lemon*
ITA: *Limone*

Acredita-se que o limão-siciliano seja nativo do sudeste da Ásia, provavelmente da Malásia. Todas as frutas cítricas devem ter se originado nessa região dentro de um "triângulo" cujo traçado abrange da Índia ao sul da China e até a Indonésia. Dessas frutas, a de origem mais ocidental foi, ao que parece, a cidra (*ver*), que provavelmente chegou à Pérsia (atual Irã) por volta do século VI a.C., na época de Ciro o Grande, e à Grécia e à Itália no fim do século III. O limão-siciliano possivelmente apareceu na Europa por volta da metade do século I d.C., embora alguns especialistas determinem um tempo posterior. Como limões, limas e cidra se confundiam nos textos antigos, é difícil ter-se certeza absoluta.

Hoje os limões-sicilianos são cultivados em todo o mundo em climas adequados, especialmente na região do Mediterrâneo e na Califórnia. Há muitas variedades e os chamados limões-selvagens, que podem ser apenas outras variedades ou espécies totalmente diferentes. É um campo no qual os especialistas ainda discutem e não preocupa tanto o cozinheiro, a não ser que ele more no Oriente.

Os limões crescem em pequenas árvores espinhentas que alcançam de 3m a 6m de altura e possuem flores brancas e violáceas. De todas as árvores cítricas, a do limão é a mais linda, com folhas verde-pálidas, frutos amarelo-claros e um formato especial, delicado.

O suco da fruta é o principal agente ácido da culinária europeia. Frequentemente é usado para substituir o vinagre nas saladas, embora seja inferior ao vinagre de vinho de boa qualidade por ter menos sabor, comparado com sua acidez. Esta se deve principalmente ao ácido cítrico, do qual os limões são uma fonte comercial. Os cozinheiros sérios sempre usarão suco de limão espremido na hora, exceto em grandes emergências.

O suco do limão tem muito pouco sabor aromático: o gosto provém da pele ou casca que contém o óleo essencial de limão – o qual, para ser empregado na culinária, é extraído com um ralador fino, ou retirando-se a casca em lascas finas, ou ainda esfregando-se a casca com um cubinho de açúcar. Para fins comerciais, os óleos essenciais de limão, produzidos especialmente na Califórnia, sul da Itália e Sicília, são obtidos por pressão. Porém o antigo método tradicional, empregado no sul da Itália, pelo qual eram extraídos óleos não apenas da casca do limão, mas também da laranja e da bergamota, utilizava uma esponja. As frutas eram cortadas em quatro ou ao meio, a polpa ácida era retirada e a casca, espremida com a mão contra uma esponja, que recolhia o óleo. Se recurvarmos um pedaço de casca de limão com a parte externa para fora e o observarmos contra a luz, facilmente veremos o óleo espirrar das células.

O sabor da casca de limão é um dos mais importantes na culinária europeia, e pequenas quantidades incrementam intensamente pratos tão diferentes como bolos e o molho vinagrete. A qualidade aromática depende da espécie do limão, do frescor e de se ele foi colhido maduro ou verde. Por exemplo, se o *lemon curd*, o creme feito de limões, açúcar e manteiga que parece ser totalmente desconhecido no Mediterrâneo, for feito nessa região com limões-sicilianos frescos e maduros colhidos no jardim, o resultado será fabuloso. Mas a variedade também é importante. Os limões mais deliciosos e aromáticos que eu já encontrei eram de uma espécie muito oleosa, porém de casca rugosa, cultivada no jardim de um agricultor indiano em Almora, nas encostas do Himalaia. Infelizmente, os citricultores e os importadores parecem achar que os limões são utilizados apenas por causa do suco, e que qualquer limão que tenha boa aparência – provavelmente tratado com conservantes e corantes na parte externa – serve, desde que seja azedo. Geralmente os limões comercializados são colhidos verdes, uma vez que se deterioram rapidamente se deixados para amadurecer nas árvores, e assim nunca serão tão bons quanto os colhidos já maduros nos jardins mediterrâneos.

Também são usadas outras fontes de aroma de limão, embora um tanto deficientes (*ver* Capim-limão, Verbena-limão). A essência de limão só deve ser utilizada em caso de emergência. As melhores são aromatizadas com óleos essenciais da casca de limão fresco, mas as de qualidade inferior podem conter óleos essenciais de outras fontes. Há também licores aromatizados com limão.

Ervas / especiarias: 1. Coentro 2. Erva-doce 3. *Kümmel*
4. Cominho 5. Angélica 6. Asa-fétida

LIMÃO-TAITI

BOT: *Citrus aurantifolia*
FAM: Rutáceas
ALE: *Limette, Limone*
ESP: *Lima*
FRA: *Limette, limon*
ING: *Lime*
ITA: *Lima, limetta*

O limão-taiti, como as outras frutas cítricas, veio originalmente do sudeste da Ásia, mas a sua história é obscura porque era confundido com o limão-siciliano nos textos antigos. A árvore desse limão é pequena, um arbusto de formato irregular, com galhos cobertos de espinhos afiados. As flores são bem pequenas e brancas, e as frutas são redondas, de cor amarelo-esverdeada, com apenas 2,50cm a 5cm de diâmetro. Têm a casca fina e bem grudada à polpa, com o aroma característico de limão e o suco bem ácido e ligeiramente amargo. Prefere um clima mais tropical que o limão-siciliano e, em geral, o substitui na culinária de países tropicais.

No entanto, esses limões diferenciam-se muito, dependendo do clima e da variedade. O aroma da casca de alguns é desagradável e intenso, fazendo lembrar o de repelente de insetos; em outros, o aroma parece o de suco de limão industrializado. Quando o sabor de limão-taiti for indicado na receita, não deve nunca ser substituído pelo siciliano, pois o resultado será muito diferente. Infelizmente, não é comum encontrar o limão-taiti em mercados fora dos trópicos, embora possam ser obtidos em muitas regiões norte-americanas.

As chamadas limas-da-pérsia – ou lima-doce, ou apenas lima (*Citrus limetta*) –, que se parecem com laranjas verdes, são encontradas nos trópicos, na Índia e na Palestina. Provavelmente mutações do limão-siciliano, são sempre usadas como frutas, não sendo classificadas como um tempero. No Oriente, há várias outras frutas que se parecem com limões-sicilianos ou limões-taitis, algumas das quais são semissilvestres. Elas possuem aromas diferentes na casca e nas folhas, que às vezes sugerem o do eucalipto ou o do gengibre.

LOSNA

Absinto, artemísia

BOT: *Artemisia absinthium*

A losna, ou absinto, é um parente próximo do estragão (*Artemisia dracunculus*), do abrótano (*Artemisia abrota-*

FAM: Compostas
ALE: *Absinth, Hilligbitter, Wermut, Wurmkraut*
ESP: *Ajenjo*
FRA: *Absinthe, armoise amère, génépi*
ING: *Wormwood*
ITA: *Assenzio*

num) e da artemísia (*Artemisia vulgaris*). Na Grã-Bretanha, ocasionalmente cresce silvestre, e de lá espalhou-se por toda a Europa e a Ásia, até além da Caxemira. O absinto, erva amarga, é aromático, com folhagem cinza coberta de penugem fina e flores amarelas. Foi usado por milhares de anos como medicamento (contra vermes) e no preparo de várias bebidas e vinhos de ervas. Mesmo hoje é difícil dizer exatamente onde começa a medicina e onde termina o prazer de beber, especialmente nos países mediterrâneos em que ainda é costume cuidar de fígados congestionados e da falta de apetite com bebidas semimedicinais (sempre alcoólicas, claro), que, se não fazem mal diretamente, prolongam o mal. Possivelmente, o pior resultado é que as pessoas ainda acabam gostando desses semimedicinais. O absinto é um ingrediente comum em muitos deles, assim como em *drinks* mais saborosos. O nome da bebida vermute deriva de um dos nomes da planta em alemão, *Wermut* (em inglês antigo *wermod* e atualmente *wormwood*).

Os vermutes modernos contêm muitos outros ingredientes, e suas fórmulas exatas geralmente são um segredo comercial. Mas nas regiões menos desenvolvidas da Europa (como por exemplo nos Cárpatos) ainda é comum encontrar garrafas de vinho dentro das quais foi colocado um ramo de losna, e também gastrônomos com espírito de botânicos que encontram a planta durante um passeio ou que a cultivam em seu jardim e experimentam colocar um ramo grande em uma garrafa de vodca. A erva liberará um sabor amargo que agrada a muitos apreciadores de vodca. Um polonês amigo meu até furtou folhas secas de losna de minha coleção.

O óleo essencial de losna ou absinto é produzido na França e nos Estados Unidos por destilação a vapor. Na forma concentrada é um veneno narcótico e, portanto, deve ser usado com moderação. Os efeitos alarmantes do seu uso na bebida são bastante óbvios em algumas cidades no sul da França.

Existem muitas outras espécies de losna – só na costa da Riviera proliferam dez espécies, quase todas nas montanhas. A losna romana (*Artemisia pontica*) é uma delas, também comumente utilizada em vermutes.

A artemísia (*Artemisia vulgaris*), uma erva invasora em algumas regiões da Grã-Bretanha, às vezes é indicada para rechear ganso, como em antigas receitas camponesas da Inglaterra. Na Alemanha é conhecida como *Beifuss*, *Gänse* (ganso), *Johannis* ou ainda *Besenkraut*, e é usada com caça, galinholas, enguia e mesmo cozido de vitela, além de molhos e saladas. Na Espanha as artemísias são usadas nos mais variados pratos, como sopas de cebola e legumes, com enguias e carpas, com porco e pato assados, ganso e em molhos.

São ervas que podem adicionar um sabor penetrante e especial aos pratos, desde que utilizadas de forma bem discreta, sem se destacarem entre os temperos.

No Brasil, a *Artemisia vulgaris* também é chamada de artemísia-verdadeira e losna-brava. Cresce em quase todo o país, exceto na Amazônia, e tem grande emprego medicinal.

LOURO

Lauro, loureiro

BOT: *Laurus nobilis*
FAM: Lauráceas
ALE: *Lorbeer*
ESP: *Laural*
FRA: *Laurier*
ING: *Bay, sweet bay, sweet laurel*
ITA: *Alloro, lauro*

O loureiro é uma árvore pequena, geralmente cultivada como um arbusto, embora possa alcançar até 18m de altura em condições ideais. Suas folhas são resistentes, e em clima quente produz frutos cuja aparência lembra azeitonas pequenas. Embora se pareçam com o loureiro-comum de Portugal, as folhas de louro são mais brilhantes e têm um característico aroma balsâmico doce quando amassadas. O loureiro deve ser plantado no início do outono ou da primavera, em local protegido e ensolarado, e geralmente não sobrevive no norte da Grã-Bretanha ou das Américas. Muitas vezes é cultivado em canteiros que contêm partes iguais de areia, terra argilosa e húmus, cobertos de adubo bem decomposto e mantidos permanentemente úmidos.

A origem do loureiro é provavelmente a Ásia Menor, mas a planta se desenvolveu ao redor de todo o Mediterrâneo, há muito tempo. A "coroa de louros" tornou-se símbolo de sabedoria e glória na Grécia e Roma antigas, e era usada por vencedores e imperadores; as folhas, acreditava-se, afastavam os raios.

Como erva para culinária, o louro pode ser utilizado fresco ou seco. As folhas frescas são um pouco amargas, e de aroma intenso. Algumas pessoas preferem deixá-las secar por uns dias, quando então o amargor desaparece mas o aroma se mantém forte. Folhas secas de louro muito velhas, como frequentemente encontramos para vender, perdem o vigor e a utilidade.

O louro é empregado em todo o mundo, sendo essencial na culinária francesa e mediterrânea – aliás, em toda boa culinária europeia. É um dos condimentos tradicionais do *bouquet garni* e combina com marinados, *bouillon*, conservas e azeitonas. É também usado para envolver alcaçuz e em caixas de figos secos, para afastar carunchos.

Este verbete curto sobre o louro contrasta com sua importância para a culinária, pois ele vai bem com praticamente tudo. Não deveriam existir cozinhas sem folhas de louro, e estas deveriam ser usadas habitualmente.

Além de condimentar pratos mais picantes, o louro pode ser fervido no leite para aromatizar cremes e pudins. O aroma dominante de louro em doces era mais comum no passado do que hoje.

Seus frutos prensados ou destilados produzem um óleo esverdeado denso que é usado em alguns licores.

Não se deve confundir o louro com o louro-cereja (*Prunus laurocerasus*), como ocorre em alguns livros. O louro-cereja tem sabor de amêndoa-amarga (*ver* Amêndoas).

Muitos livros de culinária indiana apresentam o louro como equivalente do *tej pat* (*ver* Canela); na verdade, o louro não é tradicionalmente usado em *curry*.

LÚPULO

BOT: *Humulus lupulus*
FAM: Canabáceas
ALE: *Hopfen*
ESP: *Lupulo*

Planta trepadeira com gavinhas que pode ser encontrada crescendo na forma silvestre em regiões temperadas do norte, inclusive na Inglaterra e na América do Norte, e em climas semelhantes como nas montanhas do sul da

FRA: *Houblon*
ING: *Hop*
ITA: *Luppolo*

Europa. O lúpulo era cultivado pelos romanos, mas só apareceu na Inglaterra no século XVI.

As flores fêmeas são amentilhos, cachos pequenos de cor amarelo-esverdeada com a forma cônica das pinhas de abetos. Contêm resinas e substâncias aromáticas amargas, algumas das quais incidentalmente narcóticas, o que talvez seja um motivo de a cerveja deixar as pessoas sonolentas. Esses amentilhos são colhidos no fim do verão e secos em calor brando para uso na produção de cerveja. O lúpulo seco pode ser comprado por aqueles que desejam preparar a sua própria cerveja ou pode ser usado como fonte de amargor – extraído simplesmente fervendo-se o lúpulo em água (*ver* Cerveja). Na fabricação comercial, outras substâncias amargas, como a extraída da quássia (*Quassia amara*), são usadas com frequência, mas o lúpulo também tem a função de conservante.

A planta é de fácil cultivo e forma tabiques decorativos num jardim (as gavinhas se enroscam na direção oposta à das vagens). As flores machos e os brotos jovens (*jets d'houblon*) são consumidos como vegetais na maioria dos locais em que há cultivo de lúpulo, sendo preparados com manteiga e creme e servidos como acompanhamento, especialmente de ovos (*à l'anversoise*). Escaldados e temperados com azeite e suco de limão-siciliano são uma salada excelente.

M

MACIS
Mace

BOT: *Myristica fragrans*
FAM: Miristicáceas
ALE: *Muskatblüte (Gewürz)*
ESP: *Macia, macis*
FRA: *Fleur de muscade, macis*
ING: *Mace*
ITA: *Macis*

Macis é o arilo seco da noz-moscada, a fina "pele" que reveste a semente. Quando o fruto se abre, ele é visto como uma rede membranosa vermelho-viva envolvendo a casca dura e preta da semente ou noz. Ele é retirado, prensado e colocado para secar, resultando nas típicas fatias ou lascas que fazem lembrar algas-marinhas secas, de cor castanho-amarelada.

Seu sabor se assemelha ao da noz-moscada, porém mais refinado, e o macis é muito mais caro. O preço, aliás, é um indicador da qualidade, pois em geral o macis inferior é quebradiço e não tem o aroma muito pronunciado. A especiaria também pode ser encontrada moída – útil para ser usada em bolos e pratos doces –, mas, a menos que seja mantida bem vedada e comprada com frequência, perde muito de seu aroma, como todas as especiarias em pó. Por ser muito cara, é passível de ser adulterada. Pode-se obter uma essência de macis macerando-o em um destilado forte como a vodca.

É comumente usado para condimentar bolos; e muitas sopas e cozidos também pedem uma "lasca de macis", que é especialmente útil em pratos como sopas claras, molhos e gelatinas, nos quais a noz-moscada ralada pode estragar a aparência. Algumas receitas de *curry* exigem o macis, mas são incomuns na Índia, onde é considerado muito caro.

Há alguns tipos de macis nos mercados europeu e americano que se originam de outras espécies de noz-moscada – têm o nome de macis selvagem, macis de Bombaim e macis de Papua. Para a culinária, são de qualidade inferior. Embora o Brasil seja produtor de noz-moscada, com pequena cultura na Bahia e no Pará, o macis não é comercializado no país.

MALTE

ALE: *Malz*
ESP: *Malta*
FRA: *Malt*
ING: *Malt*
ITA: *Malto*

O malte pode ser preparado a partir de qualquer grão, mas geralmente é feito de cevada. Para isso, o grão é deixado em infusão em água até começar a germinação (o broto deve ficar aproximadamente do comprimento do grão), que é interrompida por um processo de secagem sob calor. Quanto mais alta a temperatura a que for submetido o grão, mais escuro será o malte. Durante a germinação forma-se uma enzima chamada amilase (diastase), e se o grão germinado e seco for agitado em água e mantido em temperatura tépida a amilase converte o amido em uma mistura de dextrina (goma) e açúcar de malte (maltose). Na produção de cerveja isto é conhecido como mosto. Para uso culinário habitualmente compra-se o extrato de malte – uma substância marrom e grudenta obtida pela extração da parte solúvel do grão maltado com água, depois filtrada e finalmente evaporada na caldeira a vácuo.

O extrato de malte contém maltose, que é menos de 1/3 tão doce quanto o açúcar comum de cana-de-açúcar, fermenta facilmente e tende a reter a umidade. Portanto, é não apenas adequada para fazer cerveja caseira (devidamente aromatizada com lúpulo), mas também para o preparo de pão preto. Ela incentiva a atividade do fermento mantendo a umidade do pão por mais tempo. Além da doçura, o malte tem um sabor bem marcante que cai bem em bolos ou pães se usado em quantidade adequada.

O café de malte é feito pela torrefação do grão que passou pelo processo de extração de malte. Na Europa, já foi um substituto do café em casos de escassez ou quando o preço fica fora do alcance da população de mais baixa renda. Além disso, devido ao seu valor nutritivo e por não conter estimulantes, pode ser usado como bebida para crianças ou pessoas doentes.

O vinagre de malte é processado a partir de solução de malte fermentado *(ver* Vinagre).

MAMÃO PAPAIA

BOT: *Carica papaya*
FAM: *Caricáceas*
ALE: *Baummelone, Papaya*
ESP: *Papaya*
FRA: *Papayer*
ING: *Papaya, papaw*
ITA: *Papaia*

O mamão papaia é original da região do Caribe e do México, sendo hoje uma das frutas tropicais mais comuns. A pequena árvore, fácil de ser identificada, possui frutos de cor amarelo-alaranjada que ficam pendurados sob uma "coroa" de folhas no alto de um caule único todo marcado horizontalmente. Sempre me faz lembrar um enorme pé de couve-de-bruxelas depois que os brotos foram colhidos. Originalmente, plantas macho e fêmea eram separadas; hoje os horticultores já produzem variedades hermafroditas.

A fruta madura é parcialmente oca, com sementes pretas ou cinzentas gelatinosas que fazem lembrar caviar, de tamanho exagerado. Muito importante em países tropicais, é excelente e saudável, mas o sabor denso e adocicado de sua polpa macia nem sempre agrada aos que a experimentam pela primeira vez. É fruta muitíssimo apreciada no Brasil. Quando cortada, a planta exsuda um látex leitoso que é empregado na produção de goma de mascar e também de amaciantes de carne, pois contém um fermento digestivo – a papaína. Muitos amaciantes industrializados a contêm. As sementes, de sabor ligeiramente picante como mostarda ou agrião, são usadas como condimento em lugares onde a fruta é cultivada e podem ser indicadas em receitas tropicais. Algumas pessoas as mastigam, pela fama de serem laxantes.

MANDIOCA

Aipim, macaxeira

BOT: *Manihot esculenta (Manihot utilissima)*
FAM: Euforbiáceas
ALE: *Maniok, Brotwurzle*
ESP: *Canabe*

A mandioca, também conhecida por aipim ou macaxeira no Brasil e *manioc, mandioc, yuca, yucca* ou *jucca* no Peru, é nativa da América do Sul. Trata-se de um alimento básico, essencial na maioria dos países tropicais e subtropicais, especialmente na América do Sul e no oeste da África. As plantas são perenes, atingem até 3m de altura e têm a aparência de árvores pequenas. As raízes terminam em tubérculos grandes que são utilizados como alimento. Conhecemos a forma processada como tapioca, farinha de mesa e polvilho de mandioca. Existem cerca de 100 a 200 variedades conhecidas de mandioca, mas há dois tipos principais: a doce e a brava (ou amarga). Em geral, a raiz de todos os tipos de mandioca contém ácido prússico (cianida), o princípio venenoso nas amêndoas-amargas. Felizmente o ácido prússico é volátil e se evapora durante o cozimento.

FRA: *Cassave, manioc*
ING: *Cassava, bitter cassava, cassareep, cassaripe*
ITA: *Manioca*

As raízes tuberosas da mandioca-doce (chamada no Brasil aipim manteiga) contêm menos veneno e são consumidas cozidas, mas muitas vezes estas e a variedade mais venenosa, a mandioca-brava, são raladas e têm o sumo retirado. A parte sólida cozida é ingrediente do pão de aipim. O leite venenoso pode ser reduzido por cozimento e se transformar em uma substância comestível, espessa e doce, que é aromatizada com condimentos e usada em alguns pratos caribenhos, especialmente o *pepper pot*.

MANGA

É uma das frutas tropicais mais antigas, sendo cultivada há seis mil anos. Nativa da Índia, onde ainda se produzem as melhores frutas, é hoje cultivada em quase todos os países tropicais. No Brasil, seu cultivo data dos primórdios da colonização. Existem muitas variedades. Na pior das hipóteses, a fruta é pequena e fibrosa, com sabor resinoso; já a melhor manga é firme e bonita com textura macia, suculenta, e um sabor especial ácido e doce ao mesmo tempo. Muitas pessoas a veem como a fruta mais sofisticada do mundo.

BOT: *Mangifera indica*
FAM: Anacardiáceas
ALE: *Mango*
ESP: *Mango, manguey*
FRA: *Mangue*
ING: *Mango*
ITA: *Mango*

Não deve ser confundida com o mangostão (*Garcinia mangostana*), fruta nativa da Malásia.

A mangueira é uma árvore grande de copa frondosa com folhas rosadas quando novas, depois verde-escuras, que projeta muita sombra. Os pomares de manga, como na Índia, são frescos e repletos de pássaros; neles é possível matar a vontade de comer a fruta e observar as aves. Embora existam muitas variedades, uma manga madura típica não passa muito de 150g, é ovalada, com a casca lisa e fina, porém firme, a cor variando de verde-escuro até amarelo ou vermelho. Dentro, a polpa, de cor amarela até alaranjada, envolve o caroço, grande e achatado ao qual fica aderida. As mangas devem estar totalmente maduras para serem consumidas.

Na Índia, a manga madura é usada para fazer *sorbets*, vitaminas, geleias e sorvetes. Há mangas em lata e sucos de manga em garrafa, mas infelizmente nenhum desses produtos tem o sabor muito parecido com o da fruta fresca. A polpa de manga madura também pode ser encontrada seca em fatias. Tem um sabor exótico e doce.

Mangas verdes ou não totalmente maduras, geralmente de espécies menos refinadas, também são ingredientes importantes para temperar *curries*, *chutneys* e conservas. O sabor é ácido e adstringente, com um "toque" de pinha. Fatias secas de manga verde podem ser compradas em lojas de especiarias indianas. Há também a forma em pó, conhecida como *amchoor* ou *amchur* (*am* ou *aam* sendo a palavra hindustâni para "manga"), que é especialmente usada como agente ácido e tempero nos *curries* vegetarianos. Alguns pratos ocidentais também requerem a semente desidratada da manga. As flores são consumidas no Sião e as folhas novas, em Java.

Há pessoas que adoram o *chutney* adocicado de manga madura, um sabor peculiarmente britânico que entrou em voga no fim do século XIX, mas os indianos tendem a preferir as conservas feitas de manga verde levemente salgada. Essas conservas, bem picantes ou mais suaves, são a preferência nacional no país famoso por suas conservas "da *avkhai* de Andhra, com o sabor pungente maturado por meses em potes mantidos sob a terra, às conservas do extremo sul feitas com 'frutinhas novas', de sabor mais próximo ao de azeitonas do que ao de outras mangas". Mangas saborosas não faltam nos mercados brasileiros, de norte a sul.

MANJERICÃO

Manjericão-grande, basílico-grande, alfavaca, alfavaca-cheirosa

BOT: *Ocimum basilicum*

O manjericão é uma das ervas mais importantes da culinária. Provavelmente foi da Índia para a Europa, por terra, através do Oriente Médio. Chegou à Grã-Bretanha no século XVI e à América no século XVII, de modo que sua utilização no Ocidente é relativamente recente. Na Índia, a erva é pouco usada na culinária, mas um tipo de manjericão – *Ocimum sanctum* – é o *tulsi* sagrado, tão venerado que, quando os britânicos quiseram utilizar algo sobre a qual os hindus pudessem jurar no tribunal (visto que estes não tinham nada equivalente à Bíblia), o *tulsi* foi um dos itens considerados suficientemente sagrados.

FAM: Labiadas
ALE: *Basilienkraut, Basilikum*
ESP: *Alabega, albahaca*
FRA: *Basilic commun*
ING: *Basil, sweet basil*
ITA: *Basilico*

No Ocidente, o manjericão é símbolo de fertilidade. Boccaccio conta a história de Lisabetta, cujas lágrimas regavam o vaso de manjericão no qual havia enterrado a cabeça de seu amante. ("Isabella or The Pot of Basil", de Keats, é outra versão.) Numa linha bem diferente, o médico flamengo Van Helmont (1577-1644), um dos pais da ciência experimental, acreditava que, deixando-se o manjericão amassado na cavidade entre dois tijolos, ele se transformaria em escorpiões! Essa lenda deve ter se originado no sul da Europa, onde não é difícil encontrar pequenos escorpiões sob as pedras.

O manjericão é uma erva anual, de clima quente, não suportando geadas. A planta é bastante variável, mas normalmente mede até cerca de 1m de altura e tem folhas verde-claras, sedosas e macias, às vezes do tamanho das folhas de faia, mas em geral bem menores. Cultivadores já conseguiram também produzir variedades com folhas até do tamanho das de uma alface e outras com folhas roxas. As flores são pequenas, de coloração branco-creme.

Pode ser cultivado em solo rico e leve ou composto, dentro ou fora de um jardim de inverno, quando não houver risco de geada, ou ainda em local ensolarado, protegido de ventos frios. As plantas devem ficar distantes 30cm umas das outras, podendo ser podadas em forma arbustiva cortando-se a ponta dos ramos. Porém, uma planta velha que tenha crescido sob condições climáticas adversas tende a ficar grande demais e rija, perdendo o aroma mais doce e delicado e adquirindo notas fortes. O melhor é ir renovando as plantas – talvez fazendo mudas em caixas – e usar somente as jovens. Em Gênova, na Itália, onde o manjericão se desenvolve amplamente, ele é cultivado em estufas sob calor e umidade tropicais, e sempre colhido com cerca de apenas 15cm de altura. Segue então para os mercados, onde é vendido com as raízes ainda intactas, em molhos amarrados com folhas de capim-verde e papel (isso porque ele murcha rapidamente). O manjericão é uma exceção à regra geral das ervas labiadas: é melhor se cultivado em condições amenas e consumido jovem. Outros membros dessa família desenvolvem um sabor melhor se precisarem lutar para sobreviver. Se eu só pudesse escolher uma erva fresca para cultivar em casa, escolheria o manjericão, e o reproduziria frequentemente numa caixa protegida com vidro sem nunca deixar as plantas crescerem muito. O sabor do manjericão fresco lembra vagamente o do cravo, mas essa comparação não lhe faz justiça. Seu aroma é tão doce e intenso que ele perfuma o jardim inteiro ao ser colhido. O sabor do manjericão seco, por outro lado, nem se compara: lembra certos *curries* e jamais substitui a erva fresca. O manjericão pode ser conservado por pouco tempo em um saco plástico na geladeira ou congelado em sacos plásticos após ser aferventado rapidamente. Todavia, prefiro o método italiano de conservá-lo em óleo. Se as folhas estiverem sujas, lave-se e seque-as; senão, empilhe-as diretamente em um pote seco e limpo, salpicando uma pitada generosa de sal sobre cada camada. Quando o pote estiver cheio, preencha-o com azeite de oliva até a borda e feche bem. O manjericão ficará conservado indefinidamente numa despensa arejada ou na geladeira, preservando boa parte do seu sabor fresco, ainda que escureça com o tempo. É fantástico para fazer *pesto* (ver abaixo).

Hoje em dia é muito comum encontrar manjericão na forma de erva fresca nos mercados ingleses e americanos (e também no Brasil), sendo ingrediente tradicionalmente usado na sopa de tartaruga e bastante utilizado no passado. Todos os livros citam as famosas linguiças londrinas de Fetter Lane, do século XVII. Ainda assim, não pode ser considerado um condimento típico da culinária no norte da Europa. No norte da França, o manjericão raramente é utilizado, talvez porque o uso de ervas frescas na culinária regional dependa do que pode ser cultivado com facilidade naquele clima. Como o manjericão gosta de calor, se quisermos encontrar um autêntico "país do manjericão" na Europa devemos ir para o sul, para o Mediterrâneo, em particular para a costa italiana da Ligúria.

Talvez o uso mais delicioso do manjericão seja no *pesto genovese*, que em diversas formas é encontrado por toda a costa da Riviera, de Gênova até a Provença (onde é chamado *pistou*). A base é sempre manjericão com alho, sal, azeite de oliva, queijos parmesão e sardo (queijo duro de leite de cabra, feito na Sardenha), pinholes e, muitas vezes, nozes sem casca – todos triturados juntos, formando um molho espesso. Desnecessário dizer que algumas receitas "editadas" de livros ingleses sugerem deixar de fora o alho. No sul da França, o *pistou* é usado em uma sopa; na Itália, o *pesto* com muito azeite de oliva é um molho para espaguete ou *trenette*. O manjericão, assim como o alho, produz devotos apaixonados, e os dois combinados geram o que, na minha opinião, é o molho para espaguete muito superior a qualquer outro. É fácil de fazer, e pode ser comprado enlatado ou em conserva – substitutos apenas passáveis do *pesto* fresco, porém melhores do que nada.

O manjericão tem ainda grande afinidade com o tomate. Na região da Riviera italiana onde morei, o lanche mais comum consistia de um pão crocante aberto ao meio e recheado com fatias de tomate, sal, azeite de oliva e algumas folhas de manjericão fresco – sem manteiga, é claro –, tudo um pouco amassado para que o pão embebesse o azeite e o sumo. Os turistas deveriam evitar os sanduíches de hotel e experimentar esse (com uma garrafa de vinho tinto), após começarem o dia com uma visita ao mercado. O manjericão fica delicioso na salada de tomate temperada com sal e azeite de oliva, mas picar as folhas prejudica muito o sabor, é melhor rasgá-las com os dedos.

Vai bem em molhos de tomate, e em qualquer receita com tomates. Também combina com pimentão e berinjela; com qualquer tipo de peixe, em especial tainha vermelha; com pratos de carne com vinho e alho, e com frango; com manteiga, como a de ervas, com *steak*; com ovos – *oeufs mollets à la crème aux fines herbes*; e até com crustáceos. Costumo adicionar algumas folhas ao meu patê. Na verdade, um viciado põe manjericão em quase tudo.

Fora da Europa, o manjericão e seus parentes próximos são ocasionalmente usados na Índia (*babuitulsi*) e na Malásia (*selaseh*), e as sementes de um dos tipos – que ficam gelatinosas após serem hidratadas – são também utilizadas em bebidas.

Finalmente, há o vinagre de manjericão, feito macerando-se as folhas em vinagre de vinho. É um bom vinagre de ervas para se usar no inverno.

O **manjericão-miúdo** não costuma passar dos 15cm de altura e é sobretudo uma planta decorativa. É bastante consumido no Brasil, nos pratos de massa. Há variedades de horticultura com folhas de cores diferentes que podem ser podadas para formarem pequenos arbustos. Seu sabor é inferior ao do manjericão-grande.

Manjericão-limão e **manjericão-italiano** ou **manjericão-de-folha-crespa** são ambos ornamentais, embora também bons de serem comidos. A alfavaca ou alfavacão (*Ocimum gratissimum*) é bastante perfumada e apreciada em várias regiões brasileiras. Na Europa, alfavaca-do-campo não é um tipo de manjericão, mas um parente da calaminta (*Acinos arvensis*, em inglês *basil thyme*). Também é aromática e pode ser empregada na culinária, mas o sabor nem se compara ao do manjericão.

MANJERONA

BOT: *Origanum majorana* ou *Majorana hortensis*
FAM: *Labiadas*
ALE: *Maigram, Mairan, Majoran, Wurstkraut*
ESP: *Mejorana, amáraco, almáraco*
FRA: *Marjolaine, origan*
ING: *Marjoram, sweet marjoram*
ITA: *Maggiorana*

A **manjerona** é nativa do Mediterrâneo e vem sendo cultivada desde os tempos antigos. Extremamente perfumada, atinge cerca de 60cm de altura e caracteriza-se por vários "nozinhos" na haste. Em países quentes é perene, mas em países mais frios deve ser tratada como semianual resistente, pois não sobrevive a um inverno rigoroso. Requer solo leve, de boa qualidade, e muito sol. Embora as sementes se desenvolvam melhor em estufas, em locais de clima frio, é possível preparar um canteiro no fim da primavera ou deixá-las germinar numa jardineira ensolarada e com boa adubação e transportar as mudas para o local definitivo quando esquentar, mantendo uns 25cm de distância entre as plantas. Diferentemente da maioria das ervas labiadas, a manjerona, assim como o manjericão, é mais doce quando não se desenvolve em condições inóspitas.

A erva pode ser usada fresca ou seca. Também é adequada para *quick freezing*. Portanto, não há motivo para que não esteja disponível na cozinha o ano todo.

O sabor da manjerona é próximo ao do tomilho, com o qual é usualmente misturado, podendo mesmo substituí-lo, mas é muito mais doce e perfumada. Quando fresca, às vezes recende a flor. É uma das ervas culinárias mais importantes e tem inúmeros usos. É utilizada em todos os países da Europa e em toda culinária baseada na cozinha europeia, embora não seja muito usada no Oriente. No Brasil é cultivada em lugares de clima ameno como as serras do Rio de Janeiro e o sudeste do país.

A manjerona pode ser adicionada a praticamente qualquer prato no qual se usa o tomilho, porém, por causa de seu perfume mais delicado que se perde facilmente ao cozinhar, fica melhor quando acrescentada pouco antes do fim do cozimento ou quando usada em pratos de preparo mais rápido, como omeletes. Também pode ser usada crua, ficando especialmente deliciosa bem picada e com suco de limão para temperar anchova.

A variedade de manjerona **orégano-onito**, **orégano-grego** ou ainda **orégano-de-creta** (*Origanum onites*, em inglês *pot marjoram*) é frequentemente cultivada na Inglaterra porque a manjerona não é muito resistente, embora não tenha um sabor tão doce, sendo mesmo ligeiramente amarga. Também é uma planta mediterrânea, perene, que cresce até cerca de 30cm de altura e cujas flores são brancas. Prefere solo adubado e leve em local ensolarado, mas é bem fácil de ser cultivada. A propagação se faz por semente ou divisão de mudas. Em culinária, seu uso é em boa parte o mesmo da manjerona-comum, especialmente em pratos mais temperados com cebola, vinho e alho, nos quais o perfume delicado da manjerona acabaria se perdendo em grande parte.

Na Grécia, está entre as mais de dez espécies silvestres diferentes de *Origanum* conhecidas comumente pelo nome *rigani* e cresce de forma silvestre. Uma delas, chamada de manjerona-de-inverno (*Origanum heraclesticum*), às vezes é cultivada em jardins. Outras espécies são o *Origanum smymaicum* e o *Origanum paniflorum*. Todas são usadas com carnes grelhadas e outros pratos gregos, mas hoje é quase impossível reproduzir exatamente o sabor desses pratos fora do país de origem.

Uma outra espécie famosa de *Origanum* conhecida como *cretan dittany* (e outros nomes como *frascinela*, *ditamno*, *dictamo*, *ditamo*, *erontas*, *stomatochorto* e *malliaro-chorto*) é particularmente cultivada na ilha de Creta. Embora tenha ótimo sabor como condimento, seu principal emprego é para fins medicinais.

Ver também Orégano.

MARMITE

Concentrado de levedura, extrato de levedura

ING: *Autolysed yeast, yeast extract*

Marmite é a marca registrada de um concentrado de extrato de levedura muito usado na culinária vegetariana para dar sabor de carne. A ideia de se fazer extratos de levedura surgiu na Alemanha no final do século XIX, e o concentrado Marmite foi produzido pela primeira vez na Inglaterra em 1902. Hoje pode ser encontrado na maioria dos países. É feito pela autólise do levedo fresco de cerveja com sal. Autólise é o processo pelo qual as células são quebradas pelas próprias enzimas; os materiais solúveis são separados dos fragmentos insolúveis da célula e o líquido resultante é evaporado sob pressão reduzida, obtendo-se assim a substância viscosa marrom conhecida como Marmite. Esta pode ser novamente dissolvida em água, e contém uma alta concentração de vitamina B2, niacina e riboflavina. Aroma adicional pode ser obtido com um extrato de ervas e especiarias. Há outros produtos de natureza semelhante, mas habitualmente menciona-se apenas o Marmite nos livros de culinária vegetariana.

MEL

ALE: *Honig*
ESP: *Miel*
FRA: *Miel*
ING: *Honey*
ITA: *Miele*

O mel é a mais antiga substância adoçante. Foi apenas nos últimos dois séculos que o preço do açúcar refinado se tornou suficientemente acessível e seu uso se generalizou. Os métodos de extração de mel variam dos atuais processos de produção comercial altamente organizada à coleta de mel silvestre nas florestas de Sunderbans, em Bangladesh, ou no Congo, pelos pigmeus. No Brasil há também muitos produtores artesanais. Nas sociedades primitivas, comumente as abelhas eram criadas em troncos ocos de árvores, e em alguns lugares, como nas florestas do norte do Irã, as colmeias precisavam ficar penduradas no alto das árvores, fora do alcance de ursos.

Em média, o mel contém 38% de frutose, 31% de glicose e 7% de maltose, além de outras substâncias. Mas as porcentagens variam, e quanto mais alta a glicose, mais facilmente o mel cristaliza – formam-se cristais de açúcar. No entanto, com o tempo, o bom mel sempre acaba cristalizando, e o processo pode ser acelerado agitando-se o mel. Por outro lado, quando cristalizado, se for mantido por meia hora em temperatura apenas um pouco além do suportável ao toque ficará líquido e dificilmente irá cristalizar novamente. Assim, pode-se produzir comercialmente o tipo de mel que o mercado prefere. O açúcar da cana, a propósito, não é encontrado no mel, pois, embora esteja no néctar das flores, as enzimas da saliva das abelhas o transformam em glicose e frutose.

O mel também contém resina e substâncias voláteis aromáticas, além de ácidos orgânicos e, em geral, grãos de pólen, havendo uma variação enorme dependendo da floração de origem. A cor também varia de branca ou creme até tons de dourado, marrom, avermelhado, arroxeado, bem escuro ou ainda verde-mar. Mesmo quando fresco, pode ser espesso ou muito ralo, caso do mel tropical ou silvestre. Mas é sobretudo o sabor, que igualmente varia bastante, que nos interessa aqui. Há cerca de 200 a 300 variedades de mel apenas nos Estados Unidos. O mais comum vem dos campos de trevo e aparentados: trevo-doce, trevo-cheiroso, alfafa, trevo-híbrido etc. O mel de trevo é suave e é o melhor para fins culinários em geral; mas há os de aromas especiais como o mel das flores de laranjeira, de *grapefruit*, de sálvia, de eucalipto, de framboesa. O mel de alecrim vem das colinas mediterrâneas; o mel resinoso, das florestas de pinheiros; o mel de flores perfumadas, de Grasse e da Riviera italiana, ou de flores alpinas. Também há o mel de trigo-sarraceno, de acácia, de groselha-espinhosa, de plátano, e já li a respeito do exótico mel verde com favos vermelhos da África e do mel dourado-escuro do Brasil (das plantações de assa-peixe). Se alguma vez usar tais iguarias na culinária, elas não devem ser aquecidas, pois o calor elimina as substâncias aromáticas.

O mel de algumas flores, como o de oleandro, é venenoso e tem ligeiro efeito narcótico. O mel de urze, das flores da planta chamada em Portugal urze torga (*Calluna vulgaris*, em inglês *ling*), difere dos outros por ser gelatinoso, sendo o de melhor qualidade bastante aerado. Ele não escorre quando o favo é cortado. O de outras urzes é vermelho e perfumado, mas escorre normalmente.

Quando o mel é aquecido durante o preparo de algum prato, não apenas o perfume delicado desaparece, mas os açúcares caramelizam. Em receitas que contenham o mel ao natural, a escolha do tipo é vital, e aqui há muito campo a ser explorado, ao gosto de cada cozinheiro.

MELILOTO

Trevo-cheiroso, trevo-de-cheiro

BOT: *Melilotus officinalis* e outras espécies
FAM: Leguminosas
ALE: *Honigklee, Steinklee*
ESP: *Mililoto, trébol dulce*
FRA: *Mélilot*
ING: *Melilot, sweet clover* (EUA)
ITA: *Meliloto*

É uma planta comum, esguia, que se alastra bastante, com flores amarelas dispostas como as do tremoço e folhas com as bordas recortadas em grupos de três. Cresce espontaneamente na América do Norte e na Europa, inclusive na Grã-Bretanha, onde é provável que tenha sido introduzida para o preparo de cataplasmas. É comum em campos e lugares ermos, podendo ser cultivada como forragem.

O meliloto, quando seco, desenvolve um cheiro de feno recém-cortado, e já foi utilizado em cervejas de ervas. Hoje é usado para rechear ou recobrir carne de coelho, em marinadas para incorporar seu sabor adocicado à carne ou em guisados. Diferente da maioria das ervas, é melhor se usado seco. Tem alguma semelhança com o feno-grego oriental (*ver*), e pertence à mesma família deste.

Um outro meliloto, trevo-azul (*Melilotus coerulea*), tem flores azuis; é cultivado na Suíça em Glarus, nos arredores de Lachen, na extremidade leste do lago Zürich, e não pode ser vendido ao público. Foi levado da Ásia Menor para a Europa no século XIV e desde então tem sido utilizado para aromatizar o queijo local Schabzeiger (*sap sago* nos EUA). A erva é colhida antes de florescer e combinada com outras para aromatizar o queijo, o qual é frequentemente usado ralado como tempero.

MIL-FOLHAS

Aquiléa, milefólio, mil-em-rama, erva-dos-carpinteiros

BOT: *Achillea millefolium*
FAM: Compostas
ALE: *Garbe, Gemeine Schafgarbe*
ESP: *Cientoenrama, milenrama, milhojas*

É uma planta perene comum de sebes e campinas na Grã-Bretanha e outras partes da Europa, e de locais de clima temperado e ameno. O nome *Achillea* se refere ao herói grego Aquiles, cuja lenda diz que ele conheceu as virtudes da erva com o centauro Quíron. O milefólio era famoso por estancar sangue de ferimentos, e um dos nomes populares na França e no Brasil, erva-dos-carpinteiros, sugere essa propriedade, porque os carpinteiros cortam os dedos com frequência. No Brasil seu uso é principalmente medicinal, além de ornamental.

A espirradeira *Achillea ptarmic* (bastante diferente da espirradeira *Nerium oleonder*, arbusto venenoso e ornamental) é uma parente próxima ao milefólio e que possui menos flores brancas, do mesmo formato, porém maiores. Também é uma planta comum de lugares úmidos e brejos na Grã-Bretanha, na Europa continental e na América do Norte. Cresce até cerca de 60cm de altura, sendo um pouco mais alta que o milefólio.

As folhinhas novas desta e de outras espécies de milefólios podem ser usadas em saladas e substituir o cerefólio como guarnição.

FRA: *Achilee, millefeuille, herbe aux charpentiers, herbe aux coupures*
ING: *Milfoil, yarrow*
ITA: *Millefoglio*

MIRRA-BRANCA

Mirra-de-jardim

A mirra-de-jardim, uma erva "obsoleta", é silvestre no norte da Europa, inclusive norte da Inglaterra e sul da Escócia. É uma umbelífera robusta que habitualmente atinge cerca de 90cm de altura, mas algumas vezes chega a 1,50m. Possui flores brancas, folhas rendadas grandes que lembram uma pluma, hastes ocas e sabor e aroma entre o anis e o alcaçuz. É perene, podendo ser cultivada por meio de sementes ou divisão de touceiras. Prefere locais com meia sombra. Uma ou duas plantas são suficientes em uma horta, e é decorativa o bastante para ser usada em canteiros ornamentais.

As opiniões são divergentes quanto à mirra-de-jardim. Alguns não a querem em casa, outros acham que é útil, especialmente por ser resistente e durar bastante tempo: do começo da primavera até o final do verão, e mesmo no inverno, quando outras ervas vão escasseando.

A mirra-de-jardim tem uma raiz central que, quando cozida, pode ser consumida em saladas, temperada com azeite ou óleo e vinagre. Seus frutos são grandes e também se recomenda comê-los quando estão verdes, temperados do mesmo modo (cf. o *Herbal*, de John Gerard).

BOT: *Myrrhis odorata*
FAM: Umbelíferas
ALE: *Englischer (Spanischer) Kerble, Wohlreichende Süßdolde*
ESP: *Perifollo*
FRA: *Cerfeuil d'Espagne, cerfeuil musqué, cerfeuil odorant*
ING: *Sweet cicely, anise chervil, giant sweet chervil, Spanish chervil*
ITA: *Mirride odorosa*

Quem aprecia um sabor anisado pode usar a mirra-de-jardim em pratos doces ou com frutas; é usada também para aromatizar licores.

MOLHO HARVEY

Um dos antigos molhos ingleses cujo uso pode ser indicado para pratos muito condimentados. Em 1870, a Corte da Inglaterra decidiu que não havia direito exclusivo do uso comercial da marca "Harvey's sauce", já que há receitas do seu preparo que remontam, pelo menos, ao século XVII.

Embora existam várias fórmulas, em geral a base da receita é *catchup* de nozes e cogumelos – aromatizado com anchova, alho e, quase sempre, molho de soja e vinagre. Parece com o molho inglês (*Worcestershire sauce*), mas não é quente, embora contenha um pouco de pimenta.

MOLHO INGLÊS

ING: *Worcestershire sauce*

Esse famoso molho industrializado merece menção por ser amplamente utilizado ao redor do mundo. A provável história de sua origem narra que, por volta de 1837 – ano em que a rainha Vitória subiu ao trono –, um governador aposentado de Bengala foi à sua botica preferida em Worcester, uma das diversas lojas pertencentes a dois comerciantes de nome Lea e Perrins, e pediu que preparassem uma receita que havia trazido da Índia. Assim foi feito, mas o resultado não foi aprovado pelo ex-governador, que o recusou. O assunto foi esquecido até que, alguns anos depois, quando Mr. Lea e Mr. Perrins estavam arrumando o porão, o tonel foi encontrado. Ao provarem seu conteúdo, constataram que era excelente. Eles ainda tinham a receita, e começaram a produzi-la para consumo local. O molho se tornou popular tão rapidamente que dez anos mais tarde já era utilizado nas casas de muitas famílias nobres, e os boticários passaram a exportá-lo. Sua fama logo se espalhou pelo mundo, através dos comandantes dos primeiros barcos a vapor. Em junho de 1843, por exemplo, registrou-se que "a cabine do *The Great Wester* foi abastecida com o molho inglês Lea & Perrins, apropriado a todo tipo de pratos – da tartaruga à carne bovina, do salmão a *steaks*, dando a todos um sabor de destaque. Tenho grande prazer em recomendar esse excelente molho aos capitães e passageiros como o melhor acompanhamento do gênero para qualquer viagem". O molho inglês se presta a preparados para curar ressacas.

Hoje, é fabricado em muitos países, e a receita original ainda é usada. Na verdade, a fábrica Lea & Perrins, em Worcester, ainda usa a mesma esplêndida máquina de aço fundido e madeira que, ao lado dos armazéns subterrâneos repletos de barris de molho em maturação, transmitem a atmosfera de uma vinícola, apesar do aroma de vinagre e especiarias.

O molho inglês é delicado, picante e foi muito popular no tempo da Companhia das Índias. A base é vinagre, soja e melaço, e contém o sumo de anchovas salgadas com pimenta-malagueta, gengibre, echalotas e alho; no total, mais de 20 frutas tropicais e condimentos diferentes. Não é um molho cozido, mas um produto de maceração envelhecido em barris de carvalho, por um longo período, como era feito no porão dos boticários.

É provável que o uso mais difundido no mundo desse molho seja nos bares para temperar suco de tomate e, como já mencionamos, para reanimar pessoas com ressaca (por exemplo, no *prairie oyster*, gema de ovo temperada e engolida inteira). Mas uma olhada em antigas correspondências mostra que o molho inglês foi usado por um número surpreendente de grandes *chefs* como um de seus "segredos". É claro que não há nada pior que o uso excessivo do molho para disfarçar um prato ruim, mas ele é um tempero valioso quando usado com habilidade e moderação. Há quem defenda o seu uso em quase todos os pratos: sopas, peixe, mariscos, carne, caça, aves, ovos, queijo, tempero para salada e molhos. Os cozinheiros fazem bem em ficar longe dos temperos industrializados, mas um item que foi tão popular, que não muda há mais de um século e é utilizado por *chefs* de tantos países deve ser uma exceção. Na verdade, podemos quase dizer que o molho inglês tornou-se um ingrediente natural básico.

MOLHO TABASCO

O molho Tabasco – famoso e extremamente picante molho de pimenta-vermelha – é feito de uma variedade de pimenta mexicana pequena que foi levada para a Louisiana em 1868 por um soldado que voltava da guerra. É bastante útil no bar, na mesa e na cozinha, sendo o mais famoso e um dos mais importantes molhos industrializados.

MORINGA

Acácia-branca, quiabo-de-quina

BOT: *Moringa oleifera (Moringa pterygosperma)*
FAM: Moringáceas
ING: *Horseradish tree, ben tree, drumstick*
ITA: *Moringa*

Árvore pequena com flores brancas perfumadas que cresce selvagem nas florestas do Himalaia ocidental. É cultivada comumente na Índia e no sudeste da Ásia, e em menor escala na região sul dos Estados Unidos. Desenvolveu-se de forma silvestre nas Antilhas. Seu principal uso comercial é para a produção do óleo denominado bem, obtido de suas sementes.

Na Inglaterra, também recebe o nome de *drumsticks* [baquetas] por causa de suas vagens compridas, que apresentam nove nervuras e chegam a atingir 45cm de comprimento. Embora bastante fibrosas, quando cozidas têm um sabor de carne e são bem peculiares nos *curries* vegetarianos da Índia. As folhas pequenas também são usadas em *curries* ou trituradas com manga verde e cebola para temperar *chutneys*. O nome em inglês, *horseradish tree* [literalmente árvore-do-rábano], vem de sua raiz ser tão ardida quanto a raiz-forte (ou rábano-picante), e às vezes usada como condimento.

MOSTARDA

ALE: *Senf*
ESP: *Mostaza*
FRA: *Moutarde*
ING: *Mustard*
ITA: *Senape**

A mostarda – o condimento – é feita à base das sementes de três plantas da família do repolho. Duas delas estão estreitamente associadas, possuem pequenas sementes re-

---

* Em italiano, a palavra "*mostarda*" geralmente se refere a uma conserva de frutas num xarope aromatizado com alho e mostarda conhecido como *mostarda di frutta* – uma especialidade de Cremona, disponível em lojas italianas, excelente para acompanhar carnes frias e enguias.

dondas de cor escura e são conhecidas como mostardas-pretas ou marrom; a outra, conhecida como mostarda-branca, possui sementes maiores de cor amarelo-ocre. As três mostardas têm características substancialmente diferentes. Como ocorrem confusões no emprego dos nomes populares na língua inglesa nos Estados Unidos e na Inglaterra, é melhor nos referirmos a essas plantas usando primeiro seus nomes latinos.

***Nigra*, mostarda-preta** ou **mostarda-negra** (na Inglaterra também é chamada mostarda-marrom). Originária provavelmente do Oriente Médio, apesar de algumas vezes ter sido considerada nativa da Grã-Bretanha. Indiscutivelmente naturalizou-se na América do Norte. A semente desta planta era a base da maioria das mostardas até o final da Segunda Guerra Mundial, mas por ser uma planta grande que atinge cerca de 3m de altura, e também porque quando maduras as sementes caem com muita facilidade, mostrou-se inadequada para o cultivo mecanizado em grande escala. Hoje é cultivada apenas em algumas regiões, em pequenas propriedades agrícolas onde a colheita manual com foice ainda é possível. A Sicília e a Etiópia são alguns desses lugares.

***Juncea*, mostarda-marrom,** também conhecida por mostarda-indiana, mostarda-da-china e, às vezes, mostarda-preta. As sementes dessa mostarda, embora de cor mais clara, podem por vezes ser confundidas com as de *Brassica nigra* por alguém que não seja especialista. A planta é bem menor, alcançando cerca de 1,50m de altura, e é mais adequada aos métodos mecanizados de colheita. Por esse motivo, seu cultivo suplantou o da mostarda-preta. Mas a mostarda *juncea* tem apenas 70% da pungência da *nigra*, apesar de o sabor ser bem similar. A *Brassica juncea* tem três locais de origem: a China, a Índia e a Europa (Polônia). Isto nos interessa porque as sementes de plantas da linhagem indiana possuem um sabor "rústico", próprio da culinária local mas menos frequente nas mostardas europeias de melhor qualidade. Portanto, é um engano chamar a *Brassica juncea* de "mostarda-indiana".

***Alba*, mostarda-branca,** também chamada de mostarda-amarela nos Estados Unidos, é parente próxima da

Mostarda-preta, mostarda-negra
BOT: *Brassica nigra*
FAM: Crucíferas
ALE: *Schwarzen Senf*
ESP: *Mostaza negra*
FRA: *Moutarde noir, sénevé*
ING: *Nigra ou black mustard*
ITA: *Senape nera*

Mostarda-da-índia, mostarda indiana, mostarda-chinesa, mostarda-marrom
BOT: Brassica juncea
ALE: *Rutensenf, Sareptasenf*
ESP: *Mostaza de Indias*
FRA: *Moutarde de Chine à feuille de chou, moutarde jonciforme*
ING: *Juncea ou brown mustard*
ITA: *Senape indiana*

Mostarda-branca, mostarda-clara, mostarda-dourada
BOT: *Sinapis alba* (*Brassica alba* ou *Brassica hirta*)
ALE: *Echter* ou *Weißer Senf*
ESP: *Mostaza silvestre*
FRA: *Moutarde blanche*
ING: *Alba* ou *white mustard*
ITA: *Senape bianca*

mostarda-selvagem (*Sinapsis arvensis*, em inglês *charlock* ou *wild mustard*). Cresce de forma silvestre tanto na Inglaterra quanto nos Estados Unidos, sendo provavelmente nativa da região do Mediterrâneo. Essa é a mostarda da tradicional salada de mostarda e agrião, mas comercialmente, hoje em dia, é substituída por outra crucífera, a colza (*Brassica napus*). A semente da *Sinapis alba* não é tão picante, carece do "típico sabor de mostarda". É muito empregada nas mostardas norte-americanas em pasta, um pouco na mostarda inglesa, mas proibida na mostarda de Dijon.

A pungência da mostarda se deve a um óleo essencial que não está presente na semente fresca ou no grão moído seco, mas que se forma quando os grãos triturados são misturados com água. Uma enzima faz com que um glicosídeo (uma substância amarga quimicamente relacionada com o açúcar) reaja com a água, fazendo aflorar o sabor picante da mostarda (compare com as amêndoas-amargas). Após misturar as sementes com a água é preciso aguardar um tempo para que a reação aconteça e um forte sabor se desenvolva. Se qualquer coisa afetar a enzima, não só a pungência não vai se desenvolver adequadamente, como também se poderá obter um glicosídeo não convertido, que é amargo. Enzimas podem ser afetadas com muita facilidade: elas se comportam quase como se fossem vivas. Algumas são mais sensíveis que outras, mas em geral elas "morrem" na água fervente e são inibidas por sal e vinagre.

Isso explica por que a mostarda em pó deve ser misturada com água fria e descansar por 10 a 15 minutos antes de ser usada. A mistura com água fervente, que alguns livros recomendam, mata a enzima e produz uma mostarda mais suave, porém amarga.

A mostarda também não deve ser misturada com vinagre, ou seja, de preferência não se deve colocá-la seca na maionese, a não ser que se deseje uma mostarda suave e amarga.

Uma vez que os óleos essenciais tiverem tempo para se desenvolver, eles não mais se degradarão quando adicionados ao sal e ao vinagre, ou mesmo aquecidos, embora, por serem muito voláteis, possam evaporar facilmente. Para preservar o sabor ardido da mostarda em pratos cozidos, adicione-a por último e cozinhe em fogo brando.

A mostarda-branca (*alba*) possui grãos menos aromáticos, mas suas enzimas são fortes e não são afetadas tão facilmente quanto as enzimas da mostarda-preta. Ela é também um poderoso conservante que inibe o bolor e as bactérias, sendo por esse motivo incluída em conservas. Além disso, contribui para a emulsificação e ajuda a evitar que a maionese desande.

Sementes de mostarda são empregadas como especiaria há milhares de anos. Os antigos gregos e romanos a utilizaram, e elas são mencionadas mais de uma vez na Bíblia. Naqueles dias, eram simplesmente trituradas e salpicadas sobre o alimento – um modo de usar não muito eficiente. Mais tarde, em particular na França, a mostarda tornou-se a base de preparos mais complexos, triturada com mel e vinagre ou misturada com mosto de uva. Embora não se tenha certeza, considera-se comumente que as palavras "mostarda" e "*moutarde*" têm origem na expressão latina *mustum ardens*, que significa "mosto ardente". Outras derivações incluem *moult ardre*, "muito ardente". Mas a que eu prefiro vem de Dijon. Um dos lemas dos duques da Borgonha é "*Moult tarde*", que os borgonheses, com o senso de humor típico dos franceses, dizem significar "queima tudo". Os visitantes de Paris podem ter interesse em saber que cerca de mil anos atrás os monges de Saint-Germain-des-Prés eram famosos pelo cultivo da mostarda. Certamente todos os amantes da mostarda gostariam de ter sido convidados para a festa promovida pelo duque de Borgonha em 1336, quando foram consumidos 265 ℓ de mostarda de uma só vez! Foi um borgonhês chamado Bornibus que descobriu um método para prensar a mostarda em placas secas. Essas placas foram manufaturadas em Dijon até o século XVII. Em 1634, os fabricantes de vinagre e mostarda dessa cidade receberam a concessão de exclusividade na fabricação da mostarda e, em troca, tinham que "usar roupas limpas e sóbrias", além de só poderem manter uma loja na cidade, para que não houvesse dúvidas sobre a procedência de um eventual produto de má qualidade. Eles também tinham que colocar seus nomes nos tonéis e potes de pedra. A partir de 1937, a mostarda de Dijon se tornou uma denominação controlada pela lei francesa. Ainda hoje, Dijon fabrica metade da produção mundial de mostarda.

Na Inglaterra, o uso da mostarda foi provavelmente introduzido pelos romanos. Ao mesmo tempo em que na França o duque de Borgonha organizava suas esplêndidas festas, a mostarda inglesa era processada em pequenos moedores (um deles é mencionado num inventário de uma casa de Cornhill, datado de 1356, e pertencia a um cavalheiro com o romântico nome de Stephen le Northenes). Mais tarde, porém, as sementes passaram a ser moídas pelos moleiros, vendidas ou em pó ou preparadas em pasta e comercializadas em potes de cerâmica forrados com papel pergaminhado. Na época de Shakespeare, Tewkesbury era o famoso centro da pasta de mostarda na Inglaterra, inspirando o verso "sua sagacidade é tão densa quanto a mostarda de Tewkesbury" (*Henrique IV*, parte 2).

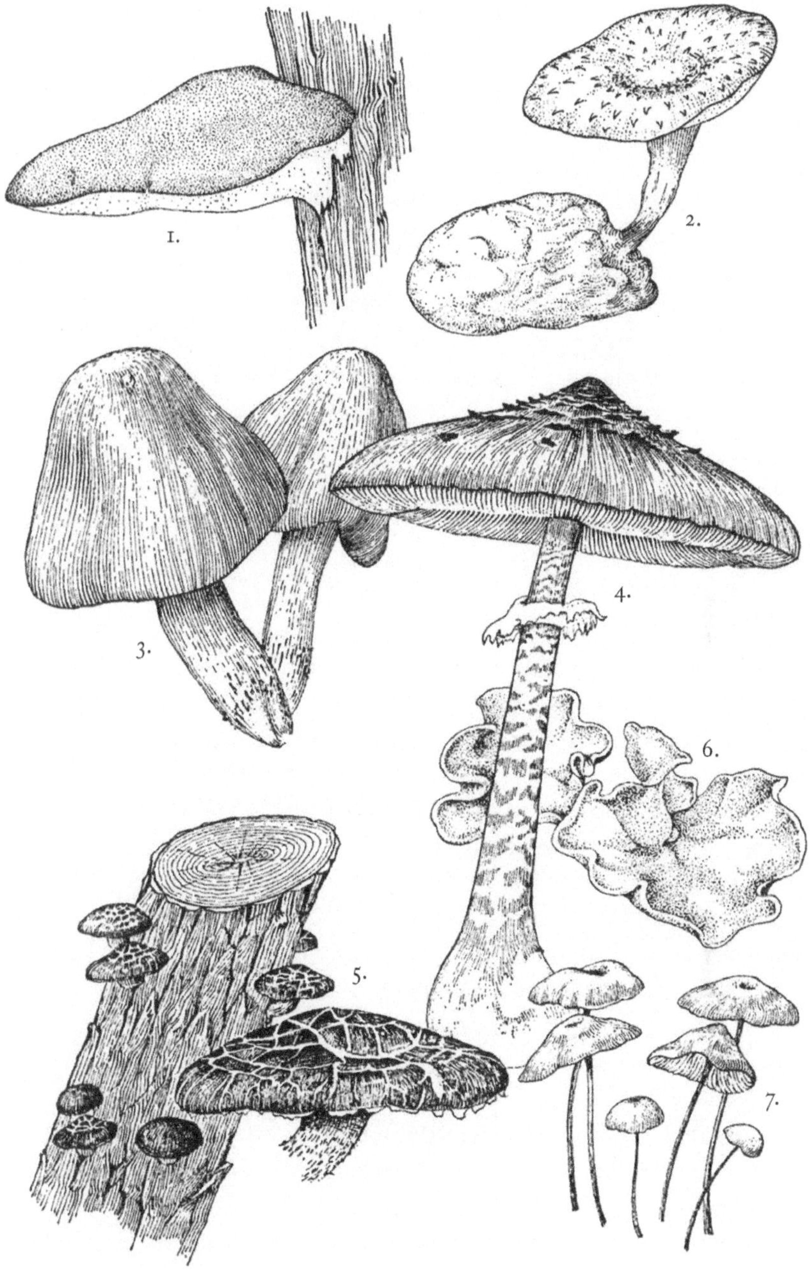

Cogumelos: 1. *Fistulina hepatica* 2. *Pietra fungaia* 3. Aegerita 4. Cogumelo-de-chapéu 5. *Shitake* 6. Orelha-de-judas 7. Cogumelo-da-montanha

Os ingleses passaram pelos mesmos problemas que levaram os franceses a legislar sobre Dijon, como podemos constatar no seguinte artigo de Sir Hugh Plat, *Delightes for Ladies*, escrito na segunda metade do século XVII: "Em Veneza, é comum a venda da farinha de mostarda nos mercados, como fazemos com a farinha de trigo e de cereais na Inglaterra: esse pó se torna uma excelente mostarda dois ou três dias depois de adicionarmos vinagre a ele, mas seria bem mais forte e de melhor qualidade se fosse peneirado para separar o resíduo de cascas, o que pode ser feito com facilidade se você secar os grãos no calor antes de triturá-los. Os moedores manuais de ferro holandeses, ou um moedor de pimenta comum, podem servir para esse propósito. Achei muito necessário publicar essa maneira de preparar seu próprio molho porque a mostarda que compramos no Chandlers hoje em dia muitas vezes é feita com vinagre tão sujo e de má qualidade que o nosso estômago ficaria embrulhado se pudéssemos vê-lo antes de ser misturado às sementes."

Do século XVIII em diante começaram a ser definidos os tipos comuns de mostarda usadas atualmente.

Mostarda inglesa. Na Inglaterra, a mostarda se desenvolveu primeiro como o pó para ser misturado com água em casa. No início do século XVIII, em Durham, uma senhora chamada Clements desenvolveu um método para preparar mostarda com um pó mais fino e com uma aparência muito melhor. Sua mostarda, conhecida como a mostarda de Durham, logo recebeu a aprovação da família real e tornou-se famosa. O centro da mostarda deslocou-se de Tewkesbury para Durham.

Cem anos depois, no início do século XIX, um jovem moleiro de Norwich, Jeremiah Colman, começou a se interessar pela mostarda, e em meados daquele século montou uma fábrica inteiramente dedicada ao seu preparo. Nela, o grão era pulverizado por uma série de pilões enormes e o pó fino era separado do farelo usando-se uma peneira de seda finíssima, especialmente tecida no lugar. Hoje, o nome Colman é praticamente sinônimo da mostarda inglesa, a sede ainda existe no mesmo local e a planta é cultivada por agricultores da Ânglia Oriental a partir de sementes selecionadas pela empresa.

A mostarda inglesa do tipo tradicional consiste de grãos de mostarda-preta (*nigra*) moídos sem casca, misturados com grãos de mostarda-amarela ou branca (*alba*) e um pouco de farinha de trigo, que realça as características do pó da mostarda absorvendo parte da oleosidade natural das sementes. Algumas vezes adiciona-se um pouco de cúrcuma para intensificar a cor. Essa mostarda é conhecida como

Double Superfine. Uma mostarda semelhante é a Warranted Pure, na qual a mostarda-amarela (*alba*) substitui a farinha de trigo. É utilizada em hospitais para pacientes alérgicos e também nos Estados Unidos e outros países onde a legislação alimentar proíbe totalmente o uso da farinha de trigo na fórmula do produto. As pessoas mais velhas que reclamam que "não se faz mais mostarda inglesa picante como antigamente" devem procurar a causa disso não no uso de farinha de trigo, que é tradicional, mas no fato de que nos dias de hoje a mostarda-preta teve que ser substituída pela *juncea*, que é menos picante.

A mostarda inglesa, quando produzida corretamente com água fria e deixada em descanso pelos dez minutos necessários para desenvolver o sabor, é distinta e picante. Na Inglaterra tornou-se um clássico com rosbife e presunto, mas no passado ela era comumente utilizada para acompanhar outras carnes. Também é um condimento muito útil na culinária para aqueles que preferem consumi-la como um tempero por não conter sal, vinagre nem ervas fortes ou outras especiarias. A mostarda inglesa geralmente acompanha *welsh rarebit* com queijo derretido, molhos para peixe e vegetais, principalmente os da mesma família da própria mostarda, como a couve-flor, a couve e o repolho. Na maionese e nos molhos para saladas ajuda a estabilizar as emulsões, além de acrescentar o sabor picante. Quando envelhecida, a mostarda perde grande parte de seu óleo essencial e, portanto, de sua pungência. Já a mostarda em pó retém seus poderes, desde que não fique úmida.

Mostardas francesas. A mostarda em pó foi produzida em Dijon até o final do século XVII e a pasta de mostarda, na Inglaterra na época de Shakespeare. Mas as preferências nacionais se cristalizaram, de forma que, apesar de hoje grande parte da mostarda utilizada na Grã-Bretanha ser seca, a maior parte da mostarda consumida na França e em todo o continente europeu e nos Estados Unidos é em pasta. Porém existem alguns indícios de que a moda na Inglaterra esteja mudando.

Os dois principais tipos de mostarda utilizados na França são a Dijon clara ou mostarda-branca e a mostarda Bordeaux, mais escura. Embora a Dijon represente cerca de 85% da mostarda consumida na França, na Inglaterra o tipo comumente conhecido como "mostarda francesa" é o Bordeaux mais escuro. Isto se deve ao fato de que Bordeaux foi o principal porto de onde o vinho francês era exportado para a Inglaterra, e os carregamentos eram frequentemente acompanhados de remessas de mostarda escura temperada com estragão, fabricada em Bordeaux. Portanto, como dizem os borgonheses, "consequentemente, muitos ingleses eram privados não apenas do vinho da Borgonha, mas também da mostarda de Dijon". A mostarda de Bordeaux é escura porque contém a casca das sementes, agridoce devido ao vinagre e açúcar e rica em estragão, outras ervas e especiarias. É suave e "inferior na classificação", não tem um sabor puro e é bastante inadequada para o consumo com alimentos nos quais deva realçar o sabor e não mascará-lo, como por exemplo na carne grelhada. É mais adequada para ser usada com carnes frias e salsichas. Ocasionalmente é utilizada como tempero em molhos para saladas. A mostarda de Dijon é de cor clara, penetrante e salgada, não é doce e tem um sabor típico, forte e picante (embora não seja tão condimentada quanto a mostarda inglesa). Feita à base de *nigra* (e atualmente também da mostarda *juncea*), é moída úmida com agraço, o sumo de uva verde, até formar uma pasta muito fina, e não contém estragão, embora as imitações feitas fora da França provavelmente o usem. É de cor clara porque, como na mostarda inglesa, a casca escura das sementes é retirada.

As mostardas de Dijon têm um sabor excepcionalmente puro que pode acompanhar carne ou qualquer outro prato cujo gosto não deva ser mascarado. Também são as mostardas a serem empregadas nos molhos franceses, a menos que existam instruções especiais para não fazê-lo. Na França são sempre usadas na culinária. As marcas mais conhecidas são a Amora (a maior produtora), Grey-Poupon de Dijon (fundada em 1777) e Bornibus Maille (1747). A Olida, fabricada em Yvetot, na Normandia, também é bem conhecida, assim como a Louit, de Bordeaux. Existem muitos pequenos fabricantes nos arredores de Dijon, preferidos por alguns *connoisseurs* locais. Enquanto escrevia este livro degustei aproximadamente 30 tipos diferentes de mostarda, e as variações são muito interessantes. Além dos tipos clássicos Dijon e Bordeaux, há algumas outras mostardas francesas importantes. Uma delas, Moutarde Florida, é clara, pura e muito suave, à base de vinho de Champagne. Eu a descreveria como uma mostarda para mulheres. Outros tipos interessantes são a mostarda de páprica da Louit, temperada com pimenta-vermelha do País Basco, e a Moutarde aux Jus de Fruits Rouges, da Maille, de cor vermelha tão pronunciada e sabor tão suave que quase não se justifica chamá-la de mostarda, embora seja ácida e aromática, com um gosto próximo do anis. Esses tipos extravagantes de mostarda estão em voga.

E não podemos deixar de mencionar a mostarda alemã, que se harmoniza tão bem com as salsichas locais. Em linhas gerais tem o mesmo tipo que a mostarda de Bordeaux, com a cor escura, sabor agridoce e condimentada com ervas e especiarias. Düsseldorf é o grande centro alemão da mostarda. Além disso, existe uma interessante mostarda inglesa em pasta desenvolvida na virada do século XIX para o XX e conhecida como Savora. Bem suave, mas aromática e muito diferente dos outros tipos de mostarda, hoje é usada especialmente na América do Sul, embora também seja popular na Europa continental, sendo fabricada em Norwich e em Dijon. No Brasil, as mais apreciadas são as francesas Maille e Vilux, embora se produzam boas mostardas no sul, em Santa Catarina. Finalmente, existe o tipo de mostarda em pasta mais popular nos Estados Unidos, que é suave, baseada geralmente na *alba* e um pouco parecida com um molho encorpado de picles. É o tipo usado com cachorro-quente. É importante usar a mostarda certa para cada situação, e inúmeros restaurantes cometem verdadeiros "crimes" neste quesito.

Mostarda em grão. As sementes de mostarda-branca (*alba*) são comumente utilizadas para temperar conservas. No Oriente, sementes de mostarda-preta (*nigra*) e de mostarda-chinesa (*juncea*) são mais usadas nos *curries* e nas conservas. As receitas indianas frequentemente mandam colocar as sementes inteiras no *ghee* (manteiga clarificada ou gordura vegetal) quente, até começarem a estalar. São usadas assim como um acompanhamento para vários pratos locais. Esse tipo de tratamento destrói as enzimas e não permite o desenvolvimento de um sabor muito picante; na verdade, o que se desenvolve é um agradável sabor de nozes, ou mais parecido com o das sementes de papoula. Mesmo assim, a mostarda é extremamente importante para se obter o sabor correto em alguns pratos da culinária vegetariana indiana.

O óleo de mostarda é um óleo gorduroso usado na cozinha e obtido pela prensagem dos grãos da mostarda-do-campo (*Brassica campestris*, em inglês *field mustard*), colza (*Brassica napus*) e outras variedades já mencionadas. O subcontinente indiano produz cerca de 40% do suplemento mundial desses óleos, que são muito importantes na culinária local, especialmente nas de Bengala, do norte da Índia e do Paquistão. Nomes locais: *rai* (mostarda), *sarson* (mostarda-do-campo), *toria* (colza).

Apesar de não ser um óleo essencial, seu sabor e aroma são bastante característicos quando é utilizado como óleo de cozinha. Ele não é picante, pois, mesmo em estado bruto, se for aquecido a ponto de soltar fumaça qualquer óleo essencial de mostarda que contenha irá se evaporar. Se uma receita indiana pedir óleo de mostarda, o sabor não será o mesmo se for substituído por outros óleos. O óleo de mostarda pode ser adquirido na maioria das lojas especializadas em produtos indianos.

Mostardas: folhas e talos. A planta tenra – no estágio de cotilédone – da mostarda-branca (*alba*) é usada na tradicional salada de mostarda e agrião. Hoje ela vem sendo substituída pelo nabo. As plantas da mostarda-preta (*nigras*) e da mostarda-chinesa (*juncea*) são muito pungentes e saudáveis em saladas, agradando aos apreciadores de paladar acentuado. Os romanos usavam as folhas de mostarda como vegetal refogado. Existem muitas outras plantas da família do repolho e das couves (*brassicas*) conhecidas por mostardas, por exemplo a couve-chinesa ou repolho-chinês, que são vegetais, e não estão dentro do escopo deste livro.

MURTA-CHEIROSA

Murta-das-noivas

BOT: *Myrtus communis*
FAM: Mirtáceas
ALE: *Myrte*
ESP: *Arrayán, mirto*
FRA: *Myrte*
ING: *Myrtle*
ITA: *Mirto, mortella*

A murta é uma planta com flores e folhas perfumadas que pode ser encontrada nas montanhas da Espanha, Itália, sul da França, norte da África e Oriente Médio. Assim como o alecrim e o árbuto, ela perfuma o ar das encostas mediterrâneas e para muitos poetas simboliza o céu azul e o calor dessas regiões.

Sempre verdejante, com galhos finos e retos e folhagem densa, a murta é um arbusto perene que fica carregado de lindas flores brancas e, no final do verão, de bagas roxo-escuras com aroma refrescante. Antigamente, essas bagas eram desidratadas e usadas como pimenta. O sabor, no entanto, é levemente resinado e doce, fazendo lembrar o zimbro.

A murta é um condimento das montanhas secas, ambiente onde se desenvolve, e é usada principalmente pelos pastores de ovelhas, que colocam os galhos nas fogueiras sobre as quais assam a carne de cordeiro. As folhas também são utilizadas para aromatizar carne de porco assada e pequenas aves, que são uma fina iguaria nos países mediterrâneos. Por isso, normalmente envolve-se ou recheia-se a carne já cozida com as folhas de murta, o que intensifica o aroma enquanto se aguarda o momento de levar o prato para a mesa.

N

NIGELA

Cominho-preto

BOT: *Nigella sativa*
FAM: Ranunculáceas
ALE: *Schwarzkümmel*
ESP: *Neguilla, pasionara*
FRA: *Cheveux de Vénus, nigelle*
ÍNDIA: *Kala jeera, kalonji*
ING: *Nigella, devil-in-the-bush, fennel flower, love-in-a-mist*
ITA: *Nigella*

Um tipo discreto e não ornamental de nigela é cultivado por suas sementes pretas, usadas como condimento no Egito, no Oriente Médio, na Índia e, em menor quantidade, na Europa e na África. São ligeiramente picantes, com um sabor aromático bem exótico, e empregadas como um substituto da pimenta-do-reino e do cominho, sendo salpicadas sobre pães e bolos. Na Índia, algumas vezes são chamadas de *kala jeera* ou *kalongi* (cominho-preto) e confundidas com a variedade negra do cominho-verdadeiro, mas existe muito pouca semelhança em termos de sabor entre as duas. Na França, a nigela cultivada é também conhecida como *quatre-épice* ou *toute-épice*. É interessante experimentá-la, embora não seja um condimento muito importante na Europa e nos Estados Unidos.

A semente de nigela também é frequentemente confundida com a da cebola, por serem muito parecidas. A semente de cebola tem sabor pouco acentuado, e eu nunca consegui saber se as lojas que vendem sementes de cebola como semente de nigela estão cometendo um engano ou se intencionalmente as vendem como substitutas.

NOYEAU

Creme de noyeau

Em francês, *noyeau* significa "o caroço da fruta", e o *noyeau* ou *crème de noyeau* é um licor ou cordial feito da noz dos caroços de frutas como a cereja, a pera, o damasco ou a amêndoa-amarga, que desenvolvem um sabor amendoado amargo quando macerados na água.

O licor *noyeau* é produzido na Europa, mas diz-se que o de melhor qualidade é da Martinica. O processo geralmente envolve a maceração das nozes em álcool forte, que depois é redestilado para eliminar o cianureto. Se isso não for feito, o licor será tóxico. Na verdade, muitos o são, em quantidade.

O resultado final é um licor doce com forte sabor de amêndoas amargas. É muito bom como aromatizante, superior à essência de amêndoas. Os livros de culinária vitorianos, em particular, contêm receitas para a produção caseira do *noyeau* e de pratos nos quais ele é utilizado.

NOZ-DA-ÍNDIA

BOT: *Aleurites moluccana*
FAM: Euforbiáceas
ING: *Candlenut*
MALAIO: *Kemiri, buah kĕras*

A noz-da-índia é uma semente de casca dura produzida por uma bela árvore nativa da Malásia e dos arquipélagos da Oceania, hoje também cultivada em outros países de clima quente. O nome popular em inglês – *candlenut* (literalmente noz-vela) – deve-se ao fato de essas nozes oleosas, quando trançadas na nervura central das folhas de palmeira, serem utilizadas como velas rústicas. O fruto é cultivado por seu óleo, com o qual se fazem tintas, linóleo, sabão e outros produtos. O resíduo da prensagem do óleo e também o fruto fresco são tóxicos (assim como muitas eufórbias), mas após algum tempo a toxina desaparece.

A noz-da-índia, às vezes torrada, é habitualmente usada na culinária indonésia, onde, junto com especiarias incomuns como a galanga e o capim-limão, entra na composição de *curries* bastante diferentes das versões indianas. Podem-se utilizar também macadâmias ou amêndoas aferventadas, cujo sabor é mais apreciado na região.

NOZ-DE-ARECA

BOT: *Areca catechu*
FAM: Palmas (Arecáceas)

O hábito de mascar bétel é muito comum na Ásia e onde há colonos indianos. Trata-se de um costume que vicia,

ALE: *Arecanuz*
FRA: *Noix d'arec*
ÍNDIA: *Supari*
ING: *Areca nut*
ITA: *Noce di areca*

como fumar, e um dos principais ingredientes dessas misturas para mascar é a noz-de-areca, que é estimulante.

A noz-de-areca é o fruto de uma palmeira originária da Malásia, reconhecível pelo tronco vertical muito fino e alto.

As nozes se desenvolvem em cachos com 100 ou mais unidades. Dentro de um invólucro fibroso, há uma semente do tamanho de uma noz de nogueira. Os cachos são cortados ainda verdes ("nozes tenras") ou quando estão amarelo-alaranjados ou mesmo bem vermelhos e maduros, o que resulta em dois produtos distintos.

As nozes verdes, na Índia chamadas *chikni*, são retiradas das cascas, fervidas para se remover o tanino e desidratadas ao sol. Já as maduras, chamadas *chali*, são desidratadas com casca até que a semente se desprenda, e só então são descascadas.

Quando inteira, a noz-de-areca lembra a noz-moscada; quando partida em dois (exceto se foi fervida), no centro é branca e cremosa, com intricados veios marrons. É extremamente dura, precisando ser picada para o consumo, tem pouco sabor e é muito adstringente. Por ser um artigo de grande importância no Oriente, viajantes ou visitantes de lojas indianas certamente se depararão com ela.

NOZ-DE-COLA

BOT: *Cola nitida (Cola acuminata)*
FAM: Esterculiáceas
ALE: *Kola*
ESP: *Cola*
FRA: *Cola, kola*
ING: *Cola, colah, kola, kolla*
ITA: *Cola*

As nozes-de-cola são muito utilizadas para mascar. Contêm grande quantidade de dois estimulantes alcaloides: cafeína e teobromina.

A árvore tem um tronco reto e chega a atingir entre 15m e 18m de altura. Embora seja nativa das florestas tropicais do oeste da África, hoje é cultivada nas Antilhas, no Brasil e na Ásia tropical.

Possui grandes folhas ovais e as flores são amarelas por fora, estriadas de vermelho no interior. A planta produz cachos de vagens, cada uma delas contendo várias nozes-vermelhas ou amarelas, que quando mastigadas mancham a boca.

O sabor das nozes-de-cola é inicialmente amargo e depois adocicado. Uma bebida simples pode ser feita reduzindo-as a um pó que em seguida é fervido em água por alguns minutos. Naturalmente, a cola é usada em várias bebidas não alcoólicas e também é adicionada a alguns vinhos para dar-lhes coloração e sabor. A essência de nozes-de-cola pode ser obtida para uso em bebidas ou para aromatizar cremes.

NOZES E CASTANHAS

Com exceção das amêndoas-amargas, é muito difícil decidir se nozes e castanhas devem ou não ser consideradas temperos. Frequentemente são incluídas nos pratos para dar textura, mas muitas vezes são, na verdade, um ingrediente básico. No entanto, nozes também fornecem um sabor extra, devendo talvez, por isso, ser mencionadas. Amêndoa, pinhões, pistache, amendoim e, como uma extravagância, a misteriosa ginkgo biloba, têm verbetes separados.

Castanhas doces. A castanha europeia comum – espanhola ou portuguesa – é a *Castanea sativa*, mas muitas outras espécies são cultivadas na América do Norte e até na China e no Japão. As castanhas silvestres se espalham por uma ampla área na Europa, mas é nos países do sul que o grande número de variedades aperfeiçoadas é cultivado. São centenas delas – algo do que poucas pessoas têm consciência. Variam quanto ao sabor, à doçura e à durabilidade, mas também quanto à facilidade com que a película marrom interna se solta, o que é importante, na avaliação da maioria dos cozinheiros. O truque é fazer um pequeno corte na ponta da casca e assá-las no forno: a casca então se partirá, podendo ser retirada. Mas em geral a película marrom adstringente e amarga ainda fica grudada na semente, especialmente nas variedades mais pregueadas. Às vezes, ela se solta se as castanhas forem fritas em um pouco de óleo quente; mas nas variedades piores nenhum tratamento removerá totalmente a película. É por isso que, mesmo experimentando os truques

Castanha, castanha-da-europa
BOT: *Castanea sativa*
FAM: Fagáceas
ALE: *Kastanie*
ESP: *Castaña*
FRA: *Châtaigne, marron*
ING: *Chestnut*
ITA: *Castagno*

Avelã
BOT: *Corylus avellana* e outras espécies de *Corylus*
FAM: Betuláceas
ALE: *Haselnuß*
ESP: *Avellana*
FRA: *Noisette, aveline*
ING: *Hazel nut, cobs, filberts, Barcelona*
ITA: *Nocciola*

Noz (de Natal)
BOT: *Juglans regia* (noz europeia)
FAM: Juglandáceas
ALE: *Walnuß*
ESP: *Nuez de nogal*
FRA: *Cerneau* (noz verde), *noix*
ING: *Walnut*
ITA: *Noce*

ensinados em livros, o resultado pode ser decepcionante. Seria melhor se as lojas nomeassem as variedades, do mesmo modo que fazem com maçãs.

As castanhas são a base de muitos pratos doces nos países do sul da Europa, especialmente na Itália, sendo usadas em molhos para carnes nos quais a sua doçura e cremosidade são o destaque. São utilizadas também para se fazer uma sopa, como guarnição ou ainda cozidas.

Avelãs. As castanhas desse tipo se desenvolvem silvestres onde quer que haja clima adequado na Europa, no Oriente Médio, na Ásia e na América do Norte. Há muitas variedades comerciais. Avelãs trituradas são especialmente usadas em chocolates e na confeitaria em geral, e também em pratos de carne, como o fígado. São ainda ingredientes da culinária do Oriente Médio. Assadas, conferem ao molho *romesco* seu sabor típico.

Nozes. A noz europeia é uma das muitas espécies encontradas em todo o hemisfério norte, geralmente nos países montanhosos, sendo ingredientes tradicionais da culinária do Velho Mundo e do Oriente Médio. (A pecã [*Carya pecan*] e outras nogueiras norte-americanas são aparentadas, têm sabor similar e são utilizadas principalmente em confeitaria.) As nozes verdes podem ser preparadas em conserva com vinagre, preservadas em calda ou transformadas em licores (*brou de noix*), ou, ainda, terem seu miolo macio saboreado com *verjus* ou vinagre, sal, pimenta e echalota. As nozes que estão quase maduras têm um sabor muito delicado. No Oriente Médio, geralmente são vendidas descascadas e embebidas em água gelada para que a película se solte com facilidade, ficando assim ainda mais delicadas e deliciosas. As nozes maduras são habitualmente usadas para aromatizar bolos, mas também aparecem em recheios e molhos para frango, como no frango *circassian*, prato do Oriente Médio, no *raito*, prato tradicional de bacalhau seco da Provença, e no *pesto* da Itália. O óleo de nozes era muito usado antigamente na França como óleo de cozinha e de salada, mas atualmente é um produto muito caro.

É importante selecionar com cuidado as nozes, pois existem muitas variedades de diferentes qualidades. Nunca esquecer que nozes velhas ficam rançosas.

Para leitores interessados nesse assunto específico recomenda-se o livro *Nuts*, do dr. F.N. Howes, que trata detalhadamente não apenas de nozes das regiões temperadas, mas também das espécies tropicais.

NOZ-MOSCADA

BOT: *Myristica fragrans*
FAM: Miristicáceas
ALE: *Muska, Muskatnuß*
ESP: *Moscada, nuez moscada*
FRA: *Muscade, noix de muscade* (Ilhas de Banda)
ING: *Nutmeg*
ITA: *Noce moscata*

Árvore de grande porte e perene, a noz-moscada é nativa de algumas ilhas da Indonésia e das Filipinas, mas atualmente cresce em outras partes dos trópicos, inclusive nas Antilhas e no Brasil. Os frutos maduros se parecem com grandes ameixas-amarelas que depois secam, racham e se abrem. No seu interior, uma espécie de "malha" de cor vermelho-vivo, o arilo, envolve a noz-moscada. Quando seco, esse arilo é conhecido como macis, uma valiosa especiaria.

A noz-moscada já estava na Europa por volta do século XII e obviamente era bem conhecida por Chaucer:

> Lá pululam ervas, grandes e pequenas
> O alcaçuz e a selvagem valeriana
> E cravos-da-índia em botão
> Noz-moscada para a *ale*
> Cerveja clara ou escura que seja.*

No entanto, foi somente depois da chegada dos portugueses às Ilhas Molucas (ou Ilhas das Especiarias), em 1512, que seu uso passou a ser generalizado. Nessa época, era uma das tão valorizadas especiarias que tantas disputas causaram, em acontecimentos narrados nos livros de história.

A noz-moscada pode ser escura ou clareada com o leite de cal empregado para afastar pragas. É comum usá-la ralada diretamente sobre o alimento na hora de servir, já que perde logo o melhor de seu aroma. Na culinária inglesa contemporânea é utilizada principalmente em bolos e pratos doces, mas também é importante em pratos salgados e de carnes. É ótimo condimento para salsichas e outros embutidos, do *haggis* à mortadela. Fica especialmente bem com o espinafre, sendo esta uma combinação

* "*There springer herbs grate and smalle/ The licoris and the setewole/ And many a clove girofle/ And note muge to put ale/ Whether it be moist or stale.*"

Ervas / plantas aromáticas: 1. Erva-cidreira 2. Hera-rasteira 3. Hisopo 4. Urtiga 5. Marroio-branco 6. Betônica 7. Bergamota 8. Ditamo

de sabores muito popular na Itália, quase sempre usada para rechear raviôli. E, como também combina com queijo, seu prestígio é grande naquele país. No Oriente é um tempero comum e, do mesmo modo que a canela, dá um sabor bastante especial à carne de carneiro. É essencial em muitos pratos condimentados do Oriente Médio e do Extremo Oriente, apesar de não ser muito usada em *curries*. Seu sabor é fundamental em molho de cebola.

Os ponches e as bebidas para serem tomadas à noite geralmente contêm noz-moscada, que possui propriedades levemente soporíferas. Na verdade, quando em grandes quantidades, ela é tóxica, e adicionada a bebidas alcoólicas tem seu efeito potencializado.

O

ÓLEO

Há três categorias de óleos: óleos minerais, não usados na cozinha; óleos gordurosos, usados para a culinária em geral e em saladas; e óleos essenciais, que são substâncias vitais aromáticas encontradas nas flores, ervas, frutas e especiarias e usadas em perfumaria e medicina.

Óleos gordurosos. Possuem bem pouco sabor próprio, mas podem conter traços de outras substâncias que lhes conferem o gosto. Nos óleos mais delicados e tradicionais, como o de oliva, encontra-se no final um sabor natural da azeitona que, nos óleos refinados, é eliminado por processos a vapor e a vácuo. Assim, os óleos perdem a sua individualidade e deixam de ser facilmente distinguíveis, podendo ser misturados ou substituídos uns pelos outros.

Porém, em lugares onde os óleos são extraídos pelos métodos tradicionais, ou onde existe abundância de bons cozinheiros que não encaram as gorduras meramente como gorduras nem fazem misturas de todos os tipos, não há dúvida de que os óleos conferem sabores importantes à culinária regional. Muitas pessoas alertam para o fato de que em alguns países cozinha-se principalmente com óleo e em outros com banha de porco ou manteiga. No entanto, isto é uma diferenciação grosseira. Em algumas culinárias regionais evidencia-se a preferência por gorduras de ganso, porco, bacon ou galinha; em outras, pela manteiga... mas qual manteiga, já que existe grande diferença de sabor entre a delicada Alpina e a manteiga da Normandia, e mais acentuada ainda entre estas e o *ghee* indiano, manteiga clarificada geralmente feita de leite de búfala?

Com os óleos, podemos mais uma vez entrar no mundo dos sabores nacionais. Os azeites de oliva e de dendê, os óleos de semente de algodão, de gergelim, de coco, de papoula, de amendoim, de cártamo, de girassol, de mostarda e de amêndoas são mencionados nos respectivos verbetes. Das nozes de várias espécies de faias (*Fagus*) produz-se um ótimo óleo de salada, usado em algumas partes da França. Existem vários outros óleos de nozes excelentes, embora caros, como o extraído das nozes de Natal e de outras sementes oleaginosas menos conhecidas mas comercialmente importantes.

Óleos essenciais. Os óleos essenciais, ou óleos voláteis, têm composições químicas diversas e possuem duas coisas em comum, além da própria oleosidade: são aromáticos e voláteis, evaporando quando aquecidos (o que não acontece com os óleos gordurosos).

O óleo essencial é a mais importante de todas as substâncias aromáticas e pode ser extraído das ervas, flores ou especiarias que o contenham tanto por destilação quanto por dissolução em álcool. Os cozinheiros do passado, como nos tempos elisabetanos, interessavam-se muito pela destilação caseira. Um processo conhecido como *enfleurage* – no qual as pétalas são espalhadas sobre substâncias gordurosas ou cerosas apropriadas para a absorção dos delicados óleos aromáticos – é também muito utilizado em perfumaria, e isto deve ser de interesse do cozinheiro: manteiga e creme de leite podem ser facilmente aromatizados por esse método.

Os óleos essenciais mais voláteis sempre se perdem em qualquer cozimento que envolva fervura demorada ou em fogo alto. Por essa razão, é mais proveitoso adicionar algumas ervas e especiarias perto do final do cozimento ou evitar, sempre que possível, a fervura em fogo alto (como nas reduções) depois que elas tenham sido adicionadas. Por outro lado, o cozimento amacia as paredes celulares dos vegetais, ajudando a liberar os óleos voláteis e a dispersar o seu aroma pelo prato. Como é comum acontecer, há duas considerações conflitantes, e é preciso aprender a escolher entre os dois extremos.

A maioria dos óleos essenciais não se dilui na água, porém a gordura, o óleo de cozinha ou o álcool ajudam a extrair alguns óleos essenciais e, no caso das gorduras, a fixá-los. No entanto, o álcool é ele próprio volátil e evapora quase que completamente durante o cozimento.

Alguns dos óleos essenciais mais importantes não estão presentes no produto ao natural, mas se desenvolvem quando este é torrado (como os grãos de café), adoçado (como a baunilha) ou misturado com a água (como as amêndoas-amargas e a mostarda) (*ver* Café, Baunilha, Amêndoas, Mostardas).

ÓLEO DE SEMENTE DE ALGODÃO

BOT: *Gossypium*
FAM: Malváceas
ING: *Cottonseed oil*

Óleo extraído das sementes excedentes da indústria algodoeira. Os Estados Unidos são os maiores produtores mundiais e o óleo refinado e desodorizado é empregado na feitura de margarina e de óleo de cozinha, bem como para temperar saladas. No Oriente, em especial no Egito, um óleo menos refinado de semente de algodão é um dos mais populares na cozinha local, dando-lhe um sabor típico. Das sementes também é feita uma farinha com alto teor proteico.

ONONIDE

Gatunha, onone, resta-boi

BOT: *Ononis spinosa*
FAM: Leguminosas
ALE: *Hauhechal*
ESP: *Gatuña*
FRA: *Bugrane, bougraine, arrête-boeuf*
ING: *Restharrow*
ITA: *Anonide*

Comum na Europa, especialmente em solos calcários na Grã-Bretanha, é uma planta grosseira, peluda, com folhas verde-escuras e um caule vigoroso de trepadeira, geralmente espinhento. As flores se parecem com as da ervilha, pequenas e de cor vermelho-arroxeada.

John Gerard, o herborista, diz que "a raiz é longa, estende-se até muito distante e é muito forte e resistente, difícil de ser cortada em pedaços com o arado, tanto que os bois mal podem seguir adiante e são obrigados a parar; por esse motivo foi chamada de *re-plough* ou *rest-harrow* [numa tradução livre, descansa-arado, descansa-rastelo. O nome popular 'resta-boi', em português, faz a mesma menção.]". Ele também diz (aparentemente citando Dioscórides) que "os brotos tenros desse arbusto colhidos antes que os espinhos apareçam e preparados em conserva fazem um molho muito saboroso para se comer com carnes frias".

ORÉGANO

Orégão

BOT: *Origanum vulgare*

Erva de sabor acre usada principalmente para temperar a pizza napolitana. Hesito em usar o termo "acre" por ser essa, tecnicamente, a mesma planta que cresce selvagem entre pedras e em colinas e terrenos calcários na Grã-Bretanha, chamada de manjerona-selvagem e de sabor mais suave. Quando se desenvolve em locais de clima úmido e frio, o orégano não é muito picante e tem um sabor "de mato". Já o que cresce selvagem no sul da Itália tem sabor muito mais pronunciado do que a erva encontrada no norte do país. Nos mercados italianos em geral o orégano é vendido em maços, muitas vezes seco, mas os atacadistas não se mostram muito dispostos a divulgar o local de origem, considerando que isso é um segredo de seus negócios. Há vários tipos da erva, de acordo com o solo e o clima, a variedade ou a espécie. Para aumentar a dificuldade, em alguns países como o México o nome "orégano" é empregado para várias plantas com sabor semelhante que não estão relacionadas entre si botanicamente. No Brasil a erva desidratada, acondicionada em potes ou saquinhos, é comum nos mercados, mas também é encontrada fresca nas feiras das regiões leste a sul do país.

O orégano é especialmente importante na culinária italiana, e uma vez que é quase sempre utilizado seco a solução é comprar amostras de origem italiana. É usado com tomate, queijo, feijões, berinjelas, abobrinha, peixe, mariscos e carne. Também é adicionado na pimenta em pó industrializada mexicana e faz parte do tempero do prato mexicano de feijão *chilli*. É uma erva muito útil para aqueles que apreciam pratos com sabor forte.

FAM: Labiadas
ALE: *Oregano*
ESP: *Oregano*
FRA: *Origan*
ING: *Oregano, origan, wild marjoram*
ITA: *Origano*

P

PÂNDANO AROMÁTICO

BOT: *Pandanus tectorius, Pandanus odoratissimus*
FAM: Pandanáceas
FRA: *Pandanus*
ING: *Screwpine, nicobar bread-fruit, umbrella tree*
ITA: *Pandano*
SRI LANKA, ÍNDIA, MALÁSIA: *Keora, keori, kevara, kewara, kewda, kewra, keya, rampe*

Em receitas do sudeste da Ásia encontram-se várias referências ao pândano aromático, ou *kewra*. Pândanos são árvores dos pântanos tropicais, com copas umbeliformes e raízes aéreas, encontradas nos canais de águas represadas de Kerala e em lugares pantanosos e úmidos da Ásia, igualmente desagradáveis. No entanto, a inflorescência masculina tem um perfume exuberante (cuja descrição pode ser de odor de rosas com um toque de éter), tão encantador que as pessoas costumam jogar as flores nos poços dos vilarejos para perfumar a água que bebem – uma prática charmosa, se o objetivo não é mascarar os odores menos agradáveis.

A *kewra* é um dos sabores aromáticos usados com a noz-de-areca. No entanto, para uso culinário fora das regiões tropicais, o sabor de *kewra* só pode ser obtido em xaropes prontos, cordiais ou águas perfumadas. Esses artigos são vendidos em lojas de produtos indianos e usados em pratos doces, geralmente associados com água de rosas ou outros temperos exóticos como o sândalo, o *khas-khas* (vetiver) e o almíscar. Também é comumente colocado em *biriani*, um tipo de risoto indiano. O pândano aromático desidratado, em pedaços, é ingrediente do *curry*, especialmente no Sri Lanka.

PIMENTA-CHINESA

Pimenta-sichuan

BOT: *Xanthoxylum piperitum*
FAM: Rutáceas

Essa especiaria é pouco conhecida no Ocidente, porém é importante na China. É feita secando-se os frutinhos vermelhos de uma árvore pequena, espinhosa e de folhas delicadas. O sabor é picante e aromático. A *sichuan* integra o condimento *five spices*, sendo comumente usada com peixes e outros ingredientes de sabor forte.

ALE: *Anispfeffer*
CHI: *Faah jiu*
FRA: *Poivre de Sichuan*
ING: *Anise pepper, Chinese pepper, Japan pepper*
ITA: *Pepe d'anice*

PIMENTA-GRÃO-DO-PARAÍSO

Pimenta-da-guiné

Planta da família do cardamomo, nativa da costa e das ilhas tropicais do oeste da África, ao longo do golfo da Guiné, do Congo até Serra Leoa, região que já foi conhecida como a Costa da Pimenta. Embora seja cultivada em outras áreas tropicais, o maior produtor da especiaria ainda é Gana.

A planta atinge cerca de 2,50m de altura, possui folhas longas e flores vistosas semelhantes a orquídeas amarelas, profusas em longos cachos. As sementes marrons são usadas como especiaria e se formam dentro da polpa ácida de um fruto capsular alaranjado.

É bem picante e quente, tendo sido muito empregada antigamente na culinária como substituto da pimenta-do-reino e de outras especiarias. Também era usada com gengibre e canela para aromatizar o vinho condimentado chamado hippocras. Ainda hoje seu melhor uso é para equilibrar o sabor do vinho (*ver* Cardamomo).

Embora a pimenta-grão-do-paraíso não seja muito fácil de adquirir em mercearias na Europa, com algum empenho pode ser encontrada com boticários, e torna-se necessária para aqueles que apreciam experimentar receitas antigas. Ao Brasil, chegou no período colonial, mas desapareceu.

BOT: *Aframomum* ou *Amomum melegueta, Amomum granum paradisii*
FAM: Zingiberáceas
ALE: *Malagettapfeffer, Paradieskörner*
ESP: *Malagueta*
FRA: *Graines de paradis, malaguette, poivre de Guinée, maniguette*
ING: *Grains of paradise, Guinea grains, melegueta pepper*
ITA: *Grani di meleguetta, grani di paradiso, mani guetta*

PIMENTA-DA-JAMAICA

Essa especiaria é derivada de uma árvore nativa das Antilhas e da América Central. Hoje é cultivada em muitos países tropicais, mas cresce com tanta exuberância e pro-

BOT: *Pimenta dioica (Pimenta officinalis)*
FAM: Mirtáceas

ALE: *Jamaikapfeffer, Nelkenpfeffer*
ESP: *Baya* ou *fruta del pimento de Jamaica*
FRA: *Piment jamaïque, poivre aromatique, poivre de la Jamaïque, toute-épice*
ING: *Allspice, Jamaica pepper, myrtle pepper*
ITA: *Pimento*

fusão na Jamaica que a ilha é responsável pela maior parte do suprimento mundial. A árvore produz frutos de cor púrpura, que são coletados quando ainda verdes e depois secos ao sol, tornando-se marrons. Essa é a pimenta-da-jamaica que conhecemos e que parece uma pimenta-do-reino grande.

A pimenta-da-jamaica não é, como pensam aqueles que só a compram em pó, um composto de várias especiarias – embora seu sabor lembre bastante o do cravo, da canela e da noz-moscada misturados. É um tempero muito útil e, como outras especiarias, deve ser armazenada inteira, e não comprada já moída. Quando um prato pedir um tempero misto leve, uma ou duas sementes podem ser facilmente trituradas em um pilão. Cravo e canela são mais difíceis de serem triturados.

A pimenta-da-jamaica é utilizada em quase todos os países. Moída, é adicionada em tortas, e é uma especiaria comum em conservas; é bastante usada na Escandinávia, no preparo do arenque cru marinado. Também pode ser utilizada em *curries* e *pilaus*, apesar de não ser um ingrediente indiano tradicional. Muito consumida no Oriente Próximo e Médio, é o tipo de especiaria que todo cozinheiro deve ter na prateleira.

PIMENTAS E PIMENTÕES

Pimenta-do-reino, pimenta-negra, pimenta-preta
BOT: *Piper nigrum*
FAM: Piperáceas
ALE: *Pfeffer*
ESP: *Pimienta negra*
FRA: *Poivre*
ING: *Pepper, black pepper*
ITA: *Pepe nero*

Pimenta-branca
BOT: *Piper nigrum*
FAM: Piperáceas
ALE: *Weißerpfeffer*

Duas famílias botânicas completamente distintas produzem as especiarias picantes que chamamos de pimentas: as pimentas trepadeiras (*Piper*) e as pimentas-vermelhas (*Capsicum*).

Pimentas trepadeiras. São tropicais e nos fornecem a pimenta-do-reino verde, branca e preta, a pimenta-longa-da-índia (*Piper longum*, *Piper retrofactum*) e a cubeba (*Piper cubeba*), raramente encontrada no mercado europeu, além das folhas da bétel (*Piper betle*), que são mascadas com noz-de-areca no Oriente, da *Piper methysticum* e da *Piper excelsium*, de cujas raízes se faz a bebida exótica e tóxica das ilhas dos mares do sul, a *kava-kava*.

A trepadeira que produz a pimenta-do-reino verde, preta e branca é originária das florestas tropicais da região das monções na Ásia. Possui folhas verde-escuras e cachos alongados com bagas que inicialmente são verdes e depois, quando maduras, de cor vermelho-alaranjada forte. Hoje é cultivada na maioria dos países de clima quente e úmido – Índia, Indonésia, Sri Lanka, Madagascar e Brasil. Em geral se desenvolvem à meia sombra apoiadas em esteios de concreto ou sob árvores, como nas plantações de café.

A pimenta sempre foi uma especiaria importante, e era levada em caravanas para a Europa desde os tempos dos gregos e romanos. Além de condimento, foi usada em escambos, pagamentos de impostos e resgates durante um longo e interessante período da história. Veneza e Gênova enriqueceram com esse comércio. Foi a causa primordial da busca por uma rota marítima para o Oriente e a principal especiaria da Índia. Tornou-se um condimento básico na culinária da maioria dos países e, quando não é encontrada à mesa – como no Irã, onde o *sumac* (*ver*) e limões azedos em pó a substituem –, sente-se sua falta tanto quanto se sente do sal.

A boa pimenta ainda é especiaria muito cara, mas pimentas de baixa qualidade são vendidas em grande número. Uma vez que é tão importante, merece toda a atenção do cozinheiro. A pimenta é melhor se comprada em grãos, em parte porque, já moída, pode ser adulterada com muita facilidade (usa-se misturá-la com sementes de tâmara moída e outros condimentos), mas principalmente porque o aroma da pimenta é fugaz, e uma vez moída logo perde parte de seu sabor. Portanto, sempre compre a pimenta em grãos inteiros e triture-a usando um moedor adequado. Não se trata apenas de um capricho: a diferença é enorme.

Há inúmeras variedades de pimentas conhecidas no comércio. Distinguem-se pelo aroma, pungência do sabor, no tamanho e cor dos grãos, e os nomes mudam conforme seu local de origem. A maneira mais segura de se comprar uma boa pimenta é pedir e pagar pela melhor. No entanto, podem-se observar algumas dicas: a pimenta

ESP: *Pimienta blanca*
FRA: *Poivre blanc*
ING: *White pepper*
ITA: *Pepe bianco*

Pimenta-longa, pimenta-longa-da-índia, pimenta-longa-da-indonésia, pimenta-de-java
BOT: *Piper longum* (Índia) e *Piper retrofractum* (Java)
FAM: Piperáceas
FR: *Poivre long*
ING: *Long pepper*
ITA: *Pepe lungo*

Pimentas e pimentões
BOT: *Capsicum frutescens* e *capsicum annum*
FAM: Solanáceas

Pimenta-malagueta, pimenta-vermelha, chili, *chilli*, malagueta, peri-peri
BOT: *Capsicum frutescens*
FAM: Solanáceas
ALE: *Roterpfeffer*
ESP: *Chile, chilli* (México), *guindilla*
FRA: *Piment fort, piment-oiseau* (cumari), *piment rouge*
ING: *Chilli pepper, bird pepper*
ITA: *Diavoletto, peperoncino*

Pimenta-de-caiena
BOT: *Capsicum frutescens*
FAM: Solanáceas
ALE: *Cayennepfeffer*

ESP: *Cayena inglesa, pimienta de Cayena, pimienta picante (de la guindilla)*
FRA: *Cayenne, poivre de Cayenne, piment de Cayenne*
ING: *Cayenne pepper*
ITA: *Pepe di Caienna, pepe rosso picante*

Pimentões, pimentão-doce
BOT: *Capsicum annuum*
FAM: Solanáceas
ALE: *Paprika*
ESP: *Pimiento dulce, pimiento encarnado, pimiento morrone*
FRA: *Piment doux*
ING: *Sweet pepper, bell pepper*
ITA: *Peperone*

Páprica, pimentão-doce
BOT: *Capsicum tetragonum*
FAM: *Solanáceas*
ALE: *Paprika*
ESP: *Paprika*
FRA: *Piment doux d'Espagne*
ING: *Paprika*
ITA: *Paprika*

Pimenta-rosa, aroeira-mansa, aroeira-brasileira
BOT: *Schinus terebenthifolius*
FAM: Anacardiáceas
FRA: *Baie rose, poivre rose*

deve ser uniforme em tamanho e cor (indicando que foi selecionada), deve ser dura (não amassar quando comprimida com a unha) e não deve conter resíduos de talos e poeira – essa, deixe-a para os que compram a pimenta já moída. Como os grãos se conservam quase que indefinidamente, um bom negócio, quando encontrar uma boa pimenta, é comprar uma grande quantidade e estocar em potes de vidro.

A pimenta contém o alcaloide piperina, que é um estimulante – provoca fluxo de saliva e de suco gástrico, ajudando a digestão. Se destilada no vapor, obtém-se um óleo essencial com odor característico da pimenta, embora quase sem ser ardido. A pungência deve-se a uma substância resinosa não volátil presente na pimenta. Portanto, quando se gosta não só do sabor, mas também do aroma, este pode ser melhor apreciado se os grãos forem triturados na hora com um moedor especial e acrescentado ao fim do preparo.

Quando falamos de pimenta geralmente nos referimos à pimenta-do-reino ou pimenta-negra. Para produzi-la, os grãos são colhidos ainda verdes e simplesmente secados ao sol, transformando-se assim nos típicos grãos pretos ou marrom-escuros e enrugados da pimenta-do-reino que tão bem conhecemos.

A pimenta-branca se origina da mesma planta, mas os grãos, em vez de serem colhidos verdes e depois desidratados inteiros, são deixados amadurecendo no pé até ficarem vermelhos. Um tempo após a colheita são lavados e a casca e parte da polpa, retiradas; em seguida, os grãos são secos. Através de um processo mecânico de fricção, tira-se a camada externa escura da pimenta-preta, obtendo-se assim a pimenta-branca, que é, portanto, a pimenta-preta descascada.

A pimenta-branca tem aroma mais delicado que a preta, e seu principal uso é em molhos brancos. É adorada por vários *restaurateurs* convencidos de que seu sabor é melhor que o da pimenta-preta (na Espanha e na Itália já mais de uma vez discuti por esse motivo). Outros a escolhem simplesmente por ser mais cara. É uma questão de preferência pessoal. Para aqueles que consideram o sabor da pimenta-preta não muito refinado, talvez a pimenta-branca seja uma opção melhor.

Pimenta-mignonette. Na culinária francesa denomina-se assim a pimenta em grão moída grosseiramente e depois peneirada. Tanto pode ser feita de pimenta-preta quanto, mais frequentemente, da branca ou da mistura de ambas. A regulagem adequada do moedor de pimentas pode produzir resultados semelhantes.

As duas outras espécies de pimentas trepadeiras chamadas de pimentas-longas produzem minúsculas bagas secas estreitamente unidas formando cachos cônicos pretos de cerca de 1cm de comprimento. Essas pimentas já foram importantes na Europa, sendo hoje mais cultivadas e utilizadas na Índia, no Extremo Oriente e no Pacífico. O sabor de ambas as espécies é bem semelhante ao da pimenta-do-reino, porém ligeiramente mais doce. A pimenta-longa-da-índia pode constar entre os ingredientes de *curry* ou de conserva sob o nome indiano de *pipel* – o qual não guarda nenhuma relação com a árvore sagrada nativa da Índia, *pipal* (*Ficus religiosa*), um tipo de figueira selvagem.

As ***Capsicum***, ou pimentas-vermelhas, da mesma família da batata-inglesa e dos tomateiros (originária da América do Sul), nos fornecem também as *chillis* (como são chamadas em alguns lugares as malaguetas), os pimentões-vermelhos e de outras cores, a pimenta-cambuci, o pimentão-páprica e a pimenta-de-caiena. Muitas espécies de *Capsicum* crescem selvagens na América do Sul, especialmente no Brasil e no México, mas não há certeza quanto à origem dos ancestrais das pimentas *Capsicum* cultivadas, anteriores à chegada de Colombo à América. A maioria dos especialistas tende a pensar que todas as pimentas e os pimentões aculturados são variedades cultivadas de uma espécie original.

Essas pimentas eram desconhecidas fora das Américas antes da chegada de Colombo. Considerando que hoje só a Índia produz mais de 250 mil toneladas delas por ano, fica-se pensando como as coisas funcionavam antigamente. A malagueta brasileira cultivada na Índia foi levada para lá a bordo dos navios portugueses, no tempo das navegações.

Pode parecer estranho que não haja distinção muito clara entre as pimentas incrivelmente ardidas – chamadas *chilli* no mercado internacional – e os grandes pimentões carnudos e adocicados que usamos como vegetais. Na verdade, se procurarmos observar nos mercados de todo o mundo as centenas de variedades de *capsicum* frescos e secos oferecidas, conclui-se que a classificação culinária dentre as pimentas

Ervas aromaticas: 1. Tomilho 2. Sálvia 3. Tomilho-silvestre
4. Orégano 5. Orégano onito 5a. Flores de orégano onito
6. Segurelha-de-inverno 7. Segurelha-de-verão

e os pimentões só não é feita nos países do norte onde eles não são cultivados, e, comparativamente, são menos usados. Na Itália e na França são bastante apreciados. Existem pimentas e pimentões de várias formas e tamanhos, tanto picantes quanto adocicados, e com muitas variações de aromas. Alguns são adequados para secar, outros, muito polpudos. O recurso definitivo é chamá-los pelos nomes locais e certamente esquecer qualquer ideia de classificá-los por tamanho ou forma. Torna-se também impossível fazer uma simples tradução adequada dos nomes de um idioma para outro. No entanto, do ponto de vista culinário, uma vez que se tenha em mente que a aparência pode ser enganosa, é possível agrupar os *Capsicum* resumidamente de acordo com o uso.

Pimentas-vermelhas ou ***chillis*** são variedades picantes de *Capsicum* cultivadas nos países quentes, em regiões adequadas, no mundo todo. Variam enormemente em tamanho e formato – de pimentas minúsculas e arredondadas do tamanho de um dedo mínimo a variedades gigantes com quase 30cm de comprimento – e na pungência, de suaves a "vulcânicas". Quando maduras, geralmente são vermelhas, mas podem ser de cor creme, amarelas, alaranjadas ou mesmo preto-arroxeadas. São saudáveis se consumidas em quantidade moderada, além de estimulante digestivo e ricas em vitamina C. As mais ardidas podem ocasionar bolhas e provocar inflamação e inchaço dolorido na garganta e na língua dos incautos – especialmente as sementes ou pedaços de pimentas-vermelhas –, e nos países em que há grande consumo elas são quase sempre moídas ou polvilhadas cuidadosamente sobre a comida, com exceção das mais brandas. No entanto, aqueles que viajam para o sul da Índia e para o México logo descobrem que consumidores habituais de *chillis* acabam adquirindo imunidade. Lá os bebês (quase) tomam pimenta na mamadeira...

Essas pimentas são o tempero por excelência dos países quentes, mas na culinária ocidental costumam ser usadas em quantidades mais discretas, pois mesmo a polpa externa, em geral mais suave que as sementes e o miolo, é considerada picante demais por muitas pessoas. Certas variedades são excepcionalmente ardidas, em especial as pequenas pimentas conhecidas no Brasil, na América Central e na África como cumari, pimenta-malagueta ou peri-peri. Algumas dessas, mesmo que misturadas com uma boa quantidade de pimentas brandas, deixam-nas muito fortes. Como não podem ser avaliadas pela aparência, descobre-se a sua pungência apenas por dolorosas experiências.

Pimentas-verdes frescas, não amadurecidas, são encontradas nos mercados da maioria dos países de clima quente, e na Grã-Bretanha e nos Estados Unidos são vendidas em lojas de produtos das Antilhas ou da Índia ou em lojas de imigrantes. Elas devem estar firmes e verdes, nunca murchas ou começando a mudar de cor. Podem ser bem picantes ou brandas e geralmente têm um delicioso aroma cápsico, além da ardência. Embora não muito comuns na culinária europeia, ficam excelentes se partidas e polvilhadas sobre um bife grelhado, ou se a camada externa for raspada até a polpa com uma faca – o que acrescenta um toque especial a pratos como batatas *sauté*, e mesmo à maionese. Para aqueles que gostam de pratos apimentados, esse é um amplo campo para experiências. *Chillis* verdes são preferíveis aos secos na maioria das conservas, e sem dúvida teriam se tornado mais tradicionais nas culinárias ocidentais, como o são nas orientais, se estivessem à disposição com mais facilidade.

Quando necessárias para pratos indianos e do sudeste da Ásia, as pimentas-verdes frescas não podem realmente ser substituídas por *chillis* secos. Um uso particularmente delicioso é moê-la, até formar uma pasta, com coco e coentro fresco, ajustando o tempero com sal e suco de limão. Esse é um *chutney* indiano comum (*ver* Coentro).

Pimentas maduras frescas são geralmente vermelhas ou alaranjadas e devem amadurecer no pé. Essas são as indicadas para se fazer o molho ou a pasta de *chilli*. É fato que o molho Tabasco e muitas outras marcas do verdadeiro molho de pimenta podem ser comprados prontos, além de molho de tomate picante disfarçado sob o nome de pimenta, mas nenhum é tão bom quanto um molho de pimenta caseiro (à exceção do Tabasco mexicano, que é uma especialidade à parte), cuja receita tradicional pode ser preparada cozinhando-se chillis-vermelhos frescos com sal, vinagre, açúcar, alho e especiarias a gosto. Naturalmente, a polpa precisa ser passada por uma peneira para eliminar a casca e sementes.

Existem também muitos outros tipos de receitas com chilli-vermelho, em especial na culinária do sudeste da Ásia. Na Indonésia, por exemplo, as comidas geralmente são acompanhadas de *sambal* de pimenta (molho à base de *chillis*, sal, cebola e suco de limão, entre outros ingredientes) e outras receitas picantes. Algumas são moderadamente brandas e adocicadas, enquanto outras deveriam trazer nos rótulos indicações de perigo com caveiras e ossos cruzados! Pode-se também mencionar as conservas de *chillis* pequeninos e redondinhos do Caribe, ardidas demais para a maioria das pessoas. Leite, sorvete e iogurte são usados para neutralizar queimaduras por pimenta.

As pimentas maduras secam com muita facilidade ao sol ou em forno aquecido. Inteiras, são usadas em conservas ou em determinadas receitas, como por exemplo de *zarzuela*, para adicionar o sabor picante. É claro que elas não são comidas, e podem ser retiradas assim que se alcançar a pungência de sabor desejada, antes do final do preparo do prato.

A **pimenta** ou ***chilli* em pó** tem inúmeros usos culinários, de salgadinhos de queijo a pratos tradicionais mexicanos como *chilli con carne*, *tamale* e *taco*, incluindo ainda milhares de pratos asiáticos servidos com o nome generalizado de *curries*. O sabor da pimenta em pó pode ser forte ou mais leve e com variações na pungência. Não deve ser confundida com a páprica.

A melhor pimenta em pó é a moída em casa. As pimentas secas devem ser primeiro ligeiramente tostadas, agitando-as numa frigideira sobre o calor até ficarem vermelho-escuras, um tanto fumegantes (cuidado, os olhos podem arder), mas de forma alguma queimadas. Depois disso, podem ser moídas num triturador e peneiradas.

As pimentas em pó comercializadas nos Estados Unidos geralmente são misturas que contêm orégano, chocolate, cominho e outros condimentos. São feitas para temperar pratos mexicanos, como o feijão com pimenta, por exemplo. As marcas variam, as fórmulas são secretas e as pessoas discutem muito qual a melhor de todas. No sentido mais estrito, é incorreto denominar essas misturas de *chilli*.

A **pimenta-de-caiena** é um tipo especial de pimenta-vermelha moída que se supõe que seja oriunda de Caiena, na Guiana Francesa, embora mais provavelmente o nome venha do tupi, a antiga língua franca da bacia amazônica e da costa leste da América do Sul. Antigas receitas explicam que as sementes de pimentas-vermelhas bem ardidas eram retiradas e os frutos, moídos com um pouco de farinha e sal até formarem uma pasta. A pasta era então secada em bolinhos e estes, assados ligeiramente antes de serem moídos. A distinção básica entre *chilli* em pó e pimenta-de-caiena, se existe, é que o primeiro é mais grosso. A pimenta-de-caiena é para ser usada num pimenteiro à mesa por aqueles que a apreciam em alguns pratos como ostras, mas o *chilli* em pó bem peneirado é sempre melhor.

A **pimenta-do-nepal** é uma variedade de *chilli* aromática, amarela, menos ardida que a pimenta-de-caiena e moída. Na região do Himalaia, as pimentas são colocadas para secar nos telhados das casas.

As **essências de pimentas-vermelhas** são facilmente preparadas macerando-as em soluções de álcool ou bebidas alcoólicas. Em geral as pimentas pequenas são maceradas em *jerez* e a essência é usada como condimento em sopas, na mesa. Essa era uma prática comum em todas as refeições dos soldados do exército britânico nos tempos da colonização inglesa, pois muitos deles, acostumados ao *curry* indiano, achavam a sopa insípida. Outras receitas colocavam a pimenta em infusão em conhaque de boa qualidade. Alguns desses preparados eram tão picantes que, literalmente, mais que uma gota já era tortura. A essência de pimenta é, no entanto, uma forma conveniente de condimentar, e o melhor e mais prático é macerá-la em vodca. A quantidade de álcool é diminuta, contribuindo pouco para o sabor. Essências extrafortes não são recomendadas por ser mais fácil controlar a dose exata quando se empregam soluções mais fracas. No Brasil, a cachaça de cana-de-açúcar é usada em algumas conservas de pimentas.

O **pimentão** e a **pimenta-cambuci**, que são maiores que as pimentas-vermelhas e pouco ou nada ardidos, são usados há muito tempo no sul da Europa e na América do Norte, mas apenas recentemente se tornaram populares na Inglaterra. As plantas crescem em regiões um pouco mais ao norte do que os *chillis* e algumas variedades suportam geada leve. Os frutos variam em tamanho e sabor; alguns são ligeiramente picantes, em especial as sementes e septos, outros quase não apresentam a pungência, e nem mesmo o sabor típico, devido ao cultivo e ao cruzamento de variedades. São usados frescos, verdes ou maduros. Quando maduros podem ser vermelhos, alaranjados, amarelos ou roxos, dependendo da variedade.

Os melhores pimentões têm um sabor forte e peculiar dos *Capsicum*. Embora quase sempre sejam usados como um vegetal ou em saladas, às vezes também são temperos, encontrados em conservas ou enlatados. Em geral, os pimentões utilizados como vegetais são carnudos demais para serem secos naturalmente, embora isto possa ser feito.

A páprica (pimenta-húngara, pimenta-espanhola), cujo nome se origina do húngaro, é um pó vermelho-vivo feito de variedades especiais de pimentão que não apresentam o ardido das pimentas. A origem do condimento é europeia, embora atualmente também seja produzido na América. Para reduzir ainda mais o ardor, em geral retiram-se o miolo e as sementes, ou seja, a páprica é a polpa seca em pó.

Apesar de ser o condimento nacional da Hungria, um produto quase idêntico é muito popular na Espanha, o *pimentón* (feito do pimentão defumado), comercializado também nos Estados Unidos e em outros países. Infelizmente, muitas ápricas de qualidade inferior são vendidas nos mercados, embora não mais sejam adulteradas com zarcão, como, conta-se, acontecia no passado.

A boa páprica deve ter cor vermelho-vivo, porém o *pimentón* espanhol com frequência puxa para o tom cinabre, vermelho mais fechado. Se apresentar coloração marrom provavelmente está passada. A páprica-doce de boa qualidade é suave – embora se possa encontrála em variados graus de pungência –, com um aroma e amargor bem característicos. Deve ser usada em quantidades generosas, pois é bem saudável devido a seu alto teor de vitamina C. Os pequeninos potes que costumam ser vendidos com uma quantidade ínfima praticamente só servem para polvilhar o prato como decoração.

Esse pimentão é essencial para o *goulash* e várias outras especialidades húngaras de frango e de carne, bem como para as linguiças e vários pratos de cozinha espanhola, como a *sobresada*, um embutido de carne de porco, pimentões e pimentas-vermelhas.

Dentre todos os países da Europa Ocidental, a Espanha faz, particularmente, uso de pimentas suaves inteiras e secas. Afinal de contas, eles as tiveram primeiro e o clima do país é adequado para o seu cultivo. O pimentão que, moído, dá origem ao tempero *pimentón* é achatado na ponta, porém carnudo. Variedades especiais são desidratadas inteiras. Uma dessas é usada para o molho *romesco*, enquanto a variedade conhecida como *nõra* é redonda como um tomate, sendo adequada para o *bacalao a la viszcaina*, por exemplo. Substituir as *guindillas*, ou pior, a *guindilla de Murcia* por essas variedades especiais pode resultar num desastre, e usar as *nõras* em vez das legítimas *romesco* para esse molho produz um sabor inferior. Quem visita a Espanha deve comprar seu próprio suprimento das várias pimentas e pimentões e mantê-las penduradas em sua cozinha. Porém, cuidado! Os vendedores de mercados nem sempre são bons cozinheiros e frequentemente fornecem informações erradas. No Brasil as variedades estão, principalmente, nos mercados populares, colorindo as bancas.

Para terminar, falemos de uma pimenta que não é pimenta: a chamada **pimenta-rosa** brasileira, "descoberta" pela alta gastronomia francesa na década de 1990. São baguinhas da árvore aroeira (*Schinus terebinthifolius*), muito popular no litoral sudeste e leste do país. Cor-de-rosa, redondinhas, lindas e aromáticas, levemente picantes, até então eram apreciadas somente pelos passarinhos e caboclos de beiramar. Agora são produzidas para extração e exportação, ainda em pequena quantidade, e custam caro para os brasileiros.

PIMPINELA-DA-ITÁLIA

Coentrela, sanguissorba

BOT: *Poterium sanguisorba*
FAM: Rosáceas
ALE: *Großer Wiesenknopf, Pimpinelle*
ESP: *Pimpinela, salvastrella*
FRA: *Grande pimprenelle, pimprenelle commune des prés*
ING: *Burnet, garden burnet, lesser burnet, salad burnet*
ITA: *Pimpinella*

A pimpinela-da-itália era uma erva essencial na culinária elisabetana e foi levada para a América pelos primeiros colonos. Hoje é utilizada sobretudo na França e na Itália.

É nativa da Europa e cresce particularmente em solo calcário, sendo comum no sul da Inglaterra em planícies desse tipo. A planta é pequena e perene, com pares de folhas dentadas bem características. O caule cresce cerca de 30cm, e a inflorescência é um "amontoado" esverdeado com longos estames púrpura. O cheiro das folhas, quando amassadas, lembra o do pepino. É uma planta fácil de se reconhecer. Também é fácil de ser cultivada no quintal, pois é resistente e cresce em praticamente qualquer solo. Planta-se através de semente ou dividindo-se as touceiras.

A pimpinela-da-itália é um ingrediente clássico em muitas manteigas e molhos, como *ravigote* e *chivry*, nos quais é adicionada fresca e bem picada (apesar de ser possível submetê-la a *quick freezing*). As folhas também podem ser utilizadas como o borago, para dar sabor a bebidas refrescantes ou para fazer vinagre de sanguissorba. Como salada é excelente, embora as folhas tendam a ser duras se não forem muito novas. É comum encontrar folhas da pimpinela-da-itália nas saladas verdes mistas vendidas em mercados italianos. Parte do charme dessas saladas (que consistem de folhas verdes temperadas apenas com azeite de oliva puro, sal e vinagre de vinho) é encontrar folhas de textura, sabor e amargor variados.

A **pimpinela** (*Sanguisorba officinalis*), planta de prados úmidos, costuma ser confundida com a pimpinela-da-itália. Apesar da aparência semelhante, é maior, chegando a 1m de altura e com uma inflorescência roxo-avermelhada de cor mais forte. Era usada para estancar sangramentos nos campos de batalha. Cresce em boa parte da Europa e da Ásia, mas não é nativa da América do Norte.

Algumas receitas antigas de vinagre de sanguissorba incluem sementes moídas da planta. Em geral é difícil diferenciar o tipo de pimpinela a que essas receitas se referem, pois há ainda a confusão com outra espécie: a pimpinela-branca.

A **pimpinela-branca** (*Pimpinella saxifraga*) é outra planta silvestre que aprecia solos calcários, porém é uma umbelífera (assim como a salsa). Possui flores brancas típicas dessa família, e embora as folhas inferiores lembrem vagamente as da pimpinela-da-itália, as superiores (como acontece com o coentro e outros membros dessa família) têm forma diferente e bem mais irregular.

A pimpinela-branca é conhecida na França como *pied de bouc* ou *boucage* e na Itália como *pie di becco*, e é uma das mais antigas ervas de cordiais, sendo usada já na Grécia Antiga. Essa planta não é silvestre nos Estados Unidos, mas há outra espécie nativa encontrada nos estados do leste e cultivada no sul. A pimpinela-branca tem ainda uma irmã maior, a grande-pimpinela-branca (*Pimpinella major*), que cresce em prados úmidos e matas sombreadas na Grã-Bretanha. A pimpinela e a grande-pimpinela-branca não devem ser confundidas com a bardana-maior (*Arctium lappa*), que tem raízes comestíveis das quais o *gobo* japonês é uma variedade cultivada.

PINHÕES

BOT: *Pinus*, frutos comestíveis de dezenas de espécies
ALE: *Piniennüße*
ESP: *Piñas*
FRA: *Pignons*
ING: *Pine nuts, pignolias, pine kernels, pinones, Indian nuts*
ITA: *Pignoli, pinoli*

O clássico pinhão, ou pinhole, usado na culinária mediterrânea, se origina do pinheiro *Pinus pinea*, encontrado na costa norte do Mediterrâneo, mais a oeste, na costa do Atlântico ao sul da Espanha e de Portugal e ainda mais ao leste, nas costas do mar Negro. Na verdade, esse pinheiro, com a sua bela copa que lembra um guarda-chuva, é um dos mais característicos do Mediterrâneo. É preservado e cultivado devido aos pinholes particularmente na Itália – na costa oeste, do sul de La Spezia até Anzio, também na costa do Adriático –, na Espanha e em outros locais. Foi introduzido em outros países principalmente por seu uso ornamental.

No hemisfério norte, as pinhas são colhidas durante o inverno a partir de novembro. Geralmente são arma-

Hortelãs: 1. Hortelã-água-de-cheiro 2. Hortelã-comum 3. Hortelã-pimenta 4. Erva-dos-gatos 5. Poejo 6. Calaminta

zenadas até o verão e então espalhadas ao sol, para abrir. Depois elas são sacudidas para que as sementes se soltem. Estas são abertas e os pinholes, extraídos. Geralmente são vendidos na forma de amêndoas descascadas.

O pinhole é usado pelos povos mediterrâneos há muito tempo. Cascas das amêndoas foram encontradas nos restos de lixo deixados pelas legiões romanas na Grã-Bretanha. O sabor é bem delicado, com um discreto gosto de terebintina que se dissipa com o aquecimento, ficando depois com um sabor de amêndoas. Os pinholes são usados em vários pratos italianos à base de carne, carne de caça, em pratos agridoces e em doces. Também são usados com ovos e arroz e no *pesto genovese*. Podem estar indicados em receitas originárias de inúmeros países, da Espanha ao Egito, mas especialmente do Líbano, em recheios de frango, ou com carne moída, berinjelas e tomates.

Embora os pinholes do *Pinus pinea* sejam clássicos na culinária mediterrânea, outros pinhões de qualidades variadas, de outras espécies de pinheiros, também são consumidos em todo o hemisfério norte, em locais tão variados quanto Sibéria, Himalaia, China, Coreia, Japão, Estados Unidos e México. Diferem consideravelmente em aparência e tamanho, e em alguns o sabor de terebintina é bem acentuado.

PISTACHE

BOT: *Pistacia vera*
FAM: Anacardiáceas
ALE: *Pistazienmandeln*
ESP: *Alfóncigo, pistacho*
FRA: *Pistache*
ING: *Pistachio nut*
ITA: *Pistacchio*

O pistache é a semente comestível dos frutos do pistacheiro, que nascem em cachos nessas pequenas árvores, consideradas originárias das montanhas do sul do Turquistão. Vêm sendo cultivadas nos países mediterrâneos e no Oriente Médio há três ou quatro mil anos. Conforme narrado na Bíblia, dentre os presentes enviados por Jacó a José havia nozes de pistache (Gênesis XLIII, II). O pistacheiro gosta do mesmo clima adequado para o cultivo de amêndoas e azeitonas e hoje é plantado em praticamente todos os países ao redor do Mediterrâneo, inclusive no sul da França, na Espanha, Itália e, mais longe, no Irã e no

Afeganistão. Também é cultivado em regiões do sudoeste dos Estados Unidos. Existem muitas variedades, e há árvores macho e fêmea.

A amêndoa da noz do pistache é revestida por uma película marrom-avermelhada, mas a polpa oleaginosa é de um verde bem vivo. Em geral, quanto mais verde melhor a qualidade. As nozes de pistache só não são mais conhecidas fora dos países de produção por serem muito caras em comparação com outras nozes e amêndoas comercializadas.

Sem dúvida, todos que viajam ao Oriente Médio se deparam com os pistaches salgados, as cascas abertas como pequenos mariscos secos. Os pistaches são as amêndoas verdes que encontramos nos *nougats* e no *rahat-lokum* (delícia turca). Usados para decorar bolos e rechear bombons, são, como se espera, o principal colorante e aromatizante do sorvete de pistache, tão popular na Itália, nos Estados Unidos e em algumas regiões no Brasil.

O sabor do pistache é delicado. Extratos e essências são feitos de amêndoas frescas de boa qualidade. Elas se conservam bem e é interessante tê-las em pequenas quantidades em casa para decorar ou mesmo adicionar a cremes e outras receitas. É usado também em alguns pratos de carne e de caça, especialmente na culinária libanesa e de outros países do Oriente Médio, mas nesses casos não deve ser encarado como um aromatizante, pois, embora tenha uma bela aparência, seu sabor não se destaca (*ver também* Lentisco).

POEJO

Hortelã-de-criança, poejo-da-horta

BOT: *Mentha pulegium*
FAM: Labiadas
ALE: *Flohkraut, Poleiminze*
ESP: *Poleo*
FRA: *Pouliot*
ING: *Pennyroyal*
ITA: *Puleggio*

O poejo é uma pequena espécie rasteira de hortelã nativa da Europa que cresce silvestre em locais úmidos e sombreados na Grã-Bretanha. Suas flores são roxas. Quando cultivado em hortas e jardins necessita de solo úmido e sombra. Geralmente se propaga por mudas com raiz, mas também a partir de sementes. Embora sobreviva por muitos anos, é uma erva delicada, passível de ser dizimada por geadas.

O poejo tem um sabor forte de hortelã, um pouco desagradável. O nome latino *pulegium* decorre do fato de que os romanos o usavam para espantar pulgas (*pulex*). Também se diz que cura coqueluche, asma e indigestão. É uma erva condimentar essencial nas excelentes morcelas do norte da Inglaterra. No Brasil o poejo é muito usado, principalmente no interior, em infusões para tratar resfriados e vermes das crianças, daí seu nome popular.

PRÍMULA

Prímula-silvestre

BOT: *Primula veris*
FAM: Primuláceas
ALE: *Primel, Schlüsselblume*
ESP: *Primula, vellorita*
FRA: *Fleur de coucou, primavère commune*
ING: *Cowslip*
ITA: *Primula*

As flores da prímula-comum têm um aroma delicado e doce. No passado eram muito usadas para fazer vinho de prímula e um chá, que se supunha soporífero. Eram ainda confeitadas e usadas frescas em saladas ou como decoração. Na Inglaterra, até recentemente, flores de prímula eram vendidas durante a estação em alguns mercados do interior, mas agora estão se tornando escassas devido aos métodos agrícolas mais modernos e à destruição dos campos naturais, por isso fica difícil conseguir a quantidade necessária para se fazer o vinho.

A *Primula vulgaris* tem usos similares, e as folhas tenras dão ótimas saladas no início da primavera, embora possam causar dermatite em pessoas com sensibilidade à planta.

Q

QUÁSSIA-AMARGA

Quina, cássia, pau-amargo, simaruba

BOT: *Quassia amara, Jamaica quassia, Pacrasma excelsa (Picraena excelsa)*
FAM: Simarubáceas
ALE: *Bitterholzbaum, Quassia*
ESP: *Cuasia*
FRA: *Quassia amara*
ING: *Quassia, bitter ash*
ITA: *Quassia*

Na culinária, emprega-se a casca da madeira de quássia, árvore de pequeno porte nativa da América do Sul tropical. Porém, desde o início do século XIX, o mais provável é que as lascas sejam de uma árvore muito maior das ilhas do Caribe, conhecida em inglês como *bitter ash*. O sabor, nos dois casos, é intensamente amargo. É empregada no preparo de aperitivos ou como um substituto para o lúpulo, sendo utilizada com frequência na cervejaria.

A quássia-amarga contém glicosídeos amargos e óleos essenciais que supostamente têm propriedades tônicas e digestivas. Por essa razão é um ingrediente habitual de vinhos fortificados e aperitivos tão comumente usados na Europa continental para revitalizar os fígados preguiçosos. Se fazem bem ou não, é controverso: popularmente costuma-se pensar que tudo que é amargo é tônico. Na verdade, qualquer coisa é ruim se lhe permite beber e comer demais de forma regular. Uma penitência ocasional de uma semana consumindo apenas ostras cruas é consideravelmente melhor para a saúde da pessoa, e, a longo prazo, mais barato.

QUEIJO

O queijo é um dos alimentos mais antigos da humanidade. Nas montanhas congeladas de Altai, na Sibéria, encontrou-se um túmulo que continha queijo ainda comestível (embora bastante maturado) feito na época de Cristo. O queijo é utilizado não apenas como ingrediente, mas também como condimento em vários pratos. Esse uso abrange desde o tempero para salada verde feito com o sabor forte de um Roquefort até o suave molho Mornay. Na Itália, o queijo ralado pode ser visto como um tempero de mesa.

A culinária italiana, em especial, inclui pequenas quantidades de parmesão ralado em várias receitas maravilhosas, dando a impressão de que nunca o deixam de lado. Isso imprime um sabor característico tanto a pratos de carne, peixe, arroz, ovos e vegetais nos quais ele é sutilmente acrescentado quanto, naturalmente, a pratos em que o queijo é o sabor dominante.

Mas a variedade de queijos no mundo deve estar em torno de quatro dígitos, e é extremamente importante usar o queijo adequado no prato certo. Cozinheiros sérios devem ter um dos muitos livros excelentes especializados em queijo. Por exemplo, o tempero correto para o molho Mornay é uma mistura de parmesão (em italiano, *parmigiano* ou *grana*) e Gruyère (não Emmenthal). Os dois queijos são doces e o uso de um queijo acre ou ácido produziria um resultado totalmente diferente. Os queijos mais fortes curados, como o parmesão, conhecidos como Pecorino, são muito usados no sul da Itália. Um queijo desse tipo – o Sardo – é feito na Sardenha, e é especialmente popular em Gênova para o preparo do *pesto* (*ver* Manjericão). Nas montanhas da Sardenha, em uma noite fria de novembro, após a temporada dos turistas, pode-se ficar sentado ao lado da lareira e, saboreando uma taça de vinho Oleana, quebrar nozes, comer pedaços de queijo Sardo, *Carta di musica* – o pão fino como papel e de sonoridade característica quando mordido – e observar um pastor de calças largas e chapéu Garibaldi preparar o queijo Sardo, misturando o coalho com as mãos calosas e não muito limpas.

R

RAINHA-DOS-PRADOS

Olmeira, barba-de-bode, erva-ulmeira, ulmária

BOT: *Filipendula ulmaria (Spiraea ulmaria)*
FAM: Rosáceas
ALE: *Mädesüß*
ESP: *Barba de cabra, ulmaria*
FRA: *Reine des prés, ulmaire*
ING: *Meadow-sweet*
ITA: *Olmaria, regina dei prati*

Essa é uma planta comum das campinas úmidas e pantanosas e das margens de córregos em regiões de clima temperado e frio. Nativa da Europa e da Ásia, suas flores de cor branco-creme são conhecidas de todos. O perfume da floração lembra o do espinheiro-alvar (*Crataegus oxyacantha*), da mesma família, e a maioria das pessoas o considera enjoativo – o aroma intenso que lembra o de amêndoas chega a provocar dor de cabeça. No entanto, a planta é bem inofensiva e acredita-se que seja uma boa erva medicinal e tônica. Como aromatizante, as flores costumavam ser adicionadas a cervejas de ervas e a vinhos caseiros, e vale a pena experimentá-las em geleias, compotas e frutas em calda. As raízes podem ser aproveitadas em pães. De uso mais prático, das flores secas pode-se fazer um chá que é um antigo remédio para problemas de rins e reumatismo.

RAIZ-FORTE (EUROPEIA)

Rábano-picante

BOT: *Armoracia rusticana*
FAM: Crucíferas
ALE: *Kren* (sul da Alemanha, Áustria), *Meerrettich*

O nome popular raiz-forte parece comum a várias denominações científicas. Os livros designam assim a *Armoracia lapathifolia* e a *Cochlearia armoracia* – o que a incluiria entre as cocleárias – e a *Radicula armoracia* e a *Rorippa armoracia* – o que a classificaria dentre os agriões. Para aumentar ainda mais a confusão, "raiz-forte" nomeia também o *daikon* (ver), raiz asiática. Alguns especialistas dizem que a raiz-forte europeia era usada pelos gregos há mil anos ou mais antes de Cristo, e na Inglaterra antes da chegada dos romanos, porém De Candolle (1806-1893) em *L'Origine des plantes cultivées*, lista a raiz-forte dentre as espécies provavelmente cultivadas há menos de dois mil anos. Minha cópia da segunda edição do *Herbal* de Gerard (1633) sugere que, embora a raiz-forte fosse então conhecida na Grã-Bretanha como condimento, ela era "usada na Alemanha". Os ingleses preferiam a mostarda.

ESP: *Rábano picante, rábano rústico,* mais comumente *"horse radich"*
FRA: *Cran, cranson de Bretagne, raifort*
ING: *Horseradish*
ITA: *Cren, rafano*

A raiz-forte é nativa do leste da Europa e é comumente cultivada nos países nórdicos, em especial no nordeste da Europa. Como é uma planta resistente, difícil de ser erradicada depois de se ambientar, tornou-se silvestre em regiões da Inglaterra e da América do Norte. Por outro lado, é pouco conhecida no sul da Europa. Por exemplo, é usada na Itália de Turim a Veneza, mas raramente mais ao sul.

Embora a planta cresça em qualquer parte, exceto em solo argiloso mal drenado, para se conseguir boas raízes é preciso cultivá-la adequadamente, em terra bem adubada, não muito pesada e bem drenada, de preferência ao sol. A propagação é feita por divisão de raízes, com ou sem brotos. É melhor desenterrar as raízes no outono, conservá-las em areia ou cinza úmidas e reservar o suficiente para o plantio na primavera seguinte.

A raiz-forte produz folhas verdes grandes, parecidas com as da azedinha, e, embora as folhas novas fiquem saborosas em saladas, geralmente apenas as raízes grossas e brancas são consumidas. Deve-se esfregar e limpar as raízes para remover a terra e as nódoas da casca devem ser eliminadas. A parte externa da raiz é mais ardida que o miolo. Ela pode ser preparada ralando-se levemente ou raspando-se com uma faca afiada a pele, o que pode se tornar uma tarefa monótona se as raízes forem finas e pouco desenvolvidas.

O sabor é extremamente ardido e pode "subir ao nariz". Isso acontece devido aos óleos essenciais voláteis semelhantes aos da mostarda, formados pelo mesmo processo enzimático (*ver* Mostarda). Se cozida, deixa de ser ardida, e não adianta muito adicionar a raiz ralada a pratos quentes, pois os óleos voláteis irão evaporar. De qualquer forma, ela também perde rapidamente o sabor ardido depois de ralada.

É usada sozinha ou com maçã ralada como acompanhamento para peixes; como tempero de maioneses de peixe ou de frango, tomate ou ovos; além de outras receitas mais elaboradas. Os molhos de raiz-forte possivelmente se originaram na Alemanha, mas também são muito usados na Escandinávia, Grã-Bretanha e nordeste da França há tempo suficiente para serem considerados locais. As receitas habitualmente, mas não sempre, contêm vinagre e creme de leite. Às vezes são à base de caldo de carne, gema de ovo e azeite e gema de ovo cozida, e também de molho branco. De vez em quando esses molhos são cozidos ou aquecidos ligeiramente, mas na maioria das vezes são crus. Na França costumam ser mais delicados, à base de creme de leite e suco de limão-siciliano. Nos Estados Unidos há receitas de pastas e molhos gelados de raiz-forte.

Atualmente, na Inglaterra, o molho de raiz-forte é acompanhamento popular apenas de rosbife, mas tinha um uso muito mais amplo no passado. A raiz-forte combina com peixe, principalmente com os de água doce e defumado; vai bem com frango e aves de caça, e com ovos cozidos.

Também é usada para produzir o vinagre de raiz-forte, por maceração, e há tradicionais receitas inglesas de picles de raiz-forte, nos quais raízes partidas são conservadas em vinagre. Pode-se também fatiar e secar a raiz em forno ligeiramente aquecido e depois moer e guardar em vidros. É possível encontrar o condimento seco industrializado, de boa qualidade, especialmente o produzido na Suécia e nos Estados Unidos. Dessa forma, mantém-se o sabor ardido, sendo muito melhor que os repulsivos molhos de raiz-forte engarrafados ou do que a raiz ralada malconservada vendida em alguns mercados.

RATAFIA

A origem dessa palavra é incerta – talvez venha da Espanha ou do Caribe, mas provavelmente é *criole* – e está relacionada a *tafia* (rum). Para confundir ainda mais, significa coisas diferentes conforme o país. Na França, *ratafia* é um aperitivo de *brandy* diluído com suco de uva de Champagne não fermentado. Na Inglaterra, é um cordial aromatizado com amêndoas-amargas, ou ainda um biscoitinho doce também com forte aroma de amêndoas-amargas.

No entanto, *ratafia* pode ser uma bebida à base de qualquer fruta ou mesmo ervas das quais as substâncias aromatizantes são extraídas por maceração, quase sempre em conhaque ou destilado de uva. Alguns licores são *ratafias* e muitas essências adequadamente preparadas também podem ser denominadas de *ratafias*. O álcool forte é um poderoso conservante, bem como um solvente das substâncias não solúveis em água.

Nos livros de culinária do século XIX encontram-se várias receitas de *ratafias* caseiras, mas isso foi antes de os impostos roubarem do cozinheiro a possibilidade de usar conhaque. Havia *ratafias* de damasco, nectarinas, pêssegos, groselhas-pretas, amoras-pretas, angélica, laranja, groselhas-espinhosa, flor de laranjeira, marmelo, framboesas, cerejas, amêndoas-amargas, rosas e, sem dúvida, muitas mais. Esses preparos continham também condimentos que variavam de canela, cardamomo, cravos e noz-moscada até baunilha, coentro, pimenta-da-jamaica, folhas de pêssego, damasco e louro, sassafrás, água de rosas e até âmbar-gris. São receitas obviamente de grande valor potencial para o cozinheiro. Diante de tantas possibilidades atraentes para aromatizar bolos e cremes, resta sugerir uma passeata exigindo do governo que o imposto sobre a bebida seja reduzido daqui em diante...

RESINA

É a goma exsudada pelos pinheiros quando cortados. Em várias espécies são feitas incisões nos troncos, como se faz nas seringueiras, e o líquido vertido é coletado em potes. Dentre outros usos, a resina extraída das coníferas é a matéria-prima para a terebintina.

Essa resina também é usada para aromatizar os vinhos gregos chamados *retsina*. Cerca de nove espécies diferentes de pinheiros crescem na Grécia, inclusive o *Pinus pinea* tão característico das costas setentrionais do Mediterrâneo.

Resinas de todas as espécies de *Pinus* e de outras plantas resinosas podem ser utilizadas no preparo de *retsina*, mas a fonte mais comum (e também o pinheiro mais comum da região) é o pinheiro-de-alepo ou pinheiro-de-jerusalém (*Pinus halepensis*).

O gosto por *retsina* é adquirido, e dificilmente fora da Grécia. Para apreciá-lo adequadamente é preciso um ambiente envolvente de taverna e o aroma de uma peça inteira de carne, aberta e com as vísceras, girando no espeto, sendo grelhada. Existe um licor aromatizado com resina conhecido como *chaquesin* (*ver também* Lentisco).

ROMÃ

BOT: *Punica granatum*
FAM: Punicáceas
ALE: *Granatapfel*
ESP: *Granada*
FRA: *Grenade*
ING: *Pomegranate*
ITA: *Melagrana, melagranata*

A romã foi, provavelmente, o "pomo" do Jardim do Éden. A fruta é originária do Irã, onde é cultivada há mais de quatro mil anos. A conotação histórica do seu nome botânico, *Punica*, remete ao fato de que chegou à Roma Antiga através de Cartago, no norte da África (em latim, o que é relativo a Cartago é "*punicus*, *punica*"). Hoje as romãs crescem em locais de clima seco e quente no mundo todo, sendo cultivadas especialmente na Espanha, no Marrocos, em todos os países mediterrâneos e no Oriente, tão longe como no Paquistão e na Índia. As romãzeiras, lindos arbustos com flores vermelho-vivas, são típicas dos jardins cercados por muros de argila do Oriente Médio. Também há variedades com flores brancas ou dobradas, bastante decorativas, e algumas um pouco espinhosas que formam uma boa cerca viva.

Romãs de qualidade só podem ser obtidas das boas variedades cultivadas em locais onde o inverno é intenso e o verão, quente e seco. São bem raras. O sumo, fresco ou cozido até formar uma pasta espessa, é usado em pratos de carne em praticamente todo o Oriente Médio. No Irã, é muito usada num cozido delicioso chamado *koreshe fesenjan*, no qual a carne é combinada com um tempero frutado agridoce. No Líbano, o suco, ou uma pasta especial para cozidos de carne, é feito a partir de romãs ácidas, e não da variedade mais doce. Às vezes é usado no famoso prato de berinjelas *imam bayildi*. As sementes secas também são salpicadas em pratos doces e no *homus* (um purê de grão-de-bico e *tahine*), embora neste caso seja mais para decorar. Porém, devem ser sementes da variedade silvestre *dazu*, comum nas regiões mais baixas do Himalaia, e desidratadas com o arilo que as envolve. Esse é o importante condimento ácido chamado *anardana*. Na Índia, as sementes secas podem ser adicionadas ao recheio de *parathas*, a *pakoras* e a alguns *curries*. O xarope *grenadine*, tão apreciado na cozinha árabe, é feito a partir do suco de sementes de romã, e com ele no Brasil também se preparam sorvetes, geleias e bebidas. A casca da fruta tem vários empregos medicinais.

ROSA

BOT: *Rosa damascena* (rosa-damascena, rosa-turca); *Rosa centifolia* (rosa-de-jericó); *Rosa gallica* (rosa-francesa, rosa-rubra, rosa-vermelha) e outras variedades
FAM: Rosáceas
ALE: *Rose*
ESP: *Rosa*
FRA: *Rose*
ING: *Rose*
ITA: *Rosa*

Talvez existam mais de dez mil variedades de rosas, porém poucas são cultivadas como fonte de perfume e aromatizante. No entanto, pétalas de quaisquer rosas perfumadas podem ser utilizadas em culinária.

Roseirais são cultivados para a produção de perfume na França, onde plantam-se principalmente variedades da *Rosa centifolia*, e na Bulgária, onde a maior parte do cultivo é da *Rosa damascena*. Neste país, famoso pelo óleo essencial produzido no vale das Rosas, o cultivo data apenas do início do século XVII, enquanto a Pérsia (Irã) já à época de Jesus Cristo exportava água de rosas para lugares tão distantes quanto a China. Ainda hoje o óleo de rosas é produzido no Irã pelos métodos antigos, e nunca vi nada tão romântico quanto os jardins persas em Meshed, onde o atar (*attar* ou *otto*) – essência aromática das pétalas de rosas – é feito à moda antiga para a grande mesquita. Braçadas de pétalas frescas são colocadas em um caldeirão de cobre com água da fonte cuja tampa é vedada com argila. Acende-se um fogo com lenha sob o caldeirão e o vapor conduzido pelos colmos ocos de bambu e condensado num segundo recipiente é resfriado com a água corrente do canal que irriga o jardim de rosas. O destilado inicialmente é leitoso; mais tarde, o óleo puro de rosas aflora à superfície. É um golpe no mito de que a destilação moderna a vapor produz óleos mais delicados.

Folhas / plantas aromáticas: 1. Agrião-comum 2. Agrião-de-jardim 2a. Brotação de agrião-de-jardim 3. Agrião-americano 4. Verônica 5. Cardamina 6. Aliária

O óleo de rosas é extremamente caro, por isso é comum ser adulterado com óleo de palmarosa ou de gerânio-rosa. Por ser forte demais, em culinária emprega-se a água de rosas ou a essência de rosas, que são mais diluídas.

Bebidas perfumadas com rosas são tradição de séculos. Os romanos colocavam pétalas de rosa no vinho, os persas faziam vinho de pétalas; na Inglaterra, no século XII, fazia-se um licor de rosas. Hoje há o licor de rosas búlgaro, que é muito doce e perfumado para gostos modernos (mais adequado para um harém que para uma sala de jantar), e um licor de rosas da China cujo nome em mandarim é *moodi quai dzao*, usado como tempero em alguns pratos à base de carne de porco.

A água de rosas, chamada *mawared* pelos árabes, ainda é empregada em pratos doces no Oriente. Talvez o uso mais famoso de rosas seja na geleia feita de pétalas, tão popular nos Bálcãs, Turquia, Bulgária, Romênia e Irã. O mel também é aromatizado com água fervente e pétalas de rosas, bem como o *rahat-lokum*, um doce turco. Mais a leste, na Índia, o *gulkand*, um confeito, é preparado acondicionando-se camadas de pétalas e cristais de açúcar até que estes fiquem impregnados com o aroma de rosas. E há também os *sorbets* e pratos doces nos quais a água de rosas ou a essência de rosas é fundamental. Entre esses, os mais famosos são *gulab jamuns* e *rasgullas*, da Índia (*gulab* é uma rosa). Qualquer pessoa que esteja aprendendo a preparar pratos doces do Oriente Médio ou da Índia precisa ter água de rosas na despensa.

No Ocidente, é comum cristalizarem-se pétalas de rosas, geralmente para a decoração. André Simmons, em seu livro *Guide to Good Food and Wine*, sugere que, antes de fechar uma torta de cerejas, se espalhem pétalas de rosas sobre as frutas. Hoje em dia não apreciamos os pratos doces tão perfumados assim, mas isso não acontecia no passado, e na Inglaterra receitas elisabetanas estão repletas de indicações para o uso de água de rosas e almíscar.

Às vezes se faz vinagre de rosa com infusão das pétalas ou adicionando-se algumas gotas de um extrato alcoólico de pétalas de rosas. Um vinagre delicadamente aromatizado com rosas é ótimo para saladas de folhas mistas.

Pétalas de rosa frescas sempre podem ser utilizadas como decoração ou guarnição, mas rosas envelhecidas lembram *pot-pourri* de flores secas da vovó.

RÚCULAS

Rúcula-comum
BOT: *Eruca sativa*
FAM: Crucíferas
ALE: *Ruke*
ESP: *Oruga*
FRA: *Roquette*
ING: *Rocket, rocket-gentle, rocket-salad, roka, roman rocket, tira*
ITA: *Rucola, ruchetta, rughetta*

Rúcula-amarela, mostarda-de-primavera
BOT: *Barbarea stricta*
ING: *Lesser yellow rocket*

Rúcula-selvagem
BOT: *Diplotaxis tenuifolia*
FRA: *Riquetta*
ING: *Wall rocket*
ITA: *Ruchetta selvatica*

Rúcula-do-mar, eruca-marítima
BOT: *Cakile maritima*
FRA: *Roquette de mer*
ING: *Sea rocket*
ITA: *Cachile, ruchetta di mare*

Rúcula-branca, araújia-branca
BOT: *Araujia sericofera, Physianthes albens*
ING: *South American "rocket"*
ITA: *Araugia, fisianto*

A rúcula é uma planta importante comumente usada para dar sabor a saladas verdes, em especial na Itália. O gosto é bem acre e intrigante. É nativa do sul da Europa e da Ásia Menor, mas adaptou-se plenamente na América do Norte. A rúcula-comum silvestre pode ser encontrada em áreas incultas ou como erva daninha em terras cultivadas. Possui flor amarelada e a planta pode ser facilmente reconhecida pelo aroma típico que exala quando a folha é partida. As variedades para hortas são maiores, com cerca de 30cm a 60cm de altura, e apresentam flores decorativas brancas ou creme, além de folhas mais tenras. É uma planta anual que se desenvolve com facilidade a partir de sementes. Embora se adapte praticamente em qualquer terreno, cresce mais rapidamente em solo úmido e rico, pois de outra forma as folhas tendem a ficar duras. As variedades cultivadas têm um sabor mais suave que as plantas silvestres.

Tanto as folhas quanto as sementes de rúcula foram usadas como tempero pelos romanos antigos, e era uma verdura comum na era elisabetana na Inglaterra. Hoje, a rúcula é muito utilizada como folha para saladas no sul da França, na Itália e no Egito, parecendo ter sido esquecida em países mais ao norte, o que é uma pena, pois é de fácil cultivo e um dos sabores mais interessantes em saladas. Combina bem com a alface ou outras folhas temperadas com molho de azeite, vinagre e sal. Ingrediente comum nas saladas de folhas mistas vendidas em mercados europeus, é também muito apreciada no Brasil, onde é encontrada com facilidade.

Em inglês, o nome "*rocket*" abrange várias outras plantas, como *dame's rocket* (*Hesperis matronalis*), *Eastern rocket* (*Sisymbrium orientale*), *London rocket* (*Sisymbrium irio*) e *yellow rocket* (*Barbarea vulgaris*). Em português, também ocorre de o nome "rúcula" servir a outras plantas da mesma família, mas sem parentesco próximo, como a **rúcula-amarela** (*Barbarea stricta*), uma espécie rara, com folhas muito semelhantes à da rúcula-comum e bela inflorescência amarela; a **rúcula-selvagem** (*Diplotaxis temifolia*), parente próxima da *Diplotaxis muralis*, ambas de um cheiro forte quando esfregadas, sendo a rúcula-selvagem usada no sul da França como uma erva para tempero de saladas, sob o nome de *riquetta* (Nice), provavelmente confundindo-se com a verdadeira rúcula de salada, a rúcula-comum chamada em francês de *roquette*; e a **rúcula-do-mar** (*Cakile maritima*), que cresce nas dunas das costas europeias até o sul da Inglaterra, conhecida na Itália como *ruchetta di mare* e provavelmente não comestível.

Nenhuma das plantas mencionadas é parente da trepadeira ornamental da América do Sul chamada rúcula-branca e também conhecida como planta-cruel. Embora esta pertença a uma família diferente da rúcula verdadeira, a *Araujia* e a *Eruca* têm a mesma origem etimológica.

S

SABORES ÁCIDOS

O gosto azedo é uma sensação pura do paladar detectada na boca, e quase sempre se deve a um ácido. A palavra "ácido" vem do latim *acidus*, que significa azedo, acre, amargo.

As substâncias ácidas e as alcalinas se neutralizam; então, teoricamente, seria possível retirar a acidez de pratos pela adição de bicarbonato de sódio. Mas o resultado seria desastroso, porque os sais formados seriam amargos e apenas medicinais. Portanto, do ponto de vista do paladar, embora não da química, julgamos que a acidez é neutralizada pelo sabor doce. De fato, ao se adicionar açúcar, forma-se uma combinação agridoce muito apreciada por nós, talvez porque nos remeta ao gosto de "fruta madura" (resquícios do paladar de nossos ancestrais primatas?), pois o amadurecimento da fruta é sempre caracterizado por um aumento na proporção de açúcares doces para o ácido. Essa é uma combinação de sabor tão essencial que possui um verbete em separado (*ver* Sabores agridoces).

Alguns ácidos orgânicos comuns em alimentos são: o ácido acético (vinagre), o ácido cítrico (limão e outros *citrus*), o ácido málico (maçãs, *sumac* e outras frutas), os ácidos tartárico e succínico (vinho), o ácido láctico (leite fermentado). Os ácidos minerais sulfúrico, fosfórico e clorídrico (este naturalmente presente no nosso estômago) são usados apenas em produtos industrializados, e portanto só são seguros quando muito diluídos. Alguns ácidos são mais fortes que outros e precisam estar bem diluídos para produzir sensações comparáveis à da acidez.

Ácidos minerais são mais fortes que ácidos orgânicos, e o ácido acético é mais forte que o cítrico ou o tartárico. Por outro lado, a acidez de ácidos fortes diluídos atinge o palato mais rapidamente do que soluções mais fortes de ácidos fracos.

É útil lembrar ainda outras propriedades dos ácidos, conforme segue.

Com o bicarbonato de sódio há liberação de gás dióxido de carbono (CO_2), o que faz as substâncias às quais ele é adicionado efervescerem. Essa reação é usada em leveduras e fermentações.

A reação a um ácido deixa o papel de tornassol vermelho, a um álcali, azul. De forma semelhante, o ácido conserva e intensifica a cor da beterraba e do repolho-roxo, ao passo que uma água muito alcalina deixa-os com uma cor roxa nada apetitosa. Já a água ligeiramente ácida deixa as verduras mais amareladas, enquanto uma pitada de bicarbonato melhora sua cor, conforme os romanos já sabiam. Todavia, uma ligeira acidez costuma preservar as vitaminas, e água alcalina em geral as destrói.

Os ácidos são substâncias ativas quimicamente e tendem, de início, a enrijecer e depois a romper o tecido conjuntivo, paredes celulares e fibras, e portanto são amaciantes, como quando as carnes são marinadas ou cozidas em vinho, suco de limão ou vinagre.

Os ácidos também são conservantes. O grau exato de acidez é crítico para o desenvolvimento de micro-organismos. Via de regra, organismos que provocam a putrefação e as doenças não toleram o ácido (assim como muitas plantas não crescem em solo ácido); é por isso que se usa suco de limão e vinagre para fazer conservas, e também por isso iogurte ou leite fermentado são seguros para o consumo em países cujos cuidados com a higiene no preparo de alimentos deixam a desejar. Pelo mesmo motivo, engarrafar frutas ácidas demanda menos cuidados que engarrafar vegetais-raízes.

Os ácidos benzoico e bórico têm propriedades conservantes especiais e são adicionados a certos alimentos em países onde isso é permitido.

A formação de ácido láctico em leite fermentado, iogurtes, queijos, chucrute e picles de pepino se deve às bactérias, mas mesmo estas acabam parando de se multiplicar quando alcançam um grau crítico de acidez.

O ajuste da acidez é de grande importância na culinária, mas com frequência negligenciado. A sensação de acidez, assim como a de doçura, é aumentada pelo calor e reduzida pelo frio, sendo portanto mais forte nos pratos quentes do que nos frios. Há muitos agentes naturalmente ácidos usados para ajudar no ajuste da acidez, e em todos os países encontra-se pelo menos um deles. O ácido, assim como o salgado, parece ser um sabor básico necessário. Os agentes de acidez mais comuns são: o vinagre, o *verjus*, o leite azedo, o suco de limão, as frutas cítricas ou verdes (como ameixas, romãs e maçãs), o tamarindo (Índia), o *sumac* (Oriente Médio), a azedinha ou trevo-azedo (Europa), a vinagreira (trópicos) e limão-siciliano ou limão-galego secos em pó.

Dos ácidos puros, apenas o cítrico e o tartárico são usados em culinária. O ácido cítrico é extraído de limões ou feito fermentando-se a glicose com bactérias especiais que produzem o ácido cítrico.

O ácido tartárico é feito a partir do cremor de tártaro (tártaro cru) que se deposita no vinho formando uma crosta dentro dos tonéis. O cremor de tártaro é bitartarato de potássio, usado em fermento em pó, vinhos caseiros e nutrientes à base de fermento natural.

SABORES AGRIDOCES

A combinação de doce e azedo (ácidos com açúcares) ocorre na natureza em quase todas as melhores frutas. De fato, as frutas que não apresentam esse contraste em geral são insípidas e desinteressantes. Sendo uma qualidade tão fundamental e tão simples de mensurar, é habitualmente o principal critério científico dos horticultores quando desejam avaliar novas variedades de frutas ou tomates. Pode não ser verdadeiro afirmar que um tomate com muita acidez e muita doçura é sempre bom de se comer, mas é seguro afirmar que na falta desses elementos ele não será saboroso.

A combinação de acidez e doçura em pratos que contenham frutas é algo tão trivial que até nos passa despercebido. De fato, só se pensa em adoçar algum alimento quando ele está extremamente azedo, e com frequência a balança pende para o sabor doce. Entretanto, se a expressão agridoce (ou acre-doce) for mencionada em relação aos pratos com carne e peixe, muitas pessoas lembram-se apenas de comida chinesa. É verdade que as saborosas combinações agridoces em pratos salgados são destaques importantes no Oriente, mas, há muito tempo, certamente na época dos romanos, elas também foram importantes no Ocidente. Itália, Alemanha, Áustria, Escandinávia e Holanda têm muitos pratos típicos agridoces; além de serem populares no Oriente

Médio, principalmente no Irã, onde existem variadas combinações de carne com frutas.

Falamos da combinação agridoce como um sabor dominante no prato, mas ela também é importante como sabor de fundo. É prática comum de alguns cozinheiros usar açúcar para dar um toque doce ao prato e depois "neutralizar" outra vez o tempero com suco de limão. Eles afirmam que isso realça o sabor como um todo – uma questão de opinião. Existem vários pratos de carne que contêm vegetais naturalmente doces, como cebolas ou cenouras, que precisam ser ajustados com algumas gotas de suco de limão, e isto é com certeza um sabor agridoce secundário.

Finalmente, devo mencionar o delicioso efeito de misturar combinações agridoces na boca e não durante o preparo da receita. Acrescentar uma colher cheia de creme azedo ao *bortsch* – uma sopa de beterrabas da Europa Oriental – seria um exemplo disso, assim como servir um molho ácido com um prato doce ou levemente adocicado.

SABORES AMARGOS

O amargor é um sabor verdadeiro, não um aroma, isto é, assim como os sabores azedo, salgado, doce, adstringente, metálico e apimentado ou pungente, é detectado na boca e não através do nariz.

Dentre todos os sabores, o amargor é o que pode ser detectado nas menores porções. Muitas vezes não é apreciado, principalmente por crianças, talvez porque várias plantas venenosas são muito amargas. Pode ser que nossa repulsa a esse sabor seja uma defesa primitiva.

Ainda que o amargor possa ser parcialmente mascarado (os boticários usam framboesa e cacau), não há como contrabalanceá-lo com açúcar ou outro sabor, como ocorre com a acidez. Algumas substâncias podem ser simultaneamente doces, azedas e amargas. O amargor aumenta o efeito da acidez e fica mais pronunciado em pratos frios do que quentes, sendo nesse sentido semelhante ao sabor salgado, em oposição ao doce e ao azedo. O sabor amargo indesejado só pode ser removido extraindo-se parte do princípio que o causa, fervendo-se e jogando-se fora a água. Esse procedimento é muitas vezes usado, por exemplo, com laranjas-amargas para se fazer compota, ou no cozimento de verduras amargas.

A adição de qualquer ingrediente de sabor amargo deve ser feita com cautela. Porém, quando bem dosado, o amargor torna a comida mais interessante e estimula o apetite. Ervas amargas como dente-de-leão e chicória são muito usadas em saladas, embora a maioria dessas verduras amargas tenha boa parte de seu sabor reduzido através de seleção na horticultura ou sendo branqueadas. Laranjas-amargas são interessantes e muitos as preferem às variedades doces, não só em compotas, mas também em molhos. Várias das frutas mais refrescantes, como a toranja e o pomelo, são por natureza ligeiramente amargas, e às vezes a adição de uma pitada de sabor amargo ou da casca amarga pode melhorar o sabor de frutas que não contêm amargor natural. Sobretudo, as substâncias amargas são utilizadas em bebidas, tanto nas refrescantes quanto nas fórmulas que visam a estimular o apetite ou melhorar o funcionamento do fígado: lúpulo na cerveja, quinina na água tônica indiana, licores de ervas amargas no gim, absinto no vermute, angostura, Amer Picon, Fernet branca, literalmente centenas de aperitivos e bebidas com diferentes fórmulas produzidos na França e na Itália, bem como algumas bebidas com genciana, intensamente amargas, como *suze* e *enzian*. Raízes de genciana, lascas de pau-amargo, babosas, dente-de-leão e quinina são substâncias comumente utilizadas, todas fortemente amargas. Dentre os ingredientes amargos mais aromáticos e agradáveis para se ter na cozinha, podemos listar preparos como licores de angostura e laranja, além de casca de laranja-amarga e lúpulo. Poderíamos adicionar ainda absinto, facilmente cultivado no quintal e muito saudável se usado em pequena quantidade. É bom ter um ou dois desses sempre à mão para dar um toque amargo à comida, quando necessário.

SABORES DOCES

Embora uns poucos sais de metais (como chumbo e berílio) e algumas substâncias sintéticas (como a sacarina) tenham um sabor adocicado, normalmente associamos o sabor doce aos açúcares, sejam refinados ou em frutas doces e mel. Na natureza, a doçura é frequentemente associada às frutas maduras, pois nas frutas os açúcares se formam quando elas amadurecem. O sabor doce é um sabor básico, sendo detectado na boca e não pelo nariz, e é particularmente apreciado pela maioria dos animais, crianças, e também, frequentemente, pelos idosos.

O perfeito ajuste da doçura é tão importante quanto qualquer outra operação ao se cozinhar, embora muitas vezes seja negligenciado devido à facilidade com que se pode adicionar açúcar à mesa. Ao adoçar os pratos, é bom lembrar que, enquanto os sabores salgados e amargos ficam mais acentuados nos pratos frios do que nos quentes, com os sabores doces e ácidos acontece o inverso. Em receitas como geleias, que provamos para adoçar enquanto ainda estão quentes, é necessário um pouco mais de açúcar para que estejam no ponto quando esfriarem. Sorvetes devem ter um sabor bem doce antes de serem congelados.

SABUGUEIRO

Sabugueiro-negro, sabugueiro-americano, sabugueiro-canadense

BOT: *Sambucus nigra* (sabugueiro-europeu), *Sambucus canadensis* (sabugueiro-americano)
FAM: Caprifoliáceas
ALE: *Holunder* (árvore), *Holunderbeere* (bagas)
ESP: *Saúco* (árvore), *baya de saúco* (bagas)
FRA: *Sureau noir* (árvore), *baie de sureau* (bagas)
ING: *Elder, European elder*
ITA: *Sambuco* (árvore), *bacca di sambuco* (bagas)

Os sabugueiros são árvores pequenas comuns nas beiras das estradas da Europa, oeste da Ásia e América do Norte. Há muitas espécies. Os comuns da América do Norte e da Europa possuem grandes cachos de flores brancas, e mais tarde inúmeros pequenos frutos ou bagas preto-arroxeadas. Quando cortadas ou quebradas, as árvores exalam um cheiro bem desagradável, mas algumas pessoas consideram que com os brotos da planta pode-se preparar uma conserva que imita a de broto de bambu.

As flores do sabugueiro, frescas ou secas, são a base de várias tisanas tradicionais que se supõem sejam saudáveis e soníferas, além de serem também ótimos aromatizantes. Elas exalam um odor enjoativo que alguns dizem ser parecido com o de uvas moscatel; de qualquer modo, já foram utilizadas na Europa para aromatizar vinhos Moselle de qualidade inferior. A angélica também já foi usada para o mesmo fim e, como ela, as flores de sabugueiro são empregadas para aromatizar frutas cozidas, doces e geleias. O sabor combina especialmente com geleia de groselha, misturando-se a ela uma porção de flores de sabugueiro até se conseguir o tanto de aroma desejado. As flores também podem ser empanadas.

O uso mais conhecido das bagas é para o preparo de um vinho. No passado, foram empregadas para colorir vinhos, especialmente o porto. O sabor das frutinhas do sabugueiro é bem forte e amargo, não muito agradável, embora esse gosto desapareça quando elas são desidratadas. Em quantidades pequenas podem ser usadas com maçãs ou outras frutas cozidas, e também para dar cor à geleia de maçãs-silvestres. Em alguns países do norte da Europa, como a Dinamarca, as bagas entram no preparo de uma sopa de fruta servida com maçãs cozidas e bolinhos de farinha ou pão frito. Também são a base de um tipo de *catchup*, o *poulac*.

O sabugueiro-do-brasil (*Sambucus australis*) possui flores aromáticas com as quais se fazem infusões.

SACARINA

Essa é provavelmente a mais conhecida das substâncias edulcorantes artificiais. Quimicamente, não é um açúcar, mas uma sulfinide benzoica a partir do tratamento do tolueno (um destilado alcatrão da hulha) com ácido sulfúrico. A sacarina foi descoberta por acaso em 1879, quando um químico que trabalhava com essas substâncias reparou que seu dedo estava com um gosto adocicado. Métodos para sua produção foram patenteados em 1894. É intensamente doce (estima-se que até sete vezes mais doce que o açúcar de cana), mas sem nenhum valor nutritivo, ou seja, não é metabolizada pelo organismo. É comercializada muito comumente na forma de pequenos tabletes, mas também em gotas, sendo suficiente apenas um pouco para adoçar uma xícara de café ou chá. Dizem que a sacarina é prejudicial ao aparelho digestivo, e seu sabor, inegavelmente, é inferior ao do açúcar. Ela permanece na saliva e, ao contrário do açúcar, deixa na boca um sabor adocicado enjoativo e persistente. Em alguns países, essa substância vem sendo considerada potencialmente cancerígena.

Desde a invenção da sacarina, outras substâncias edulcorantes artificiais têm sido produzidas. Algumas delas, como a dulcina ou sucrol, e o P-4000 (composto de Verkade), não são tão virulentamente doces quanto a sacarina e seu gosto não se impregna por tanto tempo na boca, mas são tóxicas, ao menos na opinião da Food and Drug Administration dos Estados Unidos.

O ciclamato de sódio tem a vantagem de resistir ao cozimento, mas também está na mira quanto à sua toxicidade. De modo geral, deve-se evitar o uso desse tipo de substância. Fica-se nas mãos de peritos das áreas médicas e de saúde que não apenas emitem opiniões conflitantes, mas também não podem prever se uma substância que agora aparenta ser inócua não apresentará efeitos nocivos quando consumida durante vários anos. Infelizmente, existem pessoas que por motivos de saúde não podem evitar o uso dos adoçantes artificiais. A solução para o futuro pode ser habituar nossas crianças desde cedo a ingerir menos sabores doces, e talvez, aqueles que o fazem, parar de acrescentar açúcar de cana nas mamadeiras de leite (*ver* Açúcar).

SAL

O salgado é o mais básico dentre todos os sabores dos alimentos, e é um sabor puro detectado na boca. O gosto do sal se deve à presença de ânions e cátions monobásicos na solução – uma afirmação que faz mais sentido para quem fez seu dever de casa de química do que para os cozinheiros. Na prática, o sabor salgado é proveniente do cloreto de sódio (NaCl), pois a maior parte dos outros cloretos (por exemplo de cálcio ou de potássio) tem um desagradável sabor amargo, ou é purgante ou venenoso.

O cloreto de sódio é um dos minerais essenciais para a vida animal. É o sal mais importante do mar, e responde pela salinidade do sangue. A maioria das pessoas ingere de 8g a 10g de sal por dia; destes apenas 1g a 1,5g vêm naturalmente dos alimentos; o restante é adicionado. A comida sem sal é insossa – como as pessoas que precisam seguir uma dieta de restrição de sal acabam por descobrir, infelizmente. Os animais percorrem quilômetros em busca de sal para lamber, e viajantes, em regiões onde não há sal, como no Himalaia, considerarão o sal um precioso artigo de comércio.

Salgar a comida de modo perfeito é uma das mais importantes atuações do bom cozinheiro. “Os *chefs* franceses se sentem realizados quando os pratos que saem de suas cozinhas com sua aprovação final têm o sabor supre-

Sal de cozinha, sal grosso
ALE: *Kochsalz*
ESP: *Sal gema, sal de cocina*
FRA: *Gros sel, sel de cuisine*
ING: *Cooking salt*
ITA: *Sale da cucina*

Sal de mesa, sal fino ou refinado
ALE: *Speisesalz, Tafelsalz*
ESP: *Sal de mesa*
FRA: *Sel blanc, sel de table*
ING: *Table salt*
ITA: *Sale da tavola, sale fino*

Sal marinho
ALE: *Meersalz*
ESP: *Sal de mar*
FRA: *Sel de mer, sel gris, sel marin*
ING: *Sea salt*
ITA: *Sale merino*

mo; e nada mais deve ser adicionado a eles, nem mesmo sal e pimenta.* Bem, este é um conselho de perfeição, pois é sabido que certas pessoas (alcoólatras, em particular) gostam de mais sal em suas comidas, mas é óbvio que, se mais do que alguns clientes solicitam o saleiro, o cozinheiro foi descuidado.

Se possível, o ajuste final do sal deve ser deixado para o fim do cozimento, quando o preparo alcançar o ponto de redução ideal na panela. Se o ajuste for feito antes desse ponto, na maioria das vezes a quantidade de sal vai ser exagerada para o volume final de líquido, e o prato ficará salgado demais.

Pratos que não podem ser provados antes do cozimento (é preciso um cozinheiro corajoso e ousado para provar patê cru de fígado de porco) devem ter o sal medido, mas tudo que for possível deve ser provado.

Ao adicionar sal nos pratos – aliás, ao temperá-los com qualquer coisa –, observe um importante princípio científico envolvido, que grosso modo é: quanto mais sal você tiver acrescentado, maior deverá ser a quantidade adicionada para que o sabor salgado aumente. Então, o uso discreto do sal não adianta, pois as quantidades necessárias se tornam menos arriscadas, e não mais arriscadas, quando se aproxima do ponto de perfeição (*ver* a seção "Os condimentos na prática", da Introdução).

Entretanto, se um prato for salgado demais por engano, não há muito a fazer, a menos que seja possível aumentar o volume do alimento para diluir o sal. O açúcar é antagônico ao sal, mas seu uso vai depender do prato. Alguns pratos precisam de um equilíbrio perfeito no ajuste entre sal e açúcar, mas normalmente não é possível acrescentar açúcar para neutralizar o sal.

O sal realça o sabor das outras coisas. Seu uso é importante na água onde vão ser cozinhados vegetais, pois faz com que estes percam menos sais minerais durante o cozimento. Ele aumenta a temperatura de ebulição da água. O sal a seco extrai água das carnes e dos vegetais por osmose, sendo uma das razões pela qual salgamos os vegetais antes de prepararmos picles e conservas com eles. O sal é, também, um conservante poderoso. Quando presente, impede completamente o desenvolvimento de alguns organismos e retarda o crescimento de outros. Por isso usamos sal para conservar carnes, peixes, toucinho e

---

* Citação de uma carta de Arnaud Cazenade, do restaurante Arnaud's, de Nova Orleans, Louisiana, a Lea e Perrins, datada de abril de 1930.

vegetais. Ele também assegura que apenas os organismos que produzem o sabor adequado se desenvolvam em produtos como toucinho, presuntos, queijos e peixes, caso do acido láctico no chucrute e nas conservas de pepino.

Como o sal nunca é cloreto de sódio puro, há variação no sabor e na salinidade conforme sua procedência. Existem variações consideráveis de um país para outro, tanto no sabor quanto na origem. O sal mineral ou sal-gema vem de depósitos subterrâneos normalmente formados por antigos mares que secaram. É cristalino, claro, branco ou rosado dos sais de ferro. Também pode conter traços do sabor desagradável de soda ou sulfato de magnésio e até, algumas vezes, sais venenosos de arsênico ou bário.

Por sua própria natureza, o sal-gema não é puro, e apenas o que vem de minas seguras pode ser vendido para o consumo humano. No mais, o sal-gema é considerado por muitos o mais saboroso dentre os sais. Naturalmente, para uso na mesa deve ser moído em moedor de sal de madeira ou triturado com um pilão e almofariz.

O **sal de cozinha** comum geralmente é obtido bombeando-se água num estrato subterrâneo que contém sal e depois aspirando-se a salmoura. Esta tem então que ser concentrada por evaporação até que o sal se cristalize. Durante o processo de cristalização, o sal é purificado até certa medida. É o sal comum de uso cotidiano em muitos países, encontrado em diferentes graus de refino, e também em blocos e tabletes.

O **sal de mesa**, embora tenha a mesma origem, é moído bem fino e recebe tratamento especial para evitar que fique empedrado. É basicamente apenas cloreto de sódio puro do qual foram retirados outros sais de propriedades higroscópicas (que retêm água). Em geral são adicionadas substâncias que fazem o sal ficar soltinho e sair com facilidade do saleiro, como amido, fosfato de cálcio e outras. É o que tem o sabor menos interessante.

O **sal marinho** é o sal comum em muitos países, e em outros pode ser encontrado em lojas de produtos naturais e em boas mercearias. É obtido pela evaporação da água do mar em reservatórios cercados (em inglês, também chamado *bay salt*). A água do mar contém uma alta porcentagem de cloreto de sódio e vários oligoelementos que variam do iodo à prata, e até mesmo ouro, mas também contém considerável quantidade de sais purgativos, de sabor desagradável e até sais venenosos. Entretanto, a purificação ocorre mesmo nos mais primitivos métodos de evaporação, e o sal resultante tem um bom sabor, sendo recomendado por muitos profissionais de saúde.

Os **sais aromáticos** são consagrados pela tradição e certamente eram comercializados no passado ou preparados em casa há muitos séculos. Existem inúmeras receitas e, para efeito de ilustração, recomendo a seguinte: 4 colheres de chá de noz-moscada e cravo-da-índia moídos; 1 colher de chá de pimenta-branca, tomilho em pó, louro seco e manjerona misturada com alecrim; 1 colher de chá de pimenta-de-caiena para realçar. Misturar tudo com 450g de sal marinho. Pode ser melhor reduzir a quantidade do sal ao preparar tais misturas, uma vez que sempre se pode adicionar mais sal ao prato, se necessário.

Como o sal é um conservante poderoso e um ingrediente para todos os pratos salgados e de carne, podemos economizar tempo e a energia de triturar os condimentos no pilão deixando já prontos sais aromáticos variados. O alho pode ser triturado com sal, embora o sabor nunca fique tão bom quanto o do alho fresco, e sementes de aipo, que são difíceis de moer, podem ser trituradas com o sal para a confecção de sal de aipo. Esses e muitos outros sais aromáticos – podemos mencionar o sal com aroma defumado de nogueira (*ver* Defumados) – são bastante comercializados nos Estados Unidos e na Grã-Bretanha. Fazem parte de uma nova tendência culinária para pratos de preparo rápido, mas sal de aipo e sal "oriental" são excelentes com ovos de gaivota ou de maçarico.

Embora seja uma pena depender completamente de tais preparados ou de produtos industrializados, que eliminam a magia da culinária e a individualidade do cozinheiro, eles podem ser úteis em algumas ocasiões. Mas também, como é muito fácil fazer sais aromáticos em casa, ficamos livres para combinar sabores e dar vazão à criatividade. Seria irreal fingirmos que nunca estamos com pressa, e qualquer coisa que ajude a cozinhar rapidamente sem perder o toque pessoal pode ser valiosa.

Os **sais vegetais** são sais especiais que, como o nome indica, têm origem vegetal; alguns têm excelente sabor. Sais minerais estão naturalmente presentes nos vegetais e são essenciais à saúde. Sais obtidos de plantas eram utilizados, por exemplo, pelos índios brasileiros de diversas regiões.

SALSA
Salsinha

A salsa é uma erva tão conhecida e tão adaptada a quase todos os climas que praticamente não necessita de descrição. Existem muitas variedades de salsinha, algumas com as folhas lisas, outras crespas. Na Inglaterra e nos Estados Unidos cultivam-se maciçamente variedades de folha crespa, porém em outros países estas são bastante desconhecidas. Alguns alegam que as de folhas lisas têm melhor sabor, mas isso talvez dependa tanto do solo e do clima quanto da variedade. Elas não são tão vistosas como guarnição, o que não é obstáculo em países onde é adicionada como tempero e não plantada como uma arvorezinha para enfeitar um prato de frios. As salsas de folhas lisas são mais resistentes que as variedades de folhas crespas. Desenvolvem-se bem em locais mais secos como a região mediterrânea, de onde são originais, e estranhamente também em lugares de clima úmido e frio onde predominam as outras variedades. A salsa de folhas lisas não é facilmente prejudicada por chuvas fortes ou podas. Porém a grande vantagem da salsa-crespa é que ela não pode ser confundida com a venenosa salsa-selvagem, ou cicuta-pequena – erva daninha que às vezes se enraíza nos canteiros das hortas. Esta possui folhas mais escuras que exalam um cheiro desagradável quando partidas, mas a distinção não é assim tão óbvia e pode ser um incômodo examinar a planta com cuidado toda vez que se for colher um molho. Por engano, muitas pessoas já se intoxicaram com a salsa-selvagem. Talvez isso explique a preferência pela salsa-crespa na Inglaterra.

Embora Lineu, o famoso naturalista sueco, considerasse a salsa original da Sardenha, para outros botânicos ela é natural do leste do Mediterrâneo. De qualquer forma, já era usada por gregos e romanos, talvez mais em cerimoniais que em culinária. Várias datas são dadas para a introdução da salsinha na Grã-Bretanha, sendo a mais comum meados do século XVI, mas com certeza os romanos levaram-na para a região durante os vários séculos de

BOT: *Petroselinum crispum (Petroselinum hortense, Petroselinum sativum)*
FAM: Umbelíferas
ALE: *Kräutel, Peterlein, Peterling, Petersilie*
ESP: *Perejil*
FRA: *Persil*
ING: *Parsley*
ITA: *Prezzemolo*

Salsa-selvagem, cicuta-pequena
BOT: *Aethusa cynapium*, gênero das umbelíferas
ALE: *Glanzpetersilie, Hundspetersilie*
ESP: *Perejil de perros*
FRA: *Ache des chiens, aethuse, persil des fous*
ING: *Fool's parsley*
ITA: *Cicuta aglina*

Salsa-napolitana
ALE: *Italienische Petersilie*
ESP: *Perejil napolitano*
FRA: *Persil aux feuilles de céleri, persil de Naples*
ING: *Napolitan parsley*
ITA: *Prezzemolo napoletano*

Salsa-de-hamburgo
ALE: *Hamburger Petersilie*
ESP: *Perejil Hamburgo*
FRA: *Persil à grosse racine, persil aux racines de Navet*
ING: *Hamburg parsley*
ITA: *Prezzemolo con radice bulbosa ou di Amburgo*

domínio colonial. A salsinha, é claro, viajou para a América junto com os primeiros colonizadores.

É uma erva bienal – semeia-se numa primavera e só se colherão sementes novas no verão seguinte, quando então as plantas geradoras morrem. Um suprimento permanente pode ser facilmente obtido em climas temperados fazendo-se duas semeaduras: uma no fim da primavera e outra no fim do verão. A salsinha suporta bem o frio, porém é melhor protegê-la sob estufas em invernos mais rigorosos. Gosta de um bom solo e de um pouco de sombra, mas em muitos lugares do mundo sobrevive sem isso. No entanto requer bastante espaço, uma planta nunca devendo encostar na outra. A germinação das sementes é lenta, cerca de um a dois meses, e algumas pessoas deixam-nas de molho em água morna antes da semeadura. Outra excelente maneira de apressar o processo é jogar água quente com uma chaleira ao longo dos sulcos feitos nas sementeiras antes de cobri-los com a terra. A germinação também é acelerada se o sulco for coberto com turfa.

Em muitas cidades de clima frio é difícil obter salsinha fresca. Nesses lugares, aqueles que se interessarem podem preparar sementeiras em jardineiras de janela. Basta enchê-las com terra adubada, mantê-las úmidas e, de vez em quando, nutrir as mudas com fertilizante líquido. No fim do outono as plantas crescidas podem ser colocadas em vasos e levadas para dentro de casa. Além de decorativa, a salsinha poderá ser consumida fresca durante o inverno.

A salsa pode ser conservada congelada ou desidratada. Secá-la em casa talvez não seja uma boa alternativa; mas os processos industriais modernos produzem a salsa seca, que, apesar de não ser tão boa quanto a erva fresca, pode ser útil numa emergência.

Como o sabor da salsinha é bem familiar a quase todos, torna-se dispensável descrevê-lo. É muito consumida por animais herbívoros, mas dizem ser venenosa para os pássaros. Se o suco for extraído, deve-se usá-lo com moderação, pois é um remédio razoavelmente forte.

Grande parte da melhor culinária europeia seria impensável sem a salsinha, que é sempre incluída (em geral apenas os talos) no *bouquet garni*, e, bem picada, nas misturas de ervas finas. Entra na composição de uma gama variada de molhos, que vão desde os mais simples ao molho tártaro, vinagrete, *ravigote*, verde etc. Também é a base da manteiga *à la maître d'hotel*, da manteiga de alho e muitas outras receitas. O molho de salsinha pode se tornar mais picante com a adição, em até 50%, de melissa.

Receitas de quase todos os pratos que não sejam de sabor doce – sopas, ovos, peixes, mariscos, carnes e aves – podem levar salsa. O bom cozinheiro a utiliza com tanta frequência que associamos a sua presença a um sinal de que a comida foi preparada com esmero e dedicação. Um de seus grandes usos é na forma conhecida na França como uma *persillade*: trata-se de uma mistura de salsinha picada bem fina, geralmente com echalota, acrescentada ao final do cozimento – o que incrementa não apenas o sabor do prato, mas também a aparência.

Muitos cozinheiros da Europa continental adicionam pequenas quantidades de salsinha picada ao alimento tão instintivamente quanto colocam o sal. O mesmo acontece no Brasil, onde a erva está presente tanto nos pratos simples como nas grandes receitas. Naturalmente haverá o mínimo trabalho de picar a erva, que deve ser bem lavada e seca até não conter mais resíduos de terra. Existem utensílios culinários para essa finalidade, embora eu prefira uma faca francesa grande e afiada e uma tábua de madeira com um guardanapo dobrado embaixo para abafar o barulho. Para pequenas quantidades pode ser útil a *hachinette* – uma tigela de madeira com uma faca em forma de meia-lua que nela se encaixa.

Além da salsa de folha, há dois outros tipos que devem ser mencionados. Um é conhecido como salsa-napolitana, uma especialidade local do sul da Itália cultivada por seus talos, que são consumidos do mesmo modo que o aipo. O outro é a salsa-de-hamburgo, cultivada por sua raiz. Embora tenha sido usada na Grã-Bretanha por um tempo considerável durante o século XVIII, hoje é um vegetal raro nesse país, bem como nos Estados Unidos, mas bastante comum na Europa setentrional e oriental e em algumas regiões da França. O sabor fica entre o da salsa e o do aipo-rábano, e é usada para temperar vegetais em sopas e guisados. Com frequência está entre os temperos vegetais vendidos na Alemanha com o nome de *Suppengrün* (verduras para sopa).

A chamada salsa-chinesa ou japonesa é o coentro verde, cujo sabor é completamente diferente (*ver* Coentro).

SALSA-DE-CAVALO

Aipo-de-cavalo

BOT: *Smyrnium olusatrum*
FAM: Umbelíferas
ALE: *Gelbolde*
ESP: *Esmirnio*
FRA: *Ombrelle jaune*
ING: *Alexanders,* black lovage, allisanders*
ITA: *Macerore*

A salsa-de-cavalo é uma erva umbelífera de constituição forte que cresce até 1,50m de altura em condições apropriadas. Tem flores amarelo-esverdeadas, frutos pretos e alguma semelhança com o aipo, tanto na aparência como no sabor. Originária do Mediterrâneo, há muito tempo foi naturalizada na Grã-Bretanha, onde cresce naturalmente em planícies e rochedos próximos ao mar. No quintal, pode ser cultivada em qualquer canteiro ensolarado, seja a partir de mudas ou de sementes, semeadas na primavera.

Como verdura e como erva, a salsa-de-cavalo está fora de moda, mas já foi muito usada da forma como hoje empregamos o aipo – que a desbancou.

Quem dispõe de mais espaço no quintal pode descobrir que vale a pena cultivar salsa-de-cavalo pelo sabor (entre a salsa e o aipo) ou pela diversidade de ervas.

SALSAPARRILHA

BOT: Espécies de *Smilax*
FAM: Liliáceas
ALE: *Sarsaparille*
ESP: *Zarzaparilla*
FRA: *Salsepareille*
ING: *Sarsaparilla*
ITA: *Salsapariglia*

Salsaparrilha é o nome de várias espécies de *Smilax*, a maioria nativa das florestas tropicais da América Central. Qualquer pessoa que tenha tentado caminhar pelas colinas da Riviera provavelmente se espetou nos espinhos entrelaçados e emaranhados da *Smilax* europeia, com suas admiráveis folhas em forma de lanças. A maioria das *Smilax*, porém, é encontrada nas florestas da Amazônia e da América Central. Como são parreiras, sobem ou esparramam seus caules vigorosamente traiçoeiros na vegetação densa e úmida, e escavar as raízes pode ser uma empreitada desagradável. Estas contêm um princípio amargo aromático; quando secas são usadas, associadas com outros condimentos, no preparo de bebidas não al-

* Nos Estados Unidos, o nome *alexanders* às vezes se refere à angélica-silvestre nativa.

coólicas e cerveja de salsaparrilha. Embora a planta já tenha sido considerada um tônico e também usada como condimento, hoje tem apenas usos medicinais em suas regiões de origem. No entanto, várias bebidas de nome salsaparrilha podem ser encontradas em diversos países, e há inúmeros substitutos para a raiz da planta.

Foi item importante nas exportações brasileiras para Portugal, principalmente no século XVIII, pois suas raízes eram utilizadas para tratar sífilis.

SÁLVIA

BOT: *Salvia officinalis*
FAM: Labiadas
ALE: *Echter Salbei, Edelsalbei, Gartensalbei, Scharlei*
ESP: *Salvia*
FRA: *Sauge*
ING: *Sage*
ITA: *Salvia*

Todo jardineiro conhece o gênero *Salvia*, cujo nome deriva do latim *salvare*, *salvus*, que significa salvar, sadio, intacto: uma referência às suas inúmeras qualidades medicinais e para a conservação da saúde. O nome em inglês, *sage*, vem do francês *sauge*, "*sawge*" nos livros antigos, e designa apenas uma dentre as várias espécies de sálvia.

Nativa da costa norte do Mediterrâneo, a sálvia é encontrada espontaneamente nas montanhas da Dalmácia, em especial ao redor de Rijeka (Fiubme). A sálvia-silvestre desidratada e o mel de flores de sálvia são importantes especiarias e produtos de exportação da ex-Iugoslávia. A introdução da erva na culinária europeia não tem data muito precisa. Os antigos romanos utilizaram-na para fins medicinais, mas talvez não na culinária, embora seguramente fosse bem conhecida em toda a Europa por volta do século XVI.

Há um grande número de variedades de sálvia, que diferem enormente no sabor, e a maioria deve ser apreciada muito mais como de uso decorativo do que culinário. A literatura fornece vários nomes para estas, como sálvia-abacaxi, sálvia-lavanda, sálvia-artemísia, sálvia-de-graham, sálvia-de-gregg (México), sálvia-de-chipre, sálvia-vermelha, sálvia-de-folha-cinza (Marrocos) e outros tantos. Para fins culinários, a sálvia de folha estreita, que tem flores azuis, ou a de folhas largas, da qual existem variedades que não florescem, são as melhores. Ao escolher as ervas para a horta, oriente-se por sua própria preferência de sabores (pois o solo e o clima interferem no aroma), e por razões de ordem prática (pelas mudas ou plantas que pode obter). Entretanto, é importante prestar atenção ao fato de que nem toda sálvia é igualmente saborosa e avaliar a qualidade da planta em sua horta: se não for boa, troque-a.

Como a sálvia de uso culinário é uma planta originária de áreas calcárias secas e pobres, ela se desenvolve melhor em solos com boa drenagem, embora possa ser cultivada em quase todos os lugares onde o clima não seja muito frio e úmido. A multiplicação normalmente se dá por estaquia ou replantando-se as mudas já enraizadas. Embora seja uma planta perene, após algum tempo fica lenhosa e desgalhada demais, sendo melhor refazer o replantio a cada dois ou três anos. Um ou dois arbustos bastam numa horta caseira comum. As folhas secam bem e também são adequadas ao *quick freezing*. Como acontece com várias ervas labiadas, o melhor aroma é obtido um pouco antes de a floração desabrochar.

O aroma da sálvia é poderoso, especialmente quando cultivada em climas quentes e secos, e um tanto canforáceo. As opiniões sobre sua excelência na culinária são bem divididas: alguns afirmam que tem sabor picante e muito amargo, mais rude; outros a amam, e para esses o sabor é perfeito. A sálvia é uma das poucas plantas que não acompanharam o declínio do emprego de ervas na culinária inglesa, mas seu uso ficou quase restrito ao tempero do ganso recheado com sálvia e cebola, da carne de porco e de linguiças de sabor mais condimentado (embora não nas linguiças tradicionais industrializadas, talvez porque muitas crianças não apreciem seu gosto). Na cozinha alemã, e também na belga, o uso da erva é destaque com enguias – tanto em sopas quanto para envolver os pedaços de enguia a fim de aromatizá-los durante o cozimento. Na culinária francesa a sálvia é usada ocasionalmente, mas quase nunca como sabor dominante. Por outro lado, na Itália ela é muito apreciada e é uma das ervas que os açougueiros costumam oferecer gratuitamente, junto com o alecrim e o louro, na compra de carnes. É usada, em especial, principalmente com fígado e vitela, como no *saltimbocca* – prato no qual finas fatias de vitela e presunto são enroladas com uma folha de sálvia, refogadas na manteiga e finalizadas com Marsala –, além de vários pratos com linguiças e iguarias. Outro uso, comum na cozinha do Mediterrâneo é envolver com folhas da erva pequenas aves, como tordos, antes de assá-las, bem como espetar alguns raminhos ou rechear com as folhas a carne a ser assada. Também é entremeada com a carne nos espetos de *kebab* e de vez em quando aparece nas fortíssimas saladas de ervas consumidas nos vilarejos do Oriente Médio. Na verdade, algumas pessoas aconselham o uso de brotos de sálvia nas saladas, e também para aromatizar favas e ervilhas, da mesma maneira que os franceses usam a segurelha. Pessoalmente, gosto do sabor da sálvia em pratos de carnes fortemente aromáticos, embora ele não seja nada sutil e fique melhor numa saudável e farta refeição ao ar livre do que num contexto mais sofisticado.

A *Salvia officinalis* possui também amplo uso medicinal no Brasil. E a *Salvia splendens*, nativa do sul brasileiro, a linda sálvia de flores vermelhas, conhecida como alegria-dos-jardins, é uma planta altamente decorativa, que floresce na primavera, e também é empregada na medicina, em culinária e em licores.

Várias espécies de sálvia são utilizadas em chás e para fins medicinais na Europa e também na Ásia, até tão distante quanto na China.

SÁLVIA-DE-JARDIM

Nativa do sul da Europa, diz-se que a sálvia-de-jardim foi introduzida na Grã-Bretanha em 1562. O nome inglês *clary* vem do latim *clarus*, que significa claro. É uma erva bienal mas usualmente tratada como se fosse anual; bem resistente, cresce até cerca de 90cm. As flores variam de branco-azuladas a brancas, com brácteas branco-arroxeadas, azuladas ou amareladas. Desenvolve-se a partir de sementes e precisa de um solo leve, em local quente, especialmente para que as plantas permaneçam saudáveis e sobrevivam a um inverno rigoroso.

BOT: *Salvia sclarea*
FAM: Labiadas
ALE: *Muskateller-salbei*
ESP: *Salvia silvestre*
FRA: *Orvale, sauge sclarée, toute-bonne*
ING: *Clary, clary sage*
ITA: *Selarea* ou *erba moscatella*

As folhas, largas, são muito aromáticas e podem ser usadas como tempero tanto frescas quanto secas. Já foi empregada numa combinação com flores de sabugueiro para dar o sabor de moscatel ao vinho (daí seu nome em alemão significar sálvia-moscatel). Seu óleo essencial destilado é utilizado em perfumaria e tem um odor que lembra o âmbar-gris. As folhas frescas são aromáticas e bem amargas.

Essa erva não é muito usada hoje em dia, mas é interessante para se ter no jardim pois, se bem tratada, sobrevive no inverno. "Quando tenra não deve ser desprezada em omeletes; acrescentada ao creme de leite, frita em massa adocicada e consumida com açúcar e suco de laranja ou limão."*

SASSAFRÁS

BOT: *Sassafras albidum, Sassafras officinalis*
FAM: Lauráceas
ALE: *Sassafras*
ESP: *Sassafrás*
FRA: *Sassafras*
ING: *Sassafras*
ITA: *Sassafrasso*

O sassafrás, uma árvore comum ao longo das estradas na América do Norte, é nativo da região Leste desse continente, do Canadá à Flórida e ao Kansas. Ostenta flores verde-amareladas que desabrocham antes das folhas. Seus frutos são azul-escuros, com hastes vermelhas.

Embora todas as partes da árvore sejam um tanto aromáticas, a casca da raiz é a mais rica em óleo essencial de sassafrás. Os nativos mascavam essa raiz, para a qual os espanhóis atentaram quando chegaram pela primeira vez à Flórida em 1512, sendo logo depois apregoada como um novo medicamento. Até meados do século XIX a casca, as folhas e os brotos eram usados em vários estados norte-americanos como um substituto do chá, sendo a planta mencionada em livros mais antigos de culinária principalmente como chá medicinal ou cordial. Vale a pena destacar os outros componentes do cordial para ilustrar a enorme variedade de ingredientes aromáticos com que os cozinheiros contavam na culinária dos velhos tempos: salsaparrilha, goma-arábica, vinho branco, bagas de zimbro, pistache, xarope de limão, folhas de alecrim, manjerona, cidra e limão cristalizados, açúcar-cande, uvas-passas moscatel, *jerez* e conhaque.

Como o sassafrás é usado para aromatizar remédios, seu gosto é às vezes descrito como "medicinal". É o sabor básico para a geleia de sassafrás que acompanha carne, e as folhas secas em pó são utilizadas na culinária *creole* para

* Texto de 1699, sem autor indicado. (N.T)

temperar e engrossar sopas e guisados de carne. As folhas novas e tenras podem ser usadas em saladas.

A canela-de-sassafrás obtida da casca de sabor amargo da *Ocotea odorifera*, árvore das margens do rio Negro, na Amazônia, é condimento e remédio do caboclo brasileiro e foi também valorizada pelos portugueses.

SEGURELHA

Há várias espécies de segurelhas, quase todas originárias da região mediterrânea. As duas mencionadas aqui são as principais para uso culinário, embora na Espanha se use uma outra espécie, a *Satureja thymbra* – de sabor mais parecido com o do tomilho –, como uma erva condimentar. Sem dúvida, outras segurelhas silvestres também são usadas regionalmente.

A **segurelha-de-verão** era usada na culinária antiga pelos romanos, que provavelmente a introduziram na Grã-Bretanha. Parece que seu uso é anterior ao da sálvia. Foi levada para os Estados Unidos com os primeiros colonizadores ingleses. É uma planta resistente, perene e anual, e uma vez adaptada normalmente torna-se espontânea. Não necessita de muita terra, alastra-se com facilidade e depois deve ser podada. Pode alcançar até uns 30cm de altura, com formato desordenado. As flores são avermelhadas, pequenas e pouco se destacam; as folhas, estreitas e alongadas. A segurelha necessita de sol pleno e solo leve.

O sabor da erva é bem picante e, embora lembre vagamente o do tomilho, é mais amargo e distinto, sendo melhor quando ela é colhida antes da floração. Pode ser desidratada, conservando bem seu sabor. É usada para condimentar linguiças, recheios e misturas de ervas (às vezes num *bouquet garni*), mas seu uso tradicional é como um tempero para feijões e ervilhas, especialmente na França, Suíça e Alemanha. Há quem considere isto um equívoco. Quando usada em exagero o resultado é certamente tão desastroso quanto o da hortelã, que os franceses consideram um engano da culinária inglesa.

Segurelha-de-verão
BOT: *Satureja hortensis*
FAM: Labiadas
ALE: *Bohnenkraut Kölle*
ESP: *Ajedrea de jardin*
FRA: *Sariette*
ING: *Summer savory*
ITA: *Santoreggia*

Segurelha-de-inverno
BOT: *Satureja montana*
FAM: Labiadas
ALE: *Winter-Bergminze*
ESP: *Sabroso*
ING: *Winter savory*
ITA: *Santoreggia selvatica*

A **segurelha-de-inverno** é um arbusto perene com flores arroxeadas que atinge até 30cm. A propagação se dá por mudas enraizadas, na primavera. Gosta de solo pobre e sol. O sabor é bem semelhante ao da segurelha-de-verão, embora na opinião de muitas pessoas seja inferior. Os óleos essenciais são praticamente os mesmos. No passado, era usada com truta.

SEMENTE DE PAPOULA

BOT: *Papaver somniferum*
FAM: Papaveráceas
ALE: *Mohn*
ESP: *Ababa, adormidera, amapola*
FRA: *Pavot, coquelicot*
ÍNDIA: *Cus-cus, khush-khush, khus-khus*
ING: *Poppy*
ITA: *Papavero*

Muitos tipos de papoula são cultivados para fins ornamentais, mas apenas a papoula do ópio tem verdadeira importância culinária – embora as folhas levemente narcóticas da papoula-comum-do-campo (*Papaver rhoeas*) possam ser cozidas como o espinafre, e eu já tenha ocasionalmente mascado os talos da papoula-azul (da espécie *Meconopsis*), cujo sabor se parece bastante com o de talos de alface.

A *Papaver somniferum* é nativa do Oriente Médio e dela se extrai o ópio, um medicamento que era conhecido pelos egípcios, gregos e romanos e provavelmente até antes, pois o seu cultivo chegou à Pérsia (Irã), à Índia e à China por volta de 800 d.C. O ópio é o látex gomoso que exsuda do corte das cápsulas (os frutos) com sementes ainda não amadurecidas. Contém cerca de 24 alcaloides diferentes, os quais interessam ao médico, mas não ao cozinheiro (espera-se). No entanto, as sementes maduras da papoula não têm nenhum alcaloide e, assim como o óleo que delas pode ser extraído, constituem alimentos importantes.

A papoula do ópio é uma planta anual com grandes flores brancas, rosadas ou lilases. Atualmente é encontrada crescendo de forma silvestre em muitos países. É comum em localidades ao redor do Mediterrâneo e pode mesmo ser vista nos condados do leste da Grã-Bretanha. A planta é cultivada na Índia, China, Oriente Médio e também nos Bálcãs, na Alemanha, no norte da França e, em menor escala, na Grã-Bretanha.

Existem muitas variedades dessa *Papaver* e dois tipos bem diferentes de sementes de papoula. O mais comum na Europa é um grãozinho cinza-azulado, mas na Índia são muito menores e de cor creme. Do ponto de vista do sabor, quase não há diferença.

Na Europa e no Oriente Médio o principal uso das sementes de papoula é em confeitos e doces. Quando tostadas, seu sabor é agradável, lembrando nozes. As sementes são salpicadas sobre bolos e pães ou acrescentadas em vários recheios doces. Na Índia são conhecidas como *khus-khus* – não confundir com o prato típico da culinária do norte da África, o cuscuz, nem com o nome indiano para vetiver (*Vetiveria zizanioides*), *khas-khas*. São usadas em *curries*, nos quais sua função é em parte adicionar sabor e em parte melhorar a textura e encorpar o caldo. Na Índia, farinhas à base de amido jamais são usadas para engrossar os *curries*.

As sementes de papoula também são uma fonte relevante de óleo. Há uma primeira pressão a frio que produz um óleo claro comestível conhecido na França como *olivette*. A segunda pressão, a quente, produz um óleo vermelho, que depois de descolorido é empregado em tintas e para fins industriais; sendo muito usado por artistas, o óleo de papoula para a cozinha não deve ser adquirido na mesma loja em que você compra os materiais para os seus quadros.

SENSAÇÕES DO PALADAR

A expressão em inglês *mouthfeel* ["sensação da boca"] foi cunhada pelos especialistas para abranger várias sensações produzidas pelos alimentos que não são estritamente nem sabor nem aroma.

Primeiramente, há a temperatura em que o alimento é ingerido, ou seja, desde muitos graus abaixo do ponto de congelamento até meio caminho do ponto de fervura (c. 50°C). A temperatura por si só é uma sensação importante, tendo grande influência sobre o quanto os sabores são sentidos. Alguns são acentuados pelo calor, outros pelo frio.

Além disso, há a textura da comida: a umidade, a secura, a aspereza, a sensação escorregadia, a gordura, a mordida etc. A textura é de enorme importância nos alimentos, embora não seja assunto que diga respeito diretamente a este livro. Outras sensações do paladar, por serem comumente vistas como parte do sabor, também são importantes para nós: ardência (mostarda forte, pimenta-vermelha, raiz-forte, pimenta-do-reino); anestesia (cravos e baunilha); frescor (mentol e hortelã); e adstringência ou contração das membranas bucais (alumes e abrunho).

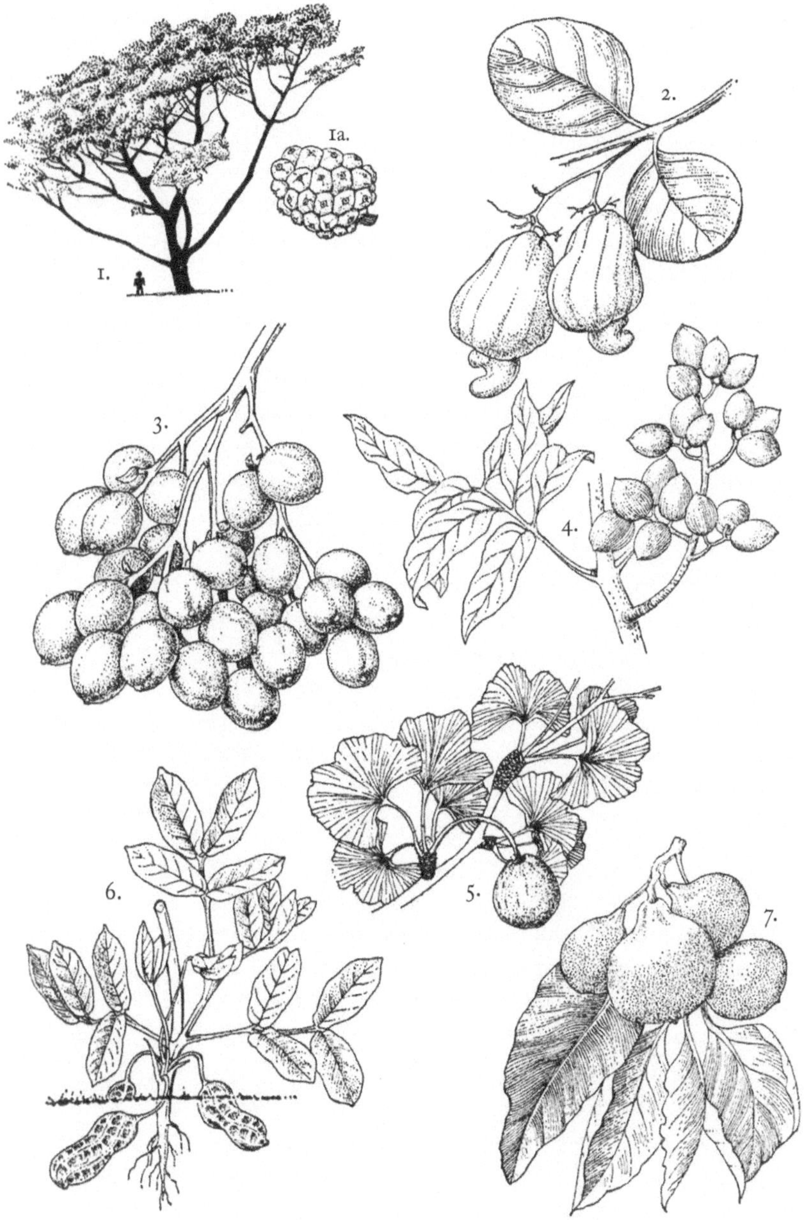

Nozes e castanhas: 1. Pinheiro *Pinus pinea* 1a. Pinhão 2. Castanha-de-caju 3. Noz-de-areca 4. Pistache 5. Ginkgo biloba 6. Amendoim 7. Noz-da-índia

SOJA

BOT: *Glycine max* (*Glycine soja*)
FAM: Leguminosas
ALE: *Soja*
CANTÃO: *Jeong yow*
ESP: *Soja*
FRA: *Pois chinois, soja, soui, soya*
ING: *Soy, soya bean*
ITA: *Soia*
JAPÃO: *Shoyu*

A soja, nativa do sudeste da Ásia e uma das culturas mais antigas, já era plantada na China por volta de 3000 a.C. Apesar da sua longa história manteve-se desconhecida na Europa até o fim do século XVII, e mesmo tarde no século XIX não era senão uma curiosidade. Atualmente há milhares de variedades e milhões de acres cultivados de soja no mundo todo, sendo sem dúvida a leguminosa mais importante que existe, usada não apenas como alimento, mas também como matéria-prima para a indústria. Como alimento, é extremamente rica tanto em gorduras quanto em proteínas. É consumida na forma de feijão fresco (que não suporta o congelamento), de feijão seco e como farinha, sendo fonte de um óleo de boa qualidade culinária muito usado como substituto do azeite de oliva na Espanha e em outros países. Até um tipo de leite é processado da soja. No Oriente é fermentada para fazer vários tipos de coalhada e queijos vegetais. O produto de soja que nos interessa é o molho de soja – *shoyu*.

Esse é um molho muito importante na China, no Japão e em quaisquer lugares onde haja um grande número de imigrantes desses países. Acredita-se que tenha sido levado da China para o Japão por um monge budista, por volta de 500 d.C. No Ocidente, tornou-se bem conhecido durante o século XIX. É um dos ingredientes do molho inglês e do molho Harvey's. Pode-se imaginar com que prazer o molho de soja foi saudado numa era em que *catchups* e outros molhos engarrafados eram extensivamente usados.

Há diversos tipos de molho de soja, e os métodos de preparo variam de um lugar para outro. Em geral, é feito pela fermentação de uma mistura salgada de grãos de soja cozidos com farinha de trigo ou de cevada e da qual se extrai o líquido. O resultado é um molho ralo com sabor salgado (que lembra a carne), habitualmente de cor marrom-escura, embora possa variar do preto ao bege-claro.

O molho *shoyu* é essencial na culinária do Extremo Oriente e foi adotado com entusiasmo nos Estados Unidos, possivelmente tendo se difundido a partir da costa do Pacífico. É um ingrediente comum em marinadas e molhos de churrasco, e deve estar na despensa de todos os que se interessam por receitas da Ásia Oriental – embora se acredite que o seu uso constante e prolongado seja nocivo ao fígado. Hoje, o produto encontra-se disponível em todos os supermercados brasileiros.

SORVEIRA-BRAVA

BOT: *Sorbus aucuparia*
FAM: Rosáceas
ALE: *Eberesche, Vogelbeere* (fruto)
ESP: *Fresno alpestre*
FRA: *Sorbe* (fruto), *sorbier*
ING: *Rowan, mountain ash, rodden*
ITA: *Sorbo*

Essa conhecida árvore silvestre nativa do norte da Europa também é cultivada em jardins devido aos frutinhos decorativos vermelho-alaranjados. É parente próxima da sorveira (*Sorbus aucuparia*) e da *Sorbus aria* (em inglês chamada *white-beams*), e, mais distante, do pilriteiro ou carrapateiro (*Crataegus monogyna*, da família das rosáceas) e da azarola (*Crataegus azarolus*). O nome em inglês "rowan" tem origem escandinava (*raum*, na Noruega, e *rön*, na Suécia).

Com os frutos da sorveira-brava pode-se fazer uma deliciosa geleia adstringente, que combina bem com a carne de cervo. Cozinham-se os frutos em água suficiente para cobri-los, até obter um suco vermelho e amargo, que depois deve ser coado. Leva-se novamente ao fogo com açúcar (entre 500g e 700g para cada 600ml de líquido) até atingir a consistência desejada.

A esposa de um velho fazendeiro na Nortúmbria, uma das poucas cozinheiras soberbas do interior da Inglaterra que conheci, usava bagas de sorveira-brava em muitos dos pratos de carne que preparava. Os leitores interessados poderão experimentar receitas com esses frutinhos azedos, amargos e adstringentes, tão pouco valorizados e desperdiçados todos os anos.

SUMAC

BOT: *Rhus corioria*
FAM: Anacardiáceas
ALE: *Färberbaum, Sumach*

O *sumac* é conhecido pelos jardineiros como uma planta arbustiva e ornamental, mas cultivam-se algumas variedades devido a suas folhas, que são uma fonte de tanino para a indústria de curtume. Um deles, o sumac-siciliano (cultivado comercialmente na Sicília e no sul da Itália), tem sementes azedas que são largamente empregadas na culinária do Oriente Médio. Lá, essa variedade cresce espontânea nas montanhas rochosas, distantes do litoral, e quanto mais alto o local de cultivo, melhor a qualidade. Quase todas as casas no Líbano mantêm um estoque de sementes de *sumac*. Elas podem ser moídas, fornecendo um pó roxo-avermelhado, ou usadas inteiras; nesse caso são quebradas, deixadas de molho na água por cerca de 15 a 20 minutos e depois bem espremidas para se extrair o sumo.

ÁRABE: *Sammak*
ESP: *Zumaque*
FRA: *Sumac*
ING: *Sumac, Sicilian sumac, sumach*
ITA: *Sommacco*

O *sumac* é azedo, com um agradável sabor ácido adstringente. Era usado pelos romanos – ainda não havia limões na Europa –, que o chamavam de sumac-sírio.

Atualmente o condimento é usado no Oriente Médio para fazer um refresco azedo, muito recomendado para tratamento de diarreia. Entretanto, sua grande importância é como um agente ácido nas receitas árabes, nas quais desbanca o limão. Seu extrato é usado em saladas; o pó, em pratos como o cozido de peixe condimentado *samak el harrah*, da mesma forma como o tamarindo é usado como fonte de sabor ácido nas receitas de *curries* indianos. Não confundir as palavras árabes *sammak*, que significa *sumac*, com *samak*, cujo significado é peixe.

O *sumac* deveria ser mais bem conhecido. Algumas vezes pode ser comprado na forma de um pó vermelho nas lojas especializadas em culinária libanesa ou judaica. Eu mesmo o tenho usado desde que o descobri há alguns anos, pois confere um azedume frutado discreto (devido ao ácido málico, o mesmo das maçãs ácidas), sem a acidez evidente do vinagre nem a pujança do limão ou do tamarindo.

O sumac-escarlate (*Rhus glabra*) é um arbusto encontrado ao longo das estradas na América do Norte. Durante o mês de agosto ostenta cachos de frutinhas vermelhas (no *sumac* venenoso as frutinhas são brancas), que eram usadas pelos índios norte-americanos no preparo de uma bebida ácida. É provável que essa variedade também possa ter sido empregada no preparo de pratos libaneses. Será que esse uso comum nos dois lugares tem algo a ver com a antiga ligação entre os fenícios e a América? Não confundir essa espécie com outra de *sumac* americano, as várias espécies do gênero *Toxicodendron*, que são venenosas ao contato. Esses são arbustos macios, com frutinhas branco-esverdeadas, encontrados nos pântanos.

Para receitas que empregam o *sumac*, sugiro o livro *Food from the Arab World*, de autoria de Marie Karam Khayat.

T

TABASCO *Ver* Molho Tabasco.

TABOA

Tabua, tifa, paineira-do-brejo, espadana

BOT: *Typha latifolia*
FAM: Tifáceas
ALE: *Binse, Rohrkolbenschilf, Seesimse*
ESP: *Enea, junco*
FRA: *Jonc des marais, jonc des chaisiers*
ING: *Bulrush, reedmace, cattail* (EUA)
ITA: *Stiancia, mazzasorda*

A taboa é comum na beira de lagos em latitudes norte. Muitas pessoas reconhecem sua grande flor em formato de bastão, mas poucas sabem que ela é comestível. Os brotos e ramos jovens são usados crus em saladas. O arilo, quando ainda verde, pode ser cozido como legume. O pólen é usado para condimentar panquecas, das raízes descascadas produz-se uma farinha e a parte carnuda e macia de onde nascem os ramos é consumida no inverno como legume. O interior branco e macio dos brotos (quando estão com cerca de 60cm), cru ou cozido, dá uma salada deliciosa. É um prato comum de primavera entre os cossacos, na Rússia. Para aprender mais sobre as taboas e outros vegetais silvestres, recomendo o livro de Euell Gibbons, *Stalking the Wild Asparagus*. Cuidado para não confundir a taboa com outra planta, mais semelhante à grama – o *Scirpus lacustris* –, também conhecido com o mesmo nome.

TAMARINDO

BOT: *Tamarindus indica*

O provável local de origem do tamarindo é o leste da África tropical, mas também é possível que venha do sul da Ásia. Cresce espontâneo em toda a Índia, onde é consumido há muito tempo, daí o nome alternativo em inglês *Indian date*. Também era usado pelos árabes e, em menor proporção, na Europa durante a Idade Média, época em que a maior parte das mercadorias vinha da Índia.

FAM: Leguminosas
ALE: *Tamarinde*
ESP: *Tamarindo*
FRA: *Tamarin*
ING: *Tamarind, Indian date*
ITA: *Tamarindo*

Quando completamente desenvolvido, o tamarindeiro é bem grande, chegando algumas vezes a atingir cerca de 25m de altura, embora em geral seja um pouco menor. Fica carregado de frutos-vagens de 15cm a 20cm, que se tornam marrom-escuros quando maduros. A polpa dentro da vagem que envolve as sementes contém cerca de 20% de ácido tartárico – e por isso é bem ácida, embora também contenha açúcar.

O tamarindo industrializado, como encontramos nas lojas indianas, consiste na pasta grudenta das vagens parcialmente secas e quebradas, sem as sementes. Sempre contém material fibroso. Se for macerada em água quente, pode-se obter um sumo marrom-escuro extremamente acre que é o agente ácido usado com frequência nos *curries* indianos. O tamarindo se conserva quase que indefinidamente, e as pessoas que apreciam os verdadeiros *curries* devem tê-lo sempre em casa, pois outros agentes ácidos nunca proporcionarão os mesmos resultados. Atualmente o tamarindo é cultivado nos trópicos, inclusive nas Antilhas, sendo usado comercialmente como base para bebidas de frutas. É um consagrado laxante, e há um produto brasileiro feito com pasta de tamarindo para esse fim.

TANACETO

Catinga-de-mulata, tanaceto-comum

O tanaceto é nativo da Europa, inclusive da Inglaterra, sendo também espontâneo no leste dos Estados Unidos. Geralmente a planta mede de 60cm a 90cm de altura; possui flores que parecem botões amarelo-dourados e folhas semelhantes às das samambaias. Existem variedades ornamentais para jardim. Em alguns lugares, em especial nos Estados Unidos, o tanaceto é cultivado comercialmente.

BOT: *Tanacetum vulgare* ou *Chrysanthemum vulgare*
FAM: Compostas
ALE: *Drusenkraut, Rainfarn, Wurmkraut*
ESP: *Argentina, balsamita menor, tanaceto*

FRA: *Barbotine, herbe amère, herbe aux vers, tanaisie*
ING: *Tansy*
ITA: *Tanaceto, ariceto, erba amara*

Era comum em hortas domésticas de ervas silvestres na Europa medieval, embora atualmente seja pouco usado na culinária. O sabor é forte, e, para muitas pessoas, bem desagradável. Sua reprodução é muito simples, por sementes ou multiplicando-se pela divisão de touceiras.

Na Inglaterra, o *tansy* é um tipo de iguaria cremosa, assada ou cozida, aromatizada predominantemente com folhas de tanaceto, as quais também são usadas picadas para aromatizar bolo e pudim de tanaceto, pratos que no passado eram associados à Páscoa. Vários significados foram atribuídos a isso, porém ninguém formulou a teoria de que as pessoas apreciassem o sabor da erva. O tanaceto é comumente citado entre os ingredientes de receitas dos séculos XVI e XVII, e o escritor Izaak Walton o menciona numa receita de vairão, um peixe de rio. Alguns especialistas o recomendam para omeletes, recheios, peixes de água doce e bolos de carne, além de saladas. E o tanaceto tem a reputação de ser uma das várias ervas que entram na composição do famoso licor *chartreuse*, que no entanto inclui em sua fórmula outras muitas ervas.

TANGERINA *Ver* Laranja.

TARTAGO

Tártago

BOT: *Euphorbia lathyrus*
FAM: Euforbiáceas
ING: *Caper spurge*
ITA: *Catapuaia*

Essa família inclui plantas importantes economicamente, como a mamoneira (*Ricinus communis*), a seringueira ou árvore-da-borracha (*Hevea brasiliensis*) e a mandioca (*Manihot esculenla*), além da mercurial-vivaz (*Mercurialis perennis*), de muitas ervas eufórbias conhecidas como ervas daninhas e das espetaculares eufórbias das regiões desérticas da América e da África, semelhantes a cactos.

Com frequência contêm uma goma branca leitosa e são muito tóxicas (as sementes de mamoneira são extremamente venenosas). A mercurial-vivaz e a *poinséttia*, popular planta decorativa tropical, não são exceção. É talvez por isso que, apesar de as sementinhas verdes do tartago (semelhantes às alcaparras) serem consideradas boas em conserva, as autoridades a rotulem como tóxica. O mais seguro é evitar ingerir qualquer planta dessa família, a menos que seja notoriamente comestível.

TEMPERO PARA PICLES

O tempero para picles geralmente se baseia em pimenta-do-reino em grão, pimentas-vermelhas (*chillis*) e alguns dos seguintes condimentos: grãos de mostarda, pimenta-da-jamaica, cravos, gengibre, macis e sementes de coentro. As proporções variam nas diversas receitas e, às vezes, outras especiarias são incluídas.

TÍLIA

BOT: *Tilia vulgaris* (tília-comum), *Tilia cordata* (tília-de-folhas-pequenas), *Tilia platyphyllos* (tília-de-folhas-grandes), *Tilia americana* (tília-americana)
FAM: Tiliáceas
ALE: *Linde*
ESP: *Tilia*
FRA: *Tilleul feuilles, tilleul de Hollande*
ING: *Lime, linden, basswood* (EUA)
ITA: *Tiglio*

As tílias são árvores comuns na Europa e na América do Norte. A árvore da Europa é um híbrido da tília-de-folhas-pequenas com a tília-de-folhas-grandes.

Em quase todos os mercados da Europa que trabalhem com produtos do campo a ponto de ter uma banca de ervas, será possível encontrar flores secas de tília à venda, para fazer chá. As flores dessa planta são amareladas, pendentes em cachos e possuem um aroma intenso e delicioso. Embora o chá de tília seja ingerido principalmente como tônico digestivo ou como calmante, antes de dormir, as flores também são usadas para aromatizar cremes e doces, além de ser ingrediente comum de licores caseiros. Do mesmo modo, com as flores da tília-americana faz-se uma delicada infusão.

TOMATE

BOT: *Lycopersicon esculentum*

O tomate é uma fruta, um legume e um tempero importante. Provavelmente originário do noroeste da América

FAM: Solanáceas
ALE: *Tomate*
ESP: *Tomate*
FRA: *Tomate*
ING: *Tomato*
ITA: *Pomodoro*

do Sul (Peru e Equador), já estava aclimatado no México muito antes do descobrimento da América por Colombo. Foi levado para a Europa pelos espanhóis, que aparentemente o utilizavam, mas em outras partes da Europa era, antes de tudo, visto como uma curiosidade ou até mesmo como venenoso – talvez por pertencer obviamente à mesma família da venenosa e mortal beladona; e, de fato, todas as partes verdes da planta são consideradas venenosas.

Hoje o tomate é cultivado em praticamente todos os países do mundo, tanto em climas tropicais quanto em temperados, mas existe um número enorme de variedades cujos sabor e volume de água contida diferem bastante. Infelizmente as variedades comerciais mais lucrativas, resistentes para o transporte e com boa aparência possuem, em geral, sabor inferior. No entanto, nos mercados estrangeiros e em lugares afastados encontram-se tomates pequenos com péssima aparência, enrugados e de formato irregular que têm um sabor incomparável. Portanto, os tomates, assim como outras frutas, não devem ser comprados pela aparência. Variedades específicas, tal como o tomate-italiano – que, como o nome diz, é cultivado na Itália (apesar de ser de origem britânica) –, são adequadas para determinadas finalidades, por exemplo serem enlatados ou transformados em extrato.

Nos países mediterrâneos existem também vários produtos importantes de tomates em conserva. Os tomates são partidos ao meio, espalhados ao sol para secar e depois conservados em azeite. Esses tomates secos desenvolvem um sabor especial que tomates frescos não igualam. Durante o inverno, as barracas dos mercados de alguns países do Mediterrâneo vendem um extrato de tomate bem rústico; conservado no óleo e em geral acondicionado em antigas garrafas de vinho, tem sabor defumado, que se destaca na culinária local – de modo que receitas preparadas em casa, com ingredientes mais sofisticados, nem sempre têm o mesmo sabor daquelas feitas em seu país de origem. Os tomates enlatados têm um sabor especial característico e são muito usados pelos cozinheiros na Itália; o extrato de tomate industrializado novamente tem um gosto diferente. Portanto, é muito importante que, ao seguir as receitas mediterrâneas, se utilize o ingrediente de tomate correto. O *catchup* é bastante indicado, particularmente nas receitas mais modernas.

TOMILHO

Tomilho
BOT: *Thymus vulgaris*
FAM: Labiadas
ALE: *Römischer Quendel, Thymian*
ESP: *Tomillo*
FRA: *Thym*
ING: *Garden thyme*
ITA: *Timo*

Serpilho, serpão
BOT: *Thymus serpyllum*
ALE: *Feldthymian, Quendel*
ESP: *Serpoleto*
FRA: *Serpolet*
ING: *Continental wild thyme*
ITA: *Serpillo*

Tomilho-silvestre
BOT: *Thymus drucei*
ING: *Common wild thyme*

Tomilho-grande
BOT: *Thymus pulegioides*
ING: *Larger wild thyme*

O tomilho é extremamente aromático e contém um óleo essencial denominado timol, de ação antibacteriana e desinfetante. Sendo assim, é um conservante. Seca bem, mantendo boa parte do aroma e sem desenvolver nenhum odor de "palha", como acontece com várias outras ervas. Na verdade, as espécies oriundas dos climas quentes e secos já se encontram praticamente desidratadas enquanto vivas. Também pode ser submetido a *quick freezing*.

Uma das grandes ervas culinárias europeias, o tomilho já era usado pelos gregos antigos – a própria palavra vem do grego *thymon* – e, é provável, mesmo anteriormente. Existem muitas espécies originárias de uma área que abrange a Europa e o oeste asiático, o norte da África e as ilhas Canárias.

As espécies mais utilizadas na culinária são oriundas do sul da Europa e do Mediterrâneo, e há muitas variedades cultivadas, como o tomilho "inglês" de folhas largas e o "francês" de folhas finas, com sabores diferentes. É espontâneo nas colinas secas do sul da Europa – nas montanhas ao longo da Riviera, por exemplo –, onde apresenta um aroma incomparavelmente superior ao da mesma espécie cultivada em hortas inglesas. Quando eu morava na Ligúria, sempre colhia tomilho para meu uso nas montanhas, mas a experiência me ensinou a provar e cheirar as plantas enquanto as colhia, pois as melhores nem sempre podiam ser reconhecidas apenas pela aparência. Em outras regiões, como na Espanha, o aroma pode ser ainda diferente.

O tomilho-silvestre mediterrâneo é um pequeno arbusto com caule lenhoso, pequenas folhas verde-acinzentadas e flores roxas. Quando cresce em condições muito secas, apresenta pouquíssimas e esparsas folhas e se espalha desordenadamente. É de fácil cultivo a partir de sementes ou de estacas enraizadas. Prefere sol e ambiente seco com solo levemente calcário. Não se dá bem em terreno argiloso úmido, onde não desenvolverá um bom aroma. É uma erva perene, mas algumas pessoas defendem o replantio após alguns anos.

O que a maior parte dos livros de culinária chama de tomilho-silvestre raramente é encontrado na Inglaterra, mas somente na Europa continental. A variedade comum de tomilho-silvestre na Inglaterra (das margens cantadas por Shakespeare) é o *Thymus drucei*, além de uma outra com folhas maiores, encontrada nas planícies calcárias do sul da Inglaterra. Todas essas têm o aroma típico da erva, mas que, para a maioria dos paladares, é inferior ao do tomilho *Thymus vulgaris*.

Entre as várias espécies de tomilho cultivadas como condimentares e ornamentais estão o tomilho-limão, o tomilho-laranja e, da Córsega e da Sardenha, o tomilho-alcarávia (*Thymus herba-barona)*, cujos nomes populares descrevem seus aromas. O tomilho-limão tem importante valor culinário, com os mesmos usos do tomilho comum, com o qual também pode ser combinado. Outras espécies e variedades são, principalmente, ornamentais. Uma boa horta de ervas deve incluir vários tipos, e na seleção dos sabores os cozinheiros devem seguir seu próprio instinto.

Na culinária europeia, essa é uma erva de grande importância. Assim como a sálvia, o tomilho é habitualmente usado em recheios, mas é apenas essa a semelhança entre elas, pois embora ambas sejam ervas pungentes, picantes e quentes, a sálvia apresenta um sabor mais rude, que o melhor tomilho não tem. Ele é essencial, junto com o louro e a salsa, no *bouquet garni*, entrando assim como sabor de fundo em inúmeros pratos. Vai bem com várias sopas, com tomates, batatas, abobrinhas, berinjelas e pimentões; com peixe, no *court bouillon* e em recheios; mas, acima de tudo, harmoniza com vinho, cebola, alho e *brandy*, condimentando incontáveis pratos deliciosos de carne, caça e aves, especialmente aqueles de cozimento lento em caçarolas ou panelas de barro. Nesses tipos de prato, o tomilho contribui com uma qualidade de sabor penetrante, e sem ele o resultado ficaria empobrecido. Para mencionar alguns exemplos: com carne (*boeuf à bourguignonne*, *à la mode*, *en daube*, *estouffade de boeuf*) e com rabada e músculo de boi, embora mais raramente com vitela; nos muitos cozidos de carne de carneiro (*navarin*), e com porco e javali, principalmente em marinadas (*carré de porc à la provençale*); com pato e ganso (*oie en cassoulet*, *canard braisé*); com frango e galinha-d'angola (*coq au vin*, *pintade en daube*); com coelho e lebre (*lapin en gibelotte*, *civet de lièvre*); em *terrines* e *salmis* de pato selvagem e outras aves, como galinhola, maçarico, cerceta. Com frequência, é combinado com a manjerona. Na Itália, o tomilho é um pouco menos usado que na França, pois na maioria das vezes a manjerona e as variedades mais fortes de *Origanum* cumprem a mesma função. O tomilho tem muitos outros usos, tais como condimentar conservas de azeitonas, e consta que ele é uma das ervas aromáticas do licor Bénédictine. Para concluir, insisto que existe uma enorme diferença entre o tomilho colhido fresco, como nas colinas do Mediterrâneo, e o tomilho seco encontrado nas lojas. Estar atento a tais detalhes é crucial para cozinheiros que almejam se destacar.

TREVO *Ver* Meliloto.

TREVO-AZEDO

Azedinha-da-folha-miúda, aleluia

BOT: *Oxalis acetosella*
FAM: Oxalidáceas
ALE: *Sauerklee*
ESP: *Acederilla, oxalide blanca*
FRA: *Alléluia, oxalide blanche, petit oseille, surette*
ING: *Wood sorrel, shamrock*
ITA: *Acetosella*

O trevo-azedo é uma planta silvestre comum em bosques e lugares úmidos e sombreados. Suas flores são brancas, com finas estrias de cor rosada. As folhas, de formato como as dos trevos, são sensíveis à luz e vincadas, ficando fechadas e pendidas à noite ou com tempo muito encoberto. Algumas pessoas dizem que esse é o verdadeiro trevo, o emblema nacional da Irlanda, mas os irlandeses geralmente indicam uma outra planta.

O trevo-azedo contém uma grande quantidade de ácido oxálico, cerca de 30g para cada 4,5kg de folhas. Em seu nome botânico, *Oxalis acetosella*, *Oxalis* vem do grego e significa azedo ou ácido, e *acetosella* vem do latim *acetum*, vinagre. O ácido oxálico em quantidade é venenoso, sendo conhecido como um produto químico utilizado para remover manchas de tinta. Por ser uma vegetação de bosques, o trevo-azedo pode envenenar e mesmo matar o

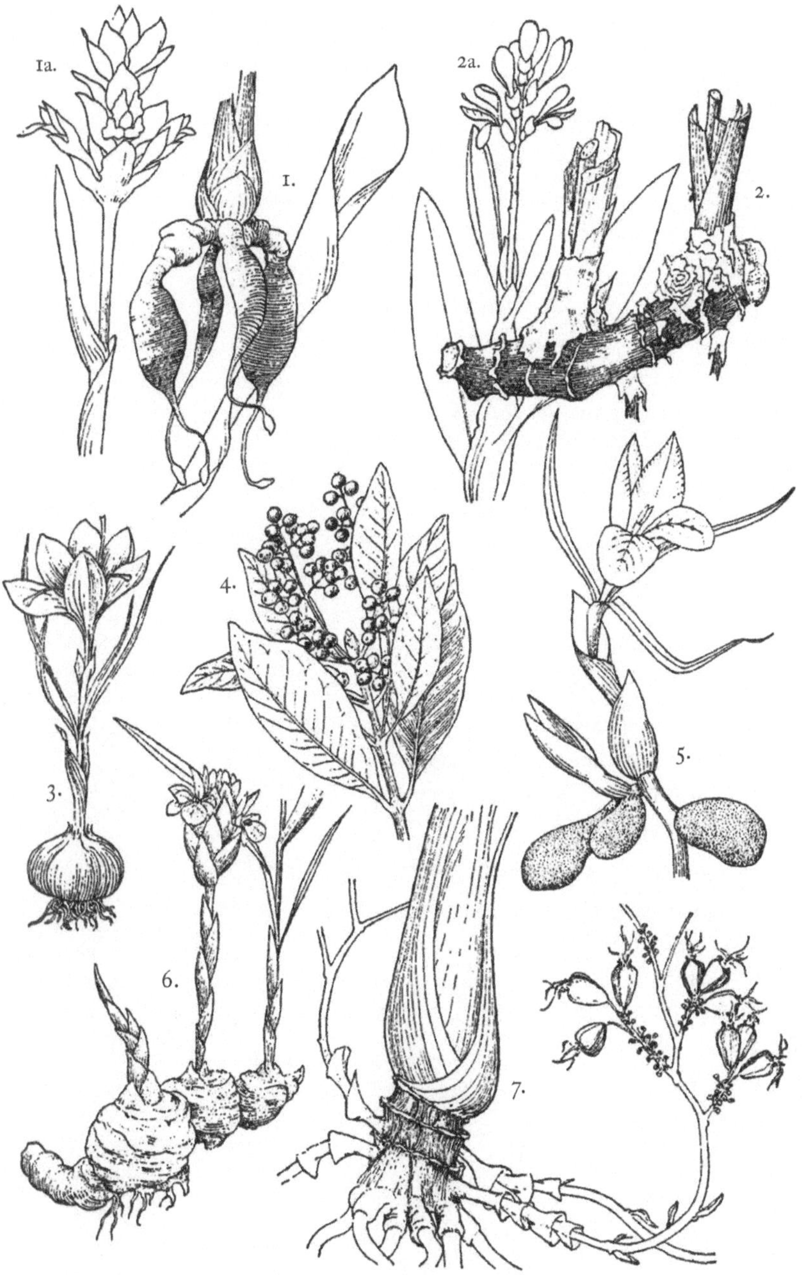

Especiarias: 1. Raiz de cúrcuma 1a. Flor de cúrcuma
2. Raiz de galanga 2a. Flor de galanga 3. Açafrão
4. Pimenta-da-jamaica 5. Zedoária 6. Gengibre 7. Cardamomo

gado ovino que utiliza esses locais como pastagem. Como bem se sabe, o ácido oxálico ou seus sais também ocorrem nas folhas de ruibarbo. Menos sabido é o fato de que ele está igualmente presente no espinafre, na azedinha-da-horta e em muitos outros vegetais. Entretanto, o trevo-azedo pode ser consumido com segurança em pequenas quantidades em saladas ou molhos. É um substituto para a azedinha-da-horta nas saladas ou sopas, e John Gerard, o famoso herborista elisabetano, diz que ele dá "um belo molho verde, melhor do que qualquer outra erva". Como o trevo-azedo também é uma planta decorativa, pode ser cultivada no jardim com dupla finalidade.

TRUFAS

As trufas são os frutos subterrâneos de alguns fungos. Deixando a ciência de lado, podemos dizer que são como bolsas de ar subterrâneas que se desenvolvem a uma profundidade de 30cm a 60cm sob a terra, junto às raízes de determinadas árvores ou forragens que favorecem o crescimento de tipos específicos de trufas. Devido a essa simbiose, as trufas não podem ser cultivadas como fazemos com os cogumelos. O máximo que pode ser feito é introduzir trufas em plantações de árvores sob as quais elas nunca cresceram antes.

Como as trufas ficam completamente enterradas, elas precisam ser encontradas pelo faro de cães ou porcos. Os porcos são menos indicados, em parte por serem animais voluntariosos que cavarão a terra em busca de outras guloseimas além das trufas, mas principalmente porque engolem as trufas, se o dono não for suficientemente rápido para pegá-las antes. Os cães, ao contrário, são obedientes, possuem faro apurado e não gostam de comer trufas. Eles não têm inclinação natural para encontrá-las, mas são treinados e recompensados com pedaços de biscoito que o apanhador de trufas carrega no bolso. Geralmente os cães trufeiros são de raças mestiças inteligentes que obviamente gostam de caçar, e bons "caçadores de tru-

Trufa-branca-italiana, trufa-do-piemonte, trufa-italiana, trufa-cinza
BOT: *Tuber magnatum*
ALE: *Piemontesiche Trüffel*
FRA: *Truffe des magnats, truffe piemontaise*
ING: *Italian white truffle, Piedmont truffle, Italian truffle, grey truffle, tycooh's truffle*
ITA: *Tartufo bianco (d'alba)*

Trufa-negra, trufa-francesa, trufa-do-périgord
BOT: *Tuber melanosporum*
ALE: *Périgord-Trüffel*
ESP: *Trufa del Périgord, turma de tierra*

fas" valem muito dinheiro. Quando encontram uma trufa, começam a cavar freneticamente e, então, o trufeiro vem em sua ajuda usando uma pequena picareta. O aroma é tão intenso que basta cavar um pouco para que o próprio trufeiro também possa senti-lo.

As duas melhores espécies de trufas são a trufa-branca-italiana e a trufa-negra (também chamada trufa-francesa ou trufa-do-périgord). Estão entre os alimentos mais caros que se conhece. Como o sabor varia enormemente dependendo da localidade, as trufas de algumas regiões são muito mais caras que as de outras; por isso, é comum trufas de qualidade inferior serem levadas para os mercados das melhores regiões produtoras a fim de enganar os compradores.

Existe uma disputa interminável entre franceses e italianos sobre quem tem a melhor trufa, a negra ou a branca. Opinar a respeito é garantia de comprar uma briga. O famoso gastrônomo francês Brillat-Savarin parece ter dito em alguma ocasião que considerava a do Piemonte superior. Com certeza foi um homem corajoso e talvez seja esse o motivo pelo qual muitos italianos o consideram "uma autoridade inquestionável em assuntos de gastronomia". Existe apenas uma maneira de resolver essa discussão: começar uma jornada gastronômica no Piemonte e continuar até a cidade de Périgueux, se houver sobrado algum dinheiro, pois, convenientemente, a temporada das trufas-negras tem início quando se encerra a das brancas.

A **trufa-branca-italiana**, o *tartufo-bianco*, tem seus melhores exemplares na região de Alba, situada a cerca de 60km ao sudoeste de Turim, mas é encontrada também nas encostas das montanhas que bordeiam o lado sul da planície da Lombardia e no lado norte dos Apeninos, até Módena, mais ao sul. Também é encontrada na França e na ex-Iugoslávia. A temporada começa em outubro com uma "feira da trufa" em Alba e se estende até, em geral, a neve colocar um ponto final na atividade de "caça" às trufas.

Elas são localizadas pelos cães normalmente próximo às bordas de campos circundados por árvores propícias para o seu crescimento, mas certa vez vi uma grande

FRA: *Truffe noir, rabasse* (Provença), *truffe de France, truffe des gourmets, truffe du Périgord, truffe vraie*
ING: *Black truffle, French truffle, Périgord truffle*
ITA: *Tartufo di norcia, tartufo nero dolce*

Trufa-de-verão, trufa-inglesa, trufa-vermelha
BOT: *Tuber aestivum*
FRA: *Truffe d'été*
ING: *Summer truffle, English truffle, Bath truffle, red truffle*

Trufa-de-inverno
BOT: *Tuber brumale*
ING: *Winter truffle*
FRA: *Truffe brumale, truffe d'hiver*

Terfézia
BOT: *Terfezia leonis e outras espécies de Terfezia*
ÁRABE: *Terfez* (norte da África)
FRA: *Terfezia, truffe de Lions*
ING: *Terfez, sand truffle*
ITA: *Terfezie*
LIBANÊS: *Kama, kamaieh*

Trufa "branca"
BOT: *Choiromyces meandriformis*
ING: *Pig truffle, "white" truffle*
FRA: *Choiromyce, truffes blanches*

trufa ser retirada pelo arado. Por serem tão valiosas, os caçadores guardam segredo sobre a localização das trufas-brancas. Os mapas são passados de pai para filho ou legados como riqueza potencial, e frequentemente a escavação é feita na calada da noite, quando a umidade favorece o olfato dos cães e quando os caçadores podem procurar os lugares especiais sem serem observados pelos rivais.

Trufa-do-veado
BOT: *Elaphomyces granulatus*
ING: *Hart's truffle*
FRA: *Élaphomyce, élaphomyce granulé*

A trufa-branca se parece com uma pequena batata disforme de cor bege-clara, e em geral tem esse tamanho, embora sejam encontrados ocasionalmente alguns espécimes gigantes. O perfume é tão forte que se apenas um espécime for levado para a cozinha o cheiro alcançará o gastrônomo adormecido em seu quarto, quatro andares acima, e vai fazê-lo salivar. O aroma é inigualável, bem diferente do de outros cogumelos. Alguns dizem que lembra o alho, outros, que é mais parecido com o cheiro forte de gás vazando. De fato o perfume não pode ser descrito com exatidão, mas é delicioso. Quanto ao sabor, embora não seja o fator importante, é ligeiramente picante.

As trufas-brancas-italianas geralmente são fatiadas cruas diretamente no prato quando este é posto na mesa. Para isso, utiliza-se um cortador especial cujas lâminas produzem fatias muito finas. As trufas aromatizam risotos, patês, saladas e pratos de carne, além da especialidade um tanto enjoativa do Piemonte chamada *bagna cauda* (*ver* Anchovas) e do *fondue* de queijo, o *fundua,* um outro prato da mesma região ao qual a trufa-branca é adicionada.

Receitas antigas de trufas-brancas cozidas datam do tempo dos romanos, mas, além de serem inviavelmente caras para os dias atuais, essas receitas ignoram o fato de que as trufas-brancas possuem mais aroma que sabor, e são muito melhores cruas do que cozidas.

Como o preço é exorbitante, e porque impregnam seu perfume em qualquer coisa que esteja por perto (seu odor penetra e aromatiza um ovo durante uma noite), é comum que os mercados impinjam trufas iugoslavas de qualidade inferior, cogumelos bufa-de-lobo (como os chamam os portugueses) e até mesmo batatas. Existem lojas na Itália que remetem as trufas por via aérea para qualquer lugar. Uma trufa pequena é suficiente para uma festa. As trufas-brancas também são enlatadas, mas o processo provoca uma grande perda de aroma e o resultado provavelmente não vale o alto preço.

A **trufa-negra** ou **trufa-francesa** é encontrada principalmente em Périgueux (uma cidade situada cerca de 130km ao noroeste de Bordeaux, na extremidade oeste do maciço Central), mas também em locais como o entorno dos sopés das montanhas do maciço, e subindo o vale do Reno, nos dois lados das colinas, até a Borgonha. Além disso, são encontradas trufas-negras na Itália e em outras partes da França e do sul da Europa, todas essas menos delicadas que as de Périgord. A temporada vai de novembro a março.

A trufa-negra é preta como carvão e coberta por pequenas saliências, o que a torna difícil de ser limpada. É mais abundante do que a branca e a produção anual, apenas na França, apesar de menor do que costumava ser, chega a milhões de quilos. Assim como a trufa-branca, tem um perfume intenso e quase nenhum sabor. Ao contrário dela, é frequentemente consumida cozida, embora possa ser comida crua. O uso mais conhecido dessas trufas é no patê, mas há inúmeras outras receitas francesas de dar água na boca, das quais o *Larousse gastronomique* apresenta uma boa seleção. As trufas-negras, e até mesmo as suas cascas – visto serem as trufas-negras também muito caras –, estão disponíveis em latas. Pode ser que existam algumas marcas raras que retenham o aroma do fungo fresco, mas na maioria dos casos as trufas enlatadas são usadas só pela aparência. Além do mais, como pude observar pessoalmente, são quase sempre de menor qualidade ou até de outras espécies inferiores de trufa-negra, das quais grandes quantidades (parecidas com sacas de carvão) são coletadas para uso na indústria de patês e linguiças.

A **trufa-de-verão** é uma trufa europeia comum, das poucas também encontradas na Inglaterra, particularmente nos limites dos bosques de faias nas chapadas calcárias. Anteriormente, eram coletadas no sul da Inglaterra e, assim como com outros tipos de trufa, usavam-se cães para encontrá-las. Qualquer cachorro com um bom faro pode ser treinado para esse fim pela técnica habitual da recompensa, mas, obviamente, se o cão deve conhecer o cheiro daquilo que se espera que ele encontre, não é possível treiná-lo sem obter primeiro uma trufa da espécie desejada. Por isso, é difícil recomeçar a caça à trufa depois que ela desaparece.

A trufa-de-verão é preta com grandes protuberâncias piramidais. O interior é geralmente marrom com veios amarelo-esbranquiçados. O aroma é bem menos pronunciado que o das trufas do Piemonte ou Périgord, e tende a desaparecer completamente com o cozimento. Ela pode ser encontrada no final do verão ou no outono, medindo de

2,50cm a 10cm de diâmetro. Apesar de não ser nada além de um bom fungo comestível, tem muito status, devido ao seu parentesco nobre.

A **trufa-de-inverno** é menor e também encontrada em todo o continente europeu. Na opinião de muitos, é a segunda trufa em excelência, depois da trufa-do-périgord. Cresce nos mesmos bosques que a trufa-de-verão, porém é encontrada mais tarde, no final da temporada, em novembro e dezembro. As protuberâncias na sua superfície são menores e a cor da polpa quando madura é preta ou marrom-violeta, com veios. O aroma é muito mais poderoso que o da trufa-de-verão, mas torna-se desagradável quando a trufa envelhece.

Outras espécies de trufas, como *Tuber mesentericum*, *Tuber macrosporum* e *Tuber borchii*, também são comestíveis e utilizadas na Europa continental. Semelhantes às de qualidade inferior já descritas, são todas verdadeiras e podem ser enlatadas.

As **terfézias** são fungos aparentados das trufas e só podem ser distinguidas destas por botânicos. Crescem regularmente no sul da Europa, mas prosperam no norte da África e no Oriente Médio, onde os viajantes provavelmente vão encontrá-las. São abundantes no deserto da Síria, em locais como Palmira, e no deserto da Líbia. Apesar de geralmente terem cor clara, também são encontradas variedades escuras, consideradas superiores. São um pouco menos saborosas se comparadas com as verdadeiras trufas, mas mesmo assim excelentes quando preparadas à maneira regional, ou cruas em saladas. Quem visita Beirute ou Damasco deve experimentá-las. São fáceis de ser encontradas, pois crescem próximo da superfície e formam um montículo na areia que denuncia a sua presença. Também são vendidas nos mercados locais.

A **trufa "branca"** não deveria ser chamada assim para não ser confundida com a trufa-branca-italiana. Além do mais, não é uma trufa verdadeira, mas, como tem um perfume intenso, gastronomicamente pode ser classificada como uma delas. Cresce na Europa continental e na Inglaterra, habitualmente sob os carvalhos e quase sempre apenas parcialmente enterrada. Por ser branca ou marrom bem clara, é avistada com facilidade, sem a ajuda de um cão farejador. O tamanho varia entre o de uma bola de golfe e uma bola de futebol de criança. Tem o formato de uma batata irregular, com a polpa de cor creme ou marrom-claro, podendo ser consumida crua, fatiada, usada como tempero ou desidratada. É um dos melhores cogumelos tipo trufa da Europa.

De modo geral, todos os fungos que ficam totalmente enterrados, com formato de tubérculo, são comestíveis, a menos que tenham um cheiro desagradável ou repugnante (por exemplo espécies de *Rhizopogon*).

Especiarias: 1. Folha de *curry* 2. Canela 3. Pimenta-do-reino
4. Pimenta-longa 5. Anis-estrelado 6. Cravo 7. Noz-moscada

Bem poucas espécies, como a *Choiromyces terfezioides* e a *Balsamia vulgaris*, contêm uma substância acre que provoca vômitos. Elas têm um sabor detestável, mas nenhuma é letal.

A **trufa-do-veado** é um fungo europeu muito comum, pequenino, e, como as trufas, encontrado nas florestas durante o inverno, quase sempre sob forração de musgo e bem pouco enterrado. Por fora é marrom e coberto por diminutas verrugas, que lhe dão uma aparência granulada. A polpa rosada, que depois se torna marrom-escuro, possui aroma intenso. Não é comestível e está sendo mencionada aqui porque, possivelmente, os caçadores de trufas vão encontrá-las.

O verbete sobre trufas não estaria completo sem mencionarmos o conhecido *Scleroderma aurantium*, um fungo extremamente comum no hemisfério norte e também no norte e sul da África. É parente próximo do cogumelo bufa-de-lobo e cresce na superfície do solo, ou algumas vezes semienterrado. Pode ser encontrado no verão e no outono em charnecas secas e ensolaradas, e em bosques abertos. Tem uma pele muito grossa, como couro, que quando envelhece passa de um branco-sujo para marrom-amarelado, tornando-se áspera e escamosa. Por dentro, a polpa primeiro é rosa-claro e depois torna-se preto-azulado com veios brancos fibrosos.

Esse fungo é geralmente citado como sendo venenoso, mas na verdade é inofensivo quando novo, ou em *pequenas quantidades* quando mais velho. Tem um aroma forte – desagradável – e sabor algo semelhante à trufa, sendo usado com frequência, especialmente na Europa Oriental, para substituí-la em linguiças e patês. Pode ser fatiado e desidratado. Também tem o seu lugar no mercado de trufas enlatadas, sem dúvida por engano.

Existem outras espécies muito semelhantes que são tidas como venenosas, mas nenhuma delas é mortal. Um outro parente próximo dos bufas-de-lobo, que cresce em todo o mundo e quando novo é utilizado como um substituto da trufa, é o fungo *Pisolithus arenarius*. Ele é marrom-claro, macio e redondo. Pequenas quantidades desse fungo são suficientes para temperar um prato. Todos os tipos com pele grossa e resistente devem ser descascados antes de serem usados.

Aqueles que desejarem se aprofundar no assunto investindo num livro ilustrado sobre fungos devem se certificar de que inclua as trufas, uma vez que muitos tratam apenas dos *Basidiomycetes* – o que exclui, portanto, *Morchellas* ou trufas. As descrições acima se referem à Europa e à região mediterrânea. Não se pode assegurar que em outras partes do mundo não existam trufas venenosas ou, igualmente, excelentes que deixaram de ser mencionadas. Como não é fácil encontrar trufas, o assunto ainda é bastante obscuro, sendo possível que existam trufas que nunca tenham sido descobertas.

U

URTIGAS

Urtiga-branca
BOT: *Lamium album*
FAM: Labiadas
ALE: *Taubnessel*
ESP: *Ortiga muerta blanca*
FRA: *Lamier, ortie*
ING: *White deadnettle, blind, dumbor bee nettle, white archangel*
ITA: *Lamio, ortica bianca*

Urtiga-morta-vermelha, urtiga-vermelha
BOT: *Lamium purpureum*
FAM: Lamiáceas (Labiadas)
ALE: *Rote Taubnessel*
ESP: *Ortiga muerta roja*
FRA: *Lamier rouge, ortie rouge*
ING: *Purple deadnettle*
ITA: *Lamio purpureo*

Esta é uma planta extremamente comum e invasiva, que cresce em cercas vivas, sebes e no campo, tanto na Europa continental como na Grã-Bretanha, com exceção da Irlanda e do norte da Escócia. Assim como as outras urtigas-mortas, à primeira vista é parecida com uma urtiga verdadeira, mas não é urticante e não pertence à mesma família botânica. Suas flores são brancas e apresenta a mesma haste quadrangular de muitas labiadas.

A urtiga-branca não possui a intensa qualidade aromática que está associada às ervas dessa família, mas é comestível e usada em sopas ou como vegetal (embora não seja consumida pelo gado). Consta como sendo cultivada na França, mas é uma erva daninha tão comum que o cultivo não parece ser necessário.

É mencionada no livro *Fish Cookery*, de Madame Prunier, como um ingrediente usado nas receitas de enguia, como a *anguille à la flamande*, apesar de ela contar que seu *chef* habitualmente substituía a urtiga-branca por menta e azedinha.

O grande naturalista sueco Lineu registrou que, em seu país, a urtiga-morta-vermelha – uma erva de parentesco próximo e uma erva daninha de jardim ainda mais comum – era fervida e consumida como vegetal.

V

VERBENA

Verbena-sagrada

BOT: *Verbena officinalis*
FAM: Verbenáceas
ALE: *Eisenkraut*
ESP: *Verbena*
FRA: *Verveine officinale, herbe sacrée*
ING: *Vervain*
ITA: *Verbena*

Essa é uma das ervas conhecidas, desde os dias da antiga Pérsia, por seu uso na magia, na medicina e na culinária. Algumas vezes é confundida com a verbena-limão, sendo frequentemente mencionada em livros antigos sobre ervas. As folhas secas eram usadas para fazer infusões e chás, provavelmente apenas para fins medicinais. Porém, por ser considerada particularmente eficaz nas poções de amor, talvez haja ocasiões em que algum cozinheiro queira experimentá-la... Diz-se que a verbena é benéfica para os rins e o fígado; também é um ingrediente usual de licores artesanais. Originária da Europa, foi introduzida no sul do Brasil, onde foi vista por Von Martius no início do século XIX. Na América do Norte existe uma outra espécie silvestre comum de verbena, a *Verbena hastata*, que também é de uso medicinal.

VERBENA-LIMÃO

Erva-cidreira, cidró, verbena-cidrada, cidrão, cedrina

BOT: *Verbena tryphilla (Aloysia triphylla)*
FAM: Verbenáceas
ALE: *Verbene, Zitronenstrauch*
ESP: *Vervena, yerba de la princesa*
FRA: *Verveine citronelle, verveine, verveine odorante*

A verbena-limão não deve ser confundida com a verbena-comum (*Verbena officinalis*), apesar de ambas pertencerem à mesma família. Muitas das verbenáceas são plantas tropicais, e esta, um arbusto originário da América do Sul, não é uma exceção. Foi levada para a Europa pelos espanhóis e é cultivada por fornecer óleo essencial para perfumaria, embora outras fontes de óleo mais econômicas, tais como o capim-limão, sejam comumente utilizadas.

A planta se desenvolve facilmente a partir de sementes ou estacas de galhos em qualquer parte ensolarada e quente do jardim. Embora em locais de clima quente possa alcançar uma altura de 2m a 3m, nos climas mais frios e em circunstâncias adversas crescerá bem menos. Uma ou duas plantas serão suficientes para uma horta familiar, podendo ser cultivada também em vasos em janelas que recebam sol. Por ter um forte perfume de limão, pode substituir o capim-limão nas receitas do sudoeste da Ásia. É utilizada ainda como aromatizante em pratos doces, saladas de frutas, infusões e bebidas não alcoólicas, mas deve ser usada com critério porque, para muitas pessoas, seu aroma faz lembrar o de sabonete.

ING: *Verbena, lemon scented verbena*
ITA: *Cedrina*

VERJUS

Verjus, literalmente do francês *vert* (verde) e *jus* (suco), é o suco extraído da fruta verde. Já foi uma substância ácida de uso comum, apesar de ser pouco utilizada hoje em dia.

ALE: *Obstsaft, Traubensaft*
ESP: *Agraz*
FRA: *Verjus*
ING: *Verjuice*
ITA: *Agresto*

Na Inglaterra, era feito de maçãs verdes ácidas, preferivelmente de maçãs-silvestres. Deixava-se a pequena quantidade de açúcar presente nesse suco fermentar por cerca de 24 horas; depois a espuma formada nesse processo era retirada e se adicionava sal. Algumas vezes ele era fervido para ficar concentrado. O *verjus*, ou agraço, se conserva por bastante tempo devido a seu alto teor de acidez e ao sal. A cidra fresca bem ácida, que ainda não avinagrou, pode substituí-lo.

Na França era feito, por um processo semelhante, com suco de uvas ainda verdes, ácidas, e há variedades especiais para esse propósito. Hoje o *verjus* é usado principalmente na preparação de mostardas, substituindo o sabor do vinagre, mas é quase sempre fabricado, e não um produto natural (*ver* Mostardas). Não deve ser confundido com o mosto, que é o sumo não fermentado de uvas maduras, apesar de algumas vezes o termo *verjus* ser usado para designar o suco de uvas-brancas maduras, como no *perdreaux au verjus*. Em muitas regiões de viniculturas, as uvas verdes são usadas ocasionalmente em pratos de carne. Eu já as experimentei algumas vezes e são excelentes.

VERMUTE

ALE: *Wermut*
ESP: *Vermut*
FRA: *Vermout*
ING: *Vermouth*
ITA: *Vermut*

A palavra "vermute" vem do alemão *Wermut*, que significa losna, absinto ou artemísia. Embora estes vinhos aperitivos fortificados e aromatizados sejam imitados em muitas partes do mundo, o centro moderno dos vermutes é o sul da França e o norte da Itália. Os vermutes variam de seco a intensamente doces, e de brancos ou cor de palha até vermelhos ou marrons; o gosto também varia muito, dependendo do fabricante. É sempre uma bebida mais ou menos amarga, e o principal aromatizante é o absinto ou losna, mas também se usa raiz de angélica, erva-doce, cálamo, canela, cravo-da-índia, coentro, camomila, casca de laranja-amarga, hortelã, flor-de-lis, quássia-amarga, quinina, raiz de genciana, noz-moscada e outros. Como acontece com muitos aperitivos e licores, as quantidades exatas e os detalhes de sua fabricação são segredos comerciais.

Os vermutes são usados para aromatizar alguns pratos. Peixes, em particular o linguado, algumas vezes são preparados no vermute ou servidos com um molho aromatizado com ele.

VERÔNICA
Becabunga

BOT: *Veronica beccabunga*
FAM: Escrofulariáceas
ALE: *Bachbunge*
ESP: *Becabunga*
FRA: *Beccabunga, cresson de cheval, cresson de chien, véronique cressonnée*

Na Grã-Bretanha, essa planta silvestre usada em saladas é comum em lagos, córregos e pântanos. Tem flores azuis pequenas e folhas redondas grandes, macias e carnudas, que podem ser misturadas com o agrião em saladas verdes.

Assim como com o agrião ou qualquer outra verdura que se desenvolve na água, é importante assegurar-se de que esta não esteja contaminada. Em muitos países não se recomenda comer tais plantas em restaurantes, apesar de certa vez eu ter consumido verduras do Nilo sem nenhuma consequência desagradável – não resisti à curiosidade, e provavelmente tive sorte. Diga-se de passagem que o hábito comum no Oriente de lavar verduras em uma solução de ácido permangânico e carbonato de potássio para purificá-las é praticamente inútil.

ING: *Brooklime, water pimpernel, water purpie* (Escócia)
ITA: *Veronica, beccabunga, erba grassa*

VETIVER

Capim-cheiroso, patchuli, capim-vetiver

Os viajantes que já experimentaram o calor forte na Índia conhecem as telas refrescantes e úmidas que recobrem as janelas e os vãos de portas. Comumente elas são feitas da raiz do capim-vetiver, um parente próximo de outros capins aromáticos (*ver* Capim-limão).

O vetiver é cultivado na Índia, Java, Reunião, Brasil e em outros locais de clima quente. O óleo essencial da raiz é usado em perfumaria e também para aromatizar *sorbets* e doces. O xarope e a água de vetiver podem ser encontrados em lojas especializadas em produtos indianos.

BOT: *Vetiveria zizanioides, Andropogon muricatus*
FAM: Gramíneas
ING: *Khas-khas, vetiver*
ITA: *Vetiver, andropagone*

VINAGRE

A palavra "vinagre" vem do francês "*vin aigre*", que significa vinho ácido. Em inglês há também as palavras antigas, hoje em desuso, *alegar* ou *algar*, cujo significado é "cerveja *ale* ácida". Hoje, chamamos todos esses líquidos ácidos de vinagre, seguidos de um adjetivo descritivo: por exemplo, vinagre de vinho, vinagre de malte, vinagre de maçã, e assim por diante.

O vinagre é usado há pelo menos cinco mil anos, e provavelmente há muito mais tempo, porque se desenvolve por um processo inteiramente natural. As leveduras estão sempre presentes no ar, portanto, sob condições naturais, um líquido que contenha açúcar – como suco de frutas, o licor do malte ou o hidromel – fermentará, formando o álcool. Depois disso, a menos que o líquido

ALE: *Essig*
ESP: *Vinagre*
FRA: *Vinaigre*
ING: *Vinegar*
ITA: *Aceto*

esteja em um recipiente bem vedado, as bactérias dominam e oxidam o álcool, transformando-o em ácido acético. O resultado é o líquido ácido conhecido como vinagre. As bactérias, ao oxidarem o álcool, usam o oxigênio, razão pela qual o vinagre se forma apenas do vinho destampado e exposto ao ar.

Por outro lado, se o vidro de vinagre ficar aberto, o ácido nele contido será atacado por micro-organismos e se decomporá, a menos que a concentração de ácido esteja acima de um determinado nível. Assim como as bebidas alcoólicas e os vinhos fortificados não ficam ácidos, o vinagre acidificado artificialmente também não se deteriora. O vinagre diluído pode estragar – portanto, ao se preparar conservas com legumes que contenham muita água, é preciso começar o processo com um vinagre realmente forte ou retirar um pouco da água dos legumes.

O grau de ácido acético no vinagre varia consideravelmente. O de vinho é o vinagre natural mais forte, com cerca de 6,5% de acidez; o vinagre de malte e o de maçã são mais fracos, com cerca de 4% a 5% de acidez. Por outro lado, os vinagres destilados ou fortificados chegam a 12%.

Embora o ácido acético tenha algum sabor, além da acidez, o gosto especial dos bons vinagres se deve a pequenas quantidades de outras substâncias, principalmente ésteres voláteis com aromas de frutados ou outros aromas interessantes. Essas substâncias também estão presentes no vinho original, malte ou cidra do qual o vinagre foi feito; portanto, o bom vinagre se origina do bom vinho. A escolha de um vinagre de qualidade, especialmente para uso em saladas e molhos delicados, é muito importante e, com frequência, não se dá a devida consideração a isso.

O **vinagre de vinho** pode ser branco ou tinto, dependendo do vinho de que é feito. Nos países vinicultores, a maioria dos vinagres se origina do vinho (ao menos é o que afirmam) e sua qualidade é variável. Não é por ser de vinho que o vinagre é necessariamente bom. Em muitos lugares é costume preparar-se o próprio vinagre despejando-se sobras de vinho em uma garrafa e esperando que acetifique. Algumas vezes, por esses métodos "ao acaso" consegue-se um vinagre muito bom, mas de modo geral o resultado é um produto rançoso e grosseiro.

O vinagre de vinho comercial é produzido gotejando-se o vinho em tonéis verticais abertos e cheios de aparas de vime ou madeira espalhadas de forma a criar uma superfície sobre a qual o vinho e as bactérias ficam em contato com o oxigênio do ar. As bactérias se proliferam, transformam o álcool em ácido acético e, durante o processo, há liberação de calor; quanto mais rápida for a reação, mais calor é produzido. Como o calor tende a liberar os aromas voláteis mais delicados, o processamento rápido produz vinagres de qualidade inferior, apesar de a operação ser mais econômica.

Os vinagres superiores são produzidos pelos processos lentos de Orleans e Boerhaave. Tonéis de carvalho, com entradas de ar na parte superior, são mantidos com vinho até a metade, e uma película de bactérias, conhecida como "vinagre-mãe", se forma sobre o vinho (minúsculos nematoides contidos nessa camada também ajudam o processo). A temperatura é mantida em cerca de 21°C. O álcool tende a ir para a parte superior do tonel e o ácido acético, para o fundo, de modo que o vinagre pode ser tirado semanalmente pelo fundo e mais vinho é então acrescentado. O processamento demorado, lento e sob temperatura fresca preserva nos vinagres o sabor dos vinhos dos quais eles são feitos. Os bons vinagres de vinho produzidos por esse método são caros, mas vale a pena pagar pela qualidade. São muito superiores ao suco de limão ou ao vinagre de malte quando usados como tempero em saladas, e raramente provocam distúrbios digestivos – o que o suco de limão, apesar de ser muito recomendado por especialistas em alimentação saudável, pode causar.

Vinagre de malte. Na Inglaterra e no norte da Europa os vinagres são tradicionalmente feitos de cerveja e chamados de vinagre de malte. O malte (ou malte e cereais misturados) é aquecido com água e depois fermentado para produzir um tipo rústico de cerveja conhecido por *gyle*. As bactérias agem sobre esse líquido alcoólico à medida que ele goteja nos tonéis cheios com vime ou aparas de faia. Depois de maturado por vários meses, o vinagre de malte apresenta cerca de 6% de acidez, e é então diluído para o teor indicado para a comercialização. É geralmente colorido e com um sabor bem diferente do vinagre de vinho, sendo mais adequado, por exemplo, para receitas inglesas de conservas. Para a culinária internacional, é necessário dispor-se de vários tipos de vinagre na cozinha, utilizando-se em geral o vinagre de malte para pratos de origem inglesa e o vinagre de vinho para os do sul da Europa; a menos que, por experiência, se esteja seguro de que é preferível mudar a tradição. Não se pode dizer que um tipo de vinagre é melhor que outro, apenas que são diferentes.

O **vinagre de maçã** é feito de cidra e tem um sabor pronunciado característico. É muito popular nos Estados Unidos, mas não pode substituir indiscriminadamente o vinagre de vinho ou de malte. Porém muitas evidências sugerem que ele seja uma substância extremamente saudável na alimentação. O vinagre de maçã diluído na água é a base de toda uma escola de medicina naturalista que surgiu nos Estados Unidos e se espalhou por vários lugares.

Os **vinagres destilados** são populares no norte da Inglaterra e na Escócia (que escocês consegue resistir a um destilado?). Eles são incolores e produzidos pela destilação cuidadosa a vácuo de vinagre natural. Embora sejam mais fortes que o vinagre natural, conservam uma parte do aroma original. Por serem fortes, são úteis para fazer conservas.

Obtém-se **vinagre de álcool** fazendo-se a destilação antes que todo o álcool tenha sido transformado em ácido acético. Portanto, esse tipo de vinagre contém uma pequena quantidade de álcool, o que torna o seu sabor muito peculiar.

Outros vinagres podem ser feitos do hidromel, do vinho de frutas ou de quaisquer licores fermentados. Muito naturalmente, a tendência é utilizar a bebida típica do país no qual são produzidos, portanto no Japão e na China encontramos vinagre feito de vinho de arroz. O *yamabukizu* é um vinagre agridoce japonês usado para temperar o arroz (pode ser substituído por uma xícara pequena de vinagre branco adoçado com três colheres de chá de açúcar). Um outro vinagre interessante é produzido a partir do vinho feito da castanha-de-caju.

Os **vinagres aromatizados** são normalmente feitos com frutas, pétalas de flores, ervas e especiarias. Podem ser preparados em casa, embora alguns sejam também encontrados prontos em lojas. O vinagre de estragão é o mais comum deles. Esses vinagres aromatizados são feitos simplesmente macerando-se os condimentos no vinagre e, se necessário, coando-os depois.

Vinagres sintéticos e de baixa qualidade. Existem alguns vinagres realmente horríveis por aí. Podem ser feitos de ácido acético sintético devidamente diluído em água, tanto incolores quanto coloridos com caramelo. Em geral, os vinagres baratos são obtidos pelo processo natural, mas a partir de ingredientes inferiores, como polpa de madeira. A menos que o produto tenha sido cuidadosamente purificado, pode haver traços de elementos químicos prejudiciais, e portanto esses vinagres devem ser evitados não apenas por seu sabor pobre mas também por motivos de saúde.

VINAGREIRA

Vinagreira-do-maranhão, cuxá, caruru-azedo

BOT: *Hibiscus sabdariffa*
FAM: Malváceas
ALE: *Rosellahanf, Karkadi*
ESP: *Rosella*
FRA: *Rozelle*
ING: *Roselle, red sorrel, Jamaica sorrel*
ITA: *Carcade*

É um hibisco anual e arbustivo de 1,20m a 1,50m de altura, em geral avermelhado, nativo da Ásia tropical. Os cálices novos e suculentos que envolvem os frutos quando ainda verdes são intensamente ácidos e usados para aromatizar geleias, refrescos e vinho, ou para fazer uma geleia ou molho que lembra ligeiramente o sabor do oxicoco (*cranberry*). Também podem ser desidratados. É uma planta importante na Índia e no sul da Ásia, onde é usada nos *curries* e *chutneys*, e recentemente destaca-se também em Cuba e na América Central como um todo, na Califórnia e na Flórida. Aos poucos, vem se tornando mais popular em outros lugares. É cultivada na região amazônica, especialmente no Maranhão, onde as flores entram no famoso prato arroz-de-cuxá.

VINHO

Os vinhos dão um sabor peculiar à culinária da França, Itália, Espanha, Portugal e Grécia, e, apesar de serem produzidos no Extremo Oriente e no Oriente Médio desde tempos imemoriais, em geral não são usados na culinária moderna de países árabes, como a Turquia e o Irã.

Talvez seja um tanto surpreendente que uma quantidade relativamente pequena de vinho cozido em fogo brando nos pratos de carne desenvolva um sabor característico e forte bem distinto do sabor original do vinho. No cozimento, o álcool contido na bebida evapora logo, porque tem um ponto de ebulição mais baixo que o da água, sendo eliminado junto com o vapor. O que se obtém é um sabor único, fundamental para pratos como o *coq au vin* ou o *boeuf à la bourguignonne*. Qualquer pessoa que tenha vivido algum tempo em um dos países europeus produtores de vinho sem dúvida acabou se acostumando a utilizar essa bebida na culinária sem titubear, como um hábito cotidiano e natural. Aqueles que não são tão afortunados – que vivem em países onde o vinho é tido como um luxo ou apenas como bebida, em vez de uma parte necessária da refeição – não terão o costume de ter sempre um vinho disponível na cozinha. Para essas pessoas, o uso do vinho representa um problema – além da despesa –, porque poucos pratos pedem uma garrafa inteira de vinho, e o que sobra fica ácido, ou avinagra, rapidamente depois de aberto (*ver* Vinagre, onde o motivo é bem explicado). Mas não ficando em contato com o ar o vinho não se tornará ácido, pois as bactérias que provocam a acidez necessitam do oxigênio; uma maneira de manter a sobra de vinho longe do ar é derramando um pouco de um bom óleo de cozinha na sua superfície.

Tanto os vinhos tintos quanto os brancos são usados na culinária, e a qualidade do vinho é de primordial importância. O seu sabor e a sua acidez ou doçura influenciam o gosto final do prato, e alguns vinhos ácidos tendem a endurecer a carne. Um outro fator é que alguns vinhos se tornam "ralos" durante o cozimento. A experiência é o único guia, uma vez que a maioria das pessoas não pode se permitir o uso de um vinho refinado (por exemplo, uma garrafa inteira de Chambertin) para cozinhar e fica à mercê de qualquer *vin ordinaire* encontrado no comércio local de bebidas. Porém, é óbvio que na ausência de indicações em contrário o vinho produzido na região de onde o prato se origina é o correto para se usar. Um clarete não é indicado para um prato originário da Borgonha. Algumas receitas demandam vinhos muito especiais: por exemplo, quando se usam vinhos na culinária inglesa, geralmente são os procedentes de regiões próximas a portos marítimos, tais como Cádiz (*jerez*) e Porto. Talvez por isso tanto o vinho do porto quanto o *jerez* sejam tão usados em pratos ingleses, embora raramente no continente. Há sempre uma forte ligação entre a história, a geografia e os ingredientes usados na culinária.

O **vinho madeira** é usado para aromatizar *consommé* e *aspic*. Original da ilha portuguesa de mesmo nome, situada ao norte das ilhas Canárias, foi mais popular no passado do que é hoje. É um vinho fortificado e, assim como o vinho do porto e o *jerez*, pode ser conservado por duas semanas depois de aberta a garrafa. Apresenta vários graus de doçura, conforme a uva utilizada. As quatro principais variedades são: Sercial, Bual, Verdelho e Malmsey, dos quais o Sercial é o mais seco e o melhor para temperar pratos como o *jambon au madère*.

O **Marsala** é um outro vinho fortificado, geralmente bem doce, com um certo sabor de açúcar caramelizado. É original da região em torno do porto de Marsala, na extremidade mais ocidental da Sicília, sendo muito usado na culinária italiana, e aqueles que a apreciam devem manter uma garrafa de reserva no armário da cozinha. Como os Marsalas mais baratos são muito ruins, e uma vez que as receitas indicam apenas pequenas quantidades, é melhor comprar um Marsala razoavelmente bom, e não o mais barato que encontrar no mercado. Assim como o madeira, é produzido com vários graus de concentração e doçura, e as mesmas regras aplicadas ao madeira se aplicam ao seu uso na cozinha.

O **vinho do porto** é original da região do Douro, distante cerca de 80km da cidade do Porto, em Portugal, embora hoje em dia seja imitado em muitas partes do mundo. É indispensável na culinária inglesa em pratos como o *jugged hare*, um guisado de lebre, e no molho Cumberland.

Os **vinhos de arroz**, de vários tipos, são muito usados nas gastronomias chinesa e japonesa por terem um sabor levemente semelhante ao do *jerez*; na Europa é comum substituí-lo pelo *jerez* seco, embora os vinhos de arroz estejam disponíveis em lojas especializadas. A combinação do tempero chinês de caldo de peixe, nabo ralado, gengibre e vinho de arroz (ou *jerez* seco) é excelente.

VIOLETA

BOT: *Viola odorata*
FAM: Violáceas
ALE: *Veilchen*
ESP: *Violeta*
FRA: *Violette*
ING: *Violet*
ITA: *Viola mammola*

O aroma de violetas doces, que pode ser extraído pela infusão das flores, é empregado algumas vezes em cremes, sorvetes e licores. É o principal aromatizante do licor *parfait amour*, muito doce e de cor roxa. Usa-se conservar as flores de violeta cristalizadas no açúcar, principalmente para decoração, mas algumas vezes são moídas e usadas como tempero. Flores e folhas frescas são inofensivas, podendo ser utilizadas para decorar saladas ou guarnecer pratos de carne, especialmente de vitela. Pode-se preparar uma salada com endívia, aipo, salsinha, azeitonas e violetas, temperada com azeite de oliva, sal, pimenta, vinho e vinagre.

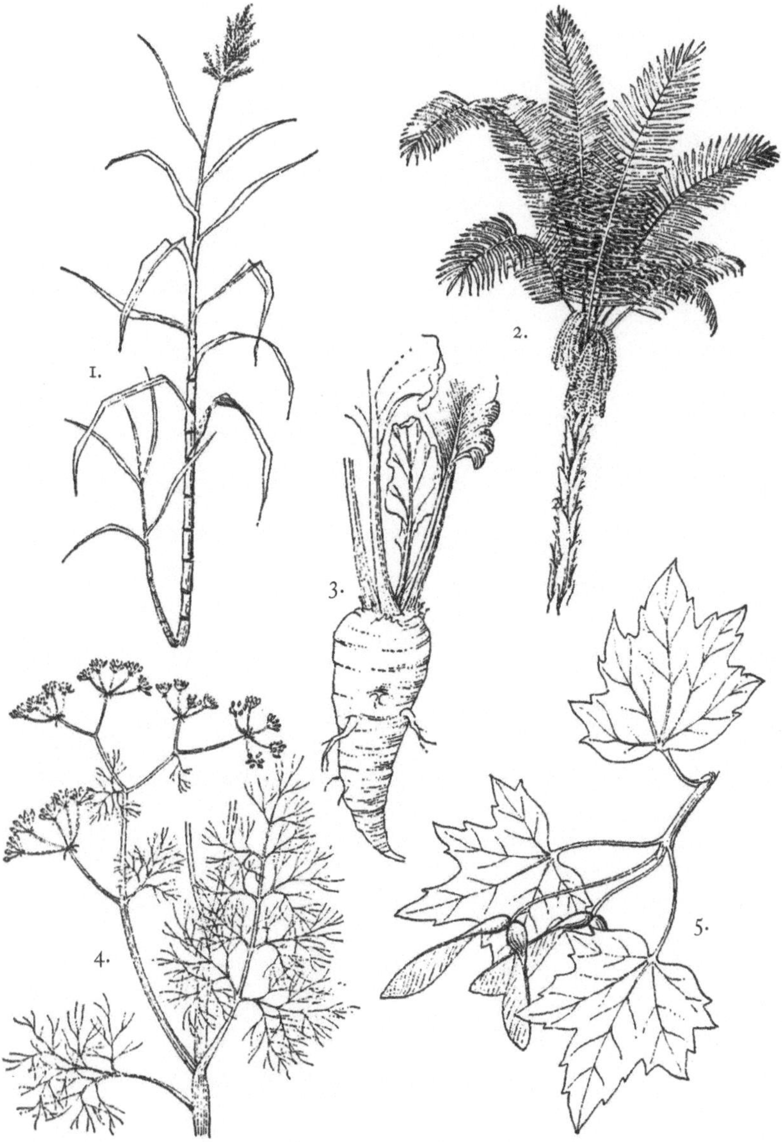

Plantas adoçantes e especiaria: 1. Cana-de-açúcar 2. Palma
3. Beterraba 4. Ajowan 5. Folhas de bordo com sâmaras

VIPERINA

A viperina é uma flor comum encontrada em locais de solo calcário na Europa, inclusive no sul da Grã-Bretanha. É uma planta bienal que cresce até cerca de 70cm de altura. As flores são azuis, apesar de os botões serem cor-de-rosa, e as folhas são cobertas de pelos. Essa planta possui várias semelhanças com o borago, podendo ser usada com as mesmas finalidades (especialmente em refrescos gelados), embora não tenha um aroma de pepino tão pronunciado. O azul não é uma cor natural muito comum nos alimentos, mas é útil conhecer algumas flores azuis que são comestíveis e podem ser usadas na decoração de pratos. A viperina está nessa categoria, junto com a chicória-silvestre, as violetas e o borago.

BOT: *Echium vulgare*
FAM: Boragináceas
ALE: *Natterkopf*
ESP: *Buglosa*
FRA: *Vipérine*
ING: *Viper's bugloss*
ITA: *Viperino*

Z

ZEDOÁRIA

Falso-açafrão

BOT: *Curcuma zedoaria*
FAM: Zingiberáceas
ALE: *Zitwerwurzel*
ESP: *Cedoaria*
FRA: *Zédoaire*
ING: *Zedoary*
ITA: *Zedoaria*

A planta, muito parecida com a cúrcuma, é originária do sudeste da Ásia. Nas florestas do sul da Índia encontrei muitas plantas semelhantes à cúrcuma e ao gengibre na aparência, mas cujos rizomas têm aromas distintos. O cheiro do rizoma da zedoária, grande e carnudo, lembra o do gengibre, mas com uma nota de cânfora. No sudeste da Ásia é usada como condimento – os tubérculos são primeiro fatiados e depois desidratados. Em Cingapura é conhecida como *kunchor* e na Indonésia, como *kentjur* ou *kentjoer* (holandês).

ZIMBRO

BOT: *Juniperus communis* e outras espécies
FAM: Cupressáceas
ALE: *Wacholder*
ESP: *Enebro, junípero, nebrina*
FRA: *Genièvre*
ING: *Juniper*
ITA: *Ginepro*

Há várias espécies de zimbros, que variam do zimbro-anão (*Juniperus nana*) que cresce nos Alpes àquelas que se transformam em árvores enormes, encontradas em países mais quentes. A espécie usada como condimento (*Juniperus communis*) é encontrada em todo o hemisfério norte, inclusive na Inglaterra. Trata-se de um arbusto que, em geral, atinge a altura da cintura e é tão espinhento que para se colher as baguinhas é necessário usar luvas reforçadas. As bagas demoram três anos para amadurecer e são encontradas num mesmo arbusto, em diferentes estágios de desenvolvimento, em qualquer época do ano. Apenas as frutinhas maduras, de coloração preto-azuladas, são usadas como tempero, e em geral amadurecem no outono, dependendo da altitude

Índice de plantas por família

Índice remissivo multilíngue

N

O

P

ESTA OBRA FOI COMPOSTA POR MARI TABOADA EM STONE SANS E ACALSON
E IMPRESSA EM PROCESSO SOB DEMANDA PELA UM LIVRO SOBRE
PAPEL OFFSET PARA A EDITORA SCHWARCZ A PARTIR DE 2025